GW00675439

El Acantilado, 342

AMOR Y FILOLOGÍA

MARÍA ROSA LIDA
& YAKOV MALKIEL

AMOR Y FILOLOGÍA

CORRESPONDENCIAS (1943-1948)

EDICIÓN Y PREFACIO DE MIRANDA LIDA

PRÓLOGO DE FRANCISCO RICO

«CANTIGAS DE AMIGO» DE MARÍA ROSA LIDA
AL CUIDADO DE FRANCISO RICO

NOTAS Y COMENTARIOS
DE JUAN MIGUEL VALERO

BARCELONA 2017  ACANTILADO

Publicado por
ACANTILADO
Quaderns Crema, S. A.

Muntaner, 462 - 08006 Barcelona
Tel. 934 144 906 - Fax. 934 636 956
correo@acantilado.es
www.acantilado.es

En la cubierta, participación de boda
de María Rosa Lida y Yakov Malkiel

ISBN: 978-84-16748-15-0
DEPÓSITO LEGAL: B. 3680-2017

AIGUADEVIDRE *Gráfica*
QUADERNS CREMA *Composición*
ROMANYÀ-VALLS *Impresión y encuadernación*

PRIMERA EDICIÓN *marzo de 2017*

CONTENIDO

Sólo por el hermoso apellido de V. (¿Infante?) estaba yo segura — 20-VIII-1947
de su naturaleza angélica arcangélica (y a ese fin consulté una vez
al Dr. Alonso: no sé si él le transmitió la consulta); después
de su carta del 31, no me cabe duda de que es V. el arcángel
Reina de Dios o Dios de la Reina — mis conocimientos
(!) de hebreo no me permiten precisar y, además, [illegible]
[illegible] y no el mío.

Su carta es la que podría escribir alguien que me conociera [no sólo alguien q ha calado mis zozobras q... pasar sino también]
hace años, y que, me ha penetrado (¡espíritu!) porque ya
ha pasado por lo q me tocará pasar. Sí, amigo M.; soy
la fémina menos andariega que puede V. imaginar;
la más torpe para andar sola por sus mundos, y la más
apegada a mi rincón y a mis gentes — nací
varios siglos demasiado tarde, — y [illegible] V. q Dios y el diablo
[illegible] de un hemisferio a otro. Voy, porque, para seguir
trabajando, no me queda absolutamente otra alternativa, pero
no puedo dominar por momentos — por muchos momentos — un
agudo pánico que apenas me atrevo a confesarme a mí misma:
¿podré adaptarme? ¿caeré bien? ¿volveré? Esto bien y
para otros, en otros tiempos, es una excursión de un año ¿no será para mí
el destierro definitivo? Estas zozobras que desde aquí son
tan grandes y angustiosas, ¿perderán importancia allí? ¿Encontraré lo que teníamos aquí antes de q se destruyese
nuestra solidaridad [illegible] un poco de amistad en el
trabajo, y a la flor fina de la vida?
[illegible] la angustiosa comprensión q V. me muestra en su carta es la que me ha llevado a abrumarle

Borrador de la carta VIII, previo a la puesta en limpio (abajo, p. 20).

NOTA PREVIA
por JUAN MIGUEL VALERO

El presente volumen, ideado y orientado por Francisco Rico, y generosamente acogido por Acantilado, reúne el intercambio epistolar que entre 1943 y 1948 muestra los pasos de la admiración al *romance* y luego al matrimonio de dos estudiosos excepcionales, María Rosa Lida y Yakov Malkiel. El núcleo del libro, naturalmente, son las cuarenta y una cartas que previamente había dado a la luz Barbara De Marco y cuya edición ha cuidado ahora Miranda Lida, a la vista de los textos definitivos y de la documentación depositada en la Bancroft Library de la Universidad de Berkeley, más otra carta numerada como XXI*bis*, para no cambiar las referencias que al conjunto se han hecho ya en otras publicaciones. Con asterisco se indican algunos añadidos de los autores al cuerpo principal de unas pocas entre esas cartas. El prólogo de Miranda Lida, «Historia de un epistolario y un exilio», desentraña las circunstancias de la relación entre María Rosa Lida y Yakov Malkiel, así como las razones y consecuencias que para ella tuvo la erradicación de su patria, Argentina. Se han reunido materiales útiles para la lectura e interpretación de la correspondencia en las notas o comentarios que van al final del texto bajo el lema correspondiente, esto es, la palabra o sintagma al que se refieren; y, por otra parte, se ha intentado dilucidar su cronología relativa. En las notas y comentarios la bibliografía aparece, en general, en formato abreviado, para evitar repeticiones y agilizar la lectura. Se encontrará desarrollada por orden alfabético-cronológico al final del volumen, antes del índice onomástico. En fin, Francisco Rico, con materiales aportados en buena medida por Charles B. Faulhaber, presenta en un apéndice las «Cantigas de amigo», entre el amor y el humor, que María Rosa dedicó a su idolatrado «Yasha». Todo ello se complementa con una selección de fotografías y documentos originales.

PRÓLOGO
por FRANCISCO RICO

Hay que presumir que quien hoy esté leyendo esta página sabe cuando menos que María Rosa Lida fue la más sabia, la más lúcida, la más admirada estudiosa de la antigua literatura española en la segunda mitad del siglo pasado, y probablemente de cualquier época. Es menos seguro que sepa también que Yakov Malkiel se contó entre los más solventes expertos en la historia de nuestra lengua, en especial en cuanto rastreador de etimologías. En cualquier caso, ninguno de esos conocimientos es imprescindible: las cartas que configuran el presente libro pueden muy bien leerse como una novela de amor, a ratos rosa, y como el relato de una seducción y de una entrega, con final feliz por unos pocos años.

La acción transcurre entre 1947 y 1948 en las dos costas de Estados Unidos, los protagonistas son dos emigrados judíos doctos en varias filologías. Ella se ha criado en Buenos Aires al amparo de una conservadora familia askenazi, ha tenido una solidísima formación en humanidades clásicas y letras modernas, perfeccionada en el Instituto de Filología de la universidad bajo la dirección de Amado Alonso (para María Rosa, quizá sin darse cuenta, *nomen omen*) y ahora, cuando se acerca peligrosamente a la cuarentena (nació en 1910), disfruta de una beca en Harvard y se pregunta qué porvenir la espera.

Él es algo más joven (1914), pero incomparablemente más corrido. Askenazi asimismo, con parentela en la burguesía industrial rusa, ha vivido, estudiado y se ha doctorado en Berlín con maestros hoy míticos como Ernst Gamillscheg,

Eduard Norden y Karl Strecker, y de un modo o de otro relacionado con figuras como Nabokov o Hugo von Hofmannsthal. No carece de gustos literarios: ha escrito sobre Paul Valéry y colabora en la prestigiosa *Die neue Rundschau*. En febrero de 1940, ha entrado en una Nueva York poco amiga de refugiados hebreos, con lo puesto y sus padres a cargo, sobreviviendo primero con clases particulares, academias de idiomas (los sabe todos) y universidades modestas, hasta conseguir un puesto en la de California (Berkeley). Hombre ambicioso, desde el principio ha buscado los contactos influyentes y tiene claro el plan de su vida: una cátedra y una revista erudita desde las que expandir los saberes que domina, y un plácido matrimonio. La perfecta casada en la que piensa debe ser judía, hispanohablante y filóloga (y en los meses en que se cartea con María Rosa no deja de pasear con otra candidata que reúne los tres requisitos).

No sabemos con certeza quién dio un primer paso estrictamente profesional: verosímilmente fue YM quien, procurando darse a conocer en el círculo de la *Revista de Filología Hispánica* bonaerense conducida por Amado Alonso, envió a MR media docena de sobretiros, a los que ella correspondió con un ejemplar de su antología del *Libro de buen amor*. Profesional, digo, pero cuando en el acuse de recibo, en septiembre del 43, trata a MR de «nueva Carolina Michaëlis», hilando delgadísimo cabe reconocer una prefiguración: pues doña Carolina y el musicólogo Joaquim de Vasconcelos se le ofrecían como arquetipo de la pareja ideal que él mismo deseaba formar; hasta el extremo de que ya prometidos llegaba a dirigirse a MR en portugués, llamándola «*Minha prezada e cara Carolina*», firmando «Joaquim» y declarando a ambos estudiosos «nuestros antepasados en el campo epistolar».

La correspondencia, sin dejar de lado los temas profesionales, cambia de rumbo cuando YM averigua que MR se muda a Harvard: ahora la ve no meramente como «una compañera de trabajo tan fina y tan simpática», sino como «muy buena amiga» y «mujer sensible», al par que se le presenta como «hombre endurecido», de treinta y tres años, y decidido a arreglar su viaje de finales de verano a la costa atlántica de manera que puedan verse. La respuesta de MR se abre aún más francamente a las confidencias: si él le parece un sefardí de «naturaleza angélica o arcangélica», ella se dice «la más desvalida para andar sola por esos mundos» y encantada de estrecharle la mano en cuanto llegue a Boston.

A partir de ahí crece en YM la urgencia del encuentro —aunque sea en un congreso en Detroit, para «combinar lo provechoso y lo ameno»—, y las indicaciones de por dónde irán los tiros crecen con un disparo de salida: «a pesar de lo que le dijo el Dr. Alonso, no hay ningunas "reinas" ni en mi nombre ni en mi vida, porque vivo soltero». También en MR crece el tono íntimo, para lamentar el «*evil of solitude*» y pintarse «callada y reticente», «amedrentada» por las personas. Como nunca se han visto, las etopeyas encaminan al irremediable intercambio de fotografías, no sin apuntes jocosos ni sin la revelación de que YM no ha archivado en sus ficheros el retrato de MR: «al contrario, *je l'ai sur moi*». Al «Amigo Malkiel» sustituyen el titubeante «Amigo Malkiel-Yasha», el resuelto «Yasha»—luego «Yashunguín» y cosas peores—, junto al tuteo y los saludos de casa a casa. Los recuerdos personales afloran más espontáneamente: YM se evoca como el «niñuelo» que «pensaba ser poeta», dejó el colegio en marzo de 1933, y «dos días después fue elegido canciller A. H.». Las iniciales velan aquí la reflexión que MR refleja en otro lugar y que tan a menudo han expresado quienes se libraron del Holocausto:

¡Cuántas veces, al leer esas horribles noticias de los crímenes inexpiables de Alemania, he pensado: cuántos, mejores y más dignos que nosotros, los que por puro azar estamos aquí en salvo, han muerto! ¡Qué responsabilidad, qué deuda para los que hemos tenido la suerte inmerecida de hallarnos fuera de la hoguera!

Todo ello, desde luego, sin mengua de las inesquivables acotaciones filológicas. Pero, a decir verdad, la filología asoma por dondequiera que se mire, químicamente pura o implícita en menciones y alusiones. Los apellidos *Lida* y *Malkiel* son objeto de cavilaciones etimológicas: puesto que el del galán significa 'Dios es mi rey', la carta en que la galanteada cuenta la novedad a sus allegados se bautiza *Crónica de veinte reyes* o *de mi rey único*; y YM equipara su matrimonio a las «soluciones perfectas» que él persigue como lingüista. La realidad de hogaño con frecuencia emerge a través del texto de antaño, por equivalencia o por contraste: «California», no nombrada, es «la tierra que está cerquita del Paraíso terrenal, según asegura el *Esplandián*»; «Hoy es la primera vez en mi vida que he visto nevar. La nieve es hermosísima en hexámetros, en *Diffugere nives*, en cuadernavía ("más blancas que las nieves que non son coceadas"), y supongo que también en algunos [otros] metros. Pero sobre un cuerpo hecho al clima subtropical moderado de *ma douce contrée (la douceur argentine*, que decía Joachim Du Bellay), no». Etcétera, etcétera.

Las puntadas literarias, tácitas o expresas, más de una vez en racimo como ahí, son continuas. ¿Pedantería? No. O bueno, sí. Pero una pedantería que sobre todo es concreción natural, instintiva, del universo de discurso, del lenguaje, que habitan los interlocutores. Bastarían dos líneas: «*fata viam invenient*, o sea, en romance, 'ya encontraré un taxi para llegar a 2703 Stuard St'». Pero leamos un párrafo:

> Pequeño incidente para ilustrar un aforismo de Esquilo. Por la noche, a las 10—*Library closing!*—, me retiro de la Widener con una pila de libros coronada por A. Cappellanus, *De Amore*. Pienso que es un poco escandaloso llevar a la vista un libro con un rótulo tan incendiario, lo cambio de posición, resbalo sobre la nieve dura y lisa, y caigo en elegante posición recumbente (adjetivo-participio presente que le sabría a gloria a Juan de Mena). Creo que no tengo nada roto, pero aseguro que he aprendido todos estos días, cuántos y cuáles músculos entran en juego al sentarse, inclinarse y levantarse: *If the dull substance of my flesh were thought ...*

El estado del alma se infiere de una entrada bibliográfica, a cuenta de Andrés el Capellán; la del cuerpo, con un soneto de Shakespeare. La caída se describe mediante un cultismo digno del más refitolero prerrenacentista; y una nota marginal de MR advierte: «πάθει μάθος no lo traduzco por vengarme».

Pedantería, pues, consabidamente juguetona, que se ríe de sí misma unas pizcas, y surge con la espontaneidad de quienes residen familiarmente entre la erudición y la literatura y no siempre distinguen la vida vivida de la vida leída. (Por más que, resume Vasconcelos-YM, «Parece que últimamente ha havido muito mais "romance" do que "filología"»). En 1947-1948, MR ha rematado ya su voluminosa tesis sobre Juan de Mena y tiene en marcha su obra maestra, *La originalidad artística de «La Celestina»*, que tardará quince años en publicarse. Conque podemos preguntarnos si discurre sobre los amantes de la *Tragicomedia* o sobre sí misma y su futuro marido cuando escribe:

Estoy entusiasmada con *La Celestina*, *«nequitiarum parens»*, y enamorada de Calisto (las cosas que dice: «¡O! ¡Si en sueño se pasase este poco tiempo!». «Pero tú, dulce imaginación, tú que puedes, acórreme»), ese Calisto que vive de una tajada de diacitrón, comida de prisa porque no puede perder tiempo: necesita todo su día para soñar. ¿A que U. no es capaz de vivir así? (Yo tampoco, pero si llego a hacer algo con todo este amor que me bulle por Calisto y por su mamá, la sin par Fiammetta, acompañaré cada separata con una tajadita de diacitrón).

Pero la cita latina de Juan Luis Vives, al principio, y la mención de la «elegía» de Boccaccio, al final, salen además de sus indagaciones de entonces sobre la posteridad y los precedentes de Fernando de Rojas. Al cabo, MR percibe, y se lo explica doctamente a YM, que la correspondencia entre ambos es una

novela epistolar que su colega Ch. E. Kany tendrá que insertar en la próxima edición de sus *Beginnings of the Epistolary Novel,* sólo que la nuestra no es *beginning* sino *end and perfection* (ἐντελέχεια que dice el vulgo peripatético).

De la Biblia a la canción popular, de los clásicos griegos y latinos a Goethe y a Dickens, de los medievales al apasionado *Testament of Youth* de Vera Brittain, de Cervantes a Stefan Zweig, las reminiscencias de la literatura se cuentan por decenas (en MR en grado máximo, en YM en medida decorosa). Aunque mayormente vienen de una memoria bien educada, de unos libros de cabecera y de los trabajos del momento, no faltan las citas que responden a una búsqueda deliberada de documentación. Así, el *Oxford Book of Medieval Latin Verse* (de 1928) es fuente doméstica y socorrida, pero si hallamos cercanos a Audefroi le Bâtard, Guiot de Provins y otros rimadores coetáneos y coterráneos ello se debe a que a MR no tiene a mano en la *Chrestomathie* de Carl Appel provenzales adecuados, de los que complacen a YM, y no le «queda más consuelo que el francés del Norte»; de ahí el recurso sistemático a los *Romanzen und Pastourellen* de Karl Bartsch y a compilaciones similares. Como sistemático es a una determinada altura el despojo de las epístolas de Abelardo y Heloísa. Que no todo consiste en dar rienda suelta y atolondrada al corazón lo comprueban los borradores que MR preparaba para ponerlos luego en limpio con bellísima caligrafía.

El encuentro se produjo al fin en las pocas fechas que YM le había reservado, un tanto cicateramente, en el curso de un viaje de congresos y bibliotecas. El instante supremo llegó en Cambridge (Mass.), el día de Navidad de 1947, a las doce y media en punto. Fue entonces cuando saltó el «*coup de foudre*». YM lo transparenta evocando los espléndidos tercetos de la *Commedia*:

> *Noi leggiavamo un giorno per diletto*
> *di Lancialotto come amor lo strinse;*
> *soli eravamo e sanza alcun sospetto...*
> *Quando leggemmo il disiato riso*
> *esser basciato da cotanto amante,*
> *questi, che mai da me non fia diviso,*
> *la bocca mi basciò tutto tremante.*
> *Galeotto fu 'l libro e chi lo scrisse:*
> *quel giorno più non vi leggemmo avante.*

Nuestros protagonistas cometieron el «pecadillo», si no pecado («*Alas, alas, that love was ever sin!*», plañía YM), que los mantuvo para siempre unidos, mientras revisaban una no identificada «etimología» en impenetrable relación con el lingüista Morris Swadesh: «¿No corregimos juntos sus pruebas el día de Navidad, a las doce y media? ¿Recuerdas el libro que leyeron Francesca da Rimini y cierto caballero?». Más claro, agua: él, sin duda estremecido, debió de darle a ella un tímido beso en la mejilla.

No otra cosa cabría esperar. MR era hija de una estricta familia judía, de ningún modo «una *American girl* sino un producto del Deuteronomio + inhibiciones hispánicas». («Del Deuteronomio, XXII, 13 y sigs.», insistía en precisar. «Y el Deuteronomio es el Deuteronomio». Como igualmente: «la Argentina es en esto la más tradicional de las naciones hispanoamericanas, y yo soy en esto architradicionalísima»). La sentimentalidad que le era propia la llevaba a guardar unas «rosas secas» o poner en un envío unos «pétalos de flores», atar un manojo de cartas con la «cintita de seda» que tal vez envolvía la caja de bombones regalada por el novio o su mamá, y juzgar «precioso, tan suave de color y perfume», el ramo que uno se imagina de un temible gusto californiano *old vintage*. Bromeaba con la amenaza de que YM pusiera en peligro la salvación de su alma por citar «en un trabajo de investigación» sobre la palabra *cansino* «a una daifa como la Rita Hayworth». Aun saboreando *La Celestina*, las *Metamorfosis* y otras «lecturas pecadoras», abominaba «los gorrinos gustos so capa de freudismo barato», y la Condesa de Dia, la mayor *trobairitz*, se le antojaba lisa y llanamente «una grandísima cochina, hablando sin perdón». MR prefería ser «anticuada» y atenerse a su fray Íñigo de Mendoza: «¡Oh pureza sin historia!».

Tras el primer encuentro, el 25 de diciembre de 1947, MR llegó a Berkeley el 27 de enero del 48 y el matrimonio según el rito hebreo se celebró el 27 de marzo. Antes de las Navidades no hubo nada como una promesa o una petición de mano, pero del carácter que iban tomando las cartas ninguno de los dos implicados podía esperar otra cosa que unas nupcias: según la arraigada costumbre askenazi, entre la amistad y la boda no hay estadio intermedio. Para MR, lo más parecido a un compromiso quizá fue la decisión de dirigirse a YM como «Yasha», advirtiéndole: «apenas llamo por el nombre sino a los varones de mi familia».

No me consta que MR hubiera pasado por ninguna otra experiencia similar a la del carteo (y cortejo) con YM. Él sí había flirteado con una sefardí y, en el mismo otoño de la correspondencia con MR, hablado quejumbrosamente a otra askenazi de casamiento y hasta de viaje de novios. Más que en doble juego, hay que pensar en honestos intentos de seducción conservadoramente apuntados al desposorio: para un emigrado (y más para los «*refugees = refujews*»), el sólito horizonte de hacer carrera en Norteamérica, formar una familia, establecerse socialmente... «Si hay distancias u obstáculos—escribía—que separan personas de marcada afinidad de gustos e intereses, hay que vencer los obstáculos». Poniendo en juego toda una estrategia de filología y cultura literaria, no le fue difícil la conquista: llegaba en el momento justo.

Al entrar en Estados Unidos, un domingo de San Mateo, 21 de septiembre de 1948, MRL cerraba de un golpe el pasado y oteaba con desconcierto el porvenir.

No sé qué camino tomar... Excluido Harvard, por el Este sólo queda dar clase en colegios de niñas. ¡Horror! ¿Ir a otra universidad, nuevo y absoluto destierro? Prefiero no pensar, como cobarde que soy, y decir con los sefardíes: «El Dió proveerá».

Por otro lado, fueran cuales hubieran sido sus más que hipotéticos coqueteos, novietes o amoríos anteriores, no podía arrinconar que se le acababan los plazos para convertirse en una respetable señora casada, a imagen y semejanza de lo que había visto en los suyos. YM la invitaba a consultar en el diccionario el significado del giro *coiffer sainte Catherine*, cuando de sobras sabía ella traducirlo por «quedarse para vestir santos»...

Una vez decidido y confirmado el matrimonio, a MR se le desborda toda la afectividad que previamente había reprimido o disfrazado de donaire erudito. Entre la Navidad de Cambridge y el San Mateo de Berkeley, son muchos, claro, los arreglos prácticos que la ocupan y los desasosiegos que la desvelan, pero el tono de esos tres meses de «víspera de la partida» lo da el desbocarse de la pasión. La postal con la que después del 25 de diciembre reanuda la correspondencia es un zéjel con un ardoroso dístico de vuelta:

> Enferma de amor estoy,
> váleme, Yasha, *my boy*.

Porque en ese período, a Yasha, literalmente, se lo comería a versos. (Remito al Apéndice: «Cantigas de amigo»). Los doctos encabezamientos políglotas cobran de hecho aire de suspiros: *Biaus dous amis*, *Animule mi*. La frase pide más de una vez el signo de exclamación: «Yo también te espero, Yasha, ¡cómo te espero!». En las zozobras de la espera, no obstante, podía más la esperanza una pizca azucarada: «Tenemos que querernos mucho los dos, y ser buenitos, y comprendernos, y perdonarnos, y vivir limpia y buenamente. Lo deseo mucho, y confío mucho en ti, más que en mí».

Quienes tratamos a Yakov Malkiel no siempre compartíamos retrospectivamente tal confianza. Nos equivocábamos: María Rosa alcanzó lo que deseaba. Por poco tiempo. En agosto de 1960 se le diagnosticó a ella un tumor que le dejó sólo un breve espacio de vida. Pero en la última cláusula de su testamento le importó «*above all*» dar las gracias a su querido esposo

for the years of happiness he has given me since our wedding, for his love, his understanding, his patience and his unstinted help in my scholarly work. In all sincerity I ask him to forgive me for anything I have said or done that he didn't approve of. May he live many & happy years hereafter, and may our life together be a pleasant memory for him, whom I bless with all my heart.

Los desconfiados nos engañábamos: Yasha hizo feliz a la dulce María Rosa.

Buenos Aires, 20 de agosto de 1947.

Amigo Malkiel:

Sólo por el apellido de V. (sefardí ¿verdad?) sospechaba yo su naturaleza angélica o arcangélica, y para cerciorarme pregunté una vez al Dr. Alonso dónde llevaba V. las alas y la espada flamígera. Después de su carta del 31 de julio no me cabe duda de que es V. el arcángel Dios-de-la-Reina o Reina-de-Dios: mi conocimiento (!) de hebreo no me permite precisar y, además, la etimología es terreno suyo y no mío.

Su carta es la que podría escribir no sólo alguien que adivinó mi pena por haber pasado ya por lo que me tocará pasar, sino también alguien que me conociera hace muchos años. Sí: soy la fémina menos andariega que pueda V. imaginar; la más desvalida para andar sola por esos mundos, la más apegada a mi rincón y a mi gente — sí, nací varios siglos demasiado tarde —, y es gran picardía que Dios y el diablo hayan resuelto remitirme de un hemisferio a otro. Me voy porque, para seguir trabajando no me queda absolutamente otra alternativa, pero no puedo dominar por momentos — por muchos momentos — ráfagas de pánico que apenas me atrevo a confesar a mí misma: ¿caeré bien? ¿podré adaptarme? ¿volveré a mi tierra? Una beca que para todo el mundo es una amable excursión ¿será para mí el destierro definitivo? Estas zozobras tan grandes y angustiosas aquí ¿perderán importancia allí? ¿Encontraré lo que tenía en Buenos Aires antes de que se deshiciese nuestro inolvidable Instituto, un poco de amistad en el trabajo, que es la flor fina de la vida?

Amigo Malkiel: la amistosa comprensión que V. me brinda en su carta es lo que me ha impulsado a abrumar a V. con tales confidencias. Es también lo que ha causado la dilación de mi respuesta, pues quería indicarle el día de mi llegada a Boston, que he desconocido hasta hoy: será el domingo 21 (más tarde de lo que yo deseaba), pues no tengo alojamiento antes. Como V. dice que pasará tres semanas ($3 \times 7 = 21$) en la costa atlántica, ¿tendré el gusto de estrecharle la mano antes de que la geografía implacable interponga entre nosotros todo el ancho de los Estados Unidos?

Un cordial saludo de

María R. Lida

P.S. La notita Saber 'soler' no tiene ejemplos italianos. Acabo de tropezar con uno

Puesta en limpio del borrador de la carta VIII (arriba, p. 6).

HISTORIA DE UN EPISTOLARIO Y DE UN EXILIO

por MIRANDA LIDA

El temprano epistolario de María Rosa Lida (1910-1962) y Yakov Malkiel (1914-1998) admite un sinnúmero de lecturas. Puesto que las cartas hablan por sí solas, esta breve nota introductoria tan sólo se limitará a proporcionarle al lector información histórica adicional que no ha sido hecha explícita por los corresponsales, ya fuere porque la dieron por sentada, o porque la consideraron irrelevante para su comprensión mutua. Nos detendremos, en particular, en la historia de María Rosa Lida, puesto que estas cartas no sólo se sitúan en un momento crucial de su vida personal y afectiva, sino también de su carrera profesional: la relación con Yakov (Yasha, familiarmente) se consolidó a la par que se desmoronó el instituto de investigación en el que había transcurrido hasta entonces la mayor parte de su actividad profesional. En 1947, la virtual desintegración del Instituto de Filología de la Universidad de Buenos Aires (Argentina), en el que María Rosa había crecido y madurado, dejó huérfanos a muchos de sus miembros y los expulsó al extranjero, si bien en un principio sólo difícilmente puede hablarse de un exilio propiamente dicho. Era una coyuntura de un desenlace difícil de prever. Muchos factores concurrieron a dirimirla: las expectativas de María Rosa de dedicarse a la actividad académica, abonadas por una larga trayectoria previa; la cerrazón de oportunidades en la Argentina, por razones políticas; las primeras dificultades para su inserción profesional en Estados Unidos; la incertidumbre provocada por la partida y el miedo al desarraigo. Este artículo ofrece un bosquejo de biografía de María Rosa Lida antes de esa crucial coyuntura de 1947 a fin de explicar sus decisiones y los caminos que escogió.[1]

1. María Rosa Lida nació en Buenos Aires en 1910 en el seno de una familia judía askenazi, emigrada del Imperio austrohúngaro. Era la menor de tres hermanos: Emilio, nacido en 1903, y Raimundo, en 1908. Arribados a la Argentina en plena *belle époque*, los Lida constituyen un caso más entre otros parecidos: una familia inmigrante que busca establecerse, mejorar su posición social, darle una buena educación a sus hijos y al mismo tiempo incorporarse a su nuevo entorno. Los hijos menores, que nacieron en la Argentina o llegaron con muy corta edad, se criaron en español directamente. Incluso los nombres judíos tradicionales fueron modificados: los tres niños recibieron nombres judíos al nacer, pero pronto fueron sustituidos por otros más acordes con la sociedad cosmopolita a la que aspiraban a integrarse. Sin mayores miramientos, el nombre judío del mayor, Yehuda Menahem (o Menuhim), con el apo-

[1] Entre los ensayos biográficos acerca de María Rosa Lida y otros miembros de su familia, destacan: Daniel Waissbein, «María Rosa Lida, nuestra erudita», *La Nación*, Buenos Aires, 9 de abril de 2012; Clara E. Lida y Fernando Lida García, «Raimundo Lida, filólogo y humanista peregrino», *Prismas. Revista de Historia Intelectual*, XIII (2009), pp. 115-131; Miranda Lida, *Años dorados de la cultura argentina. Los hermanos María Rosa y Raimundo Lida y el Instituto de Filología antes del peronismo*, Buenos Aires, Eudeba, 2014; José Luis Moure, «A cien años del nacimiento de Raimundo Lida», *Boletín de la Academia Argentina de Letras*, 2008, n.os 299-300; Yakov Malkiel, «Necrology: María Rosa Lida de Malkiel», *Romance Philology*, XVII (1963), pp. 9-32 y «The end of an era: Raimundo Lida (1908-1979) and Frida Weber de Kurlat (1914-1981)», *Romance Philology*, XXXV (1982), pp. 617-641.

do familiar de Mendel, se transformó en Emilio, el de Sigmund Meier devino Raimundo Max y el de la niña, que originalmente habría sido Miriam Shoshana, se convirtió en el más castizo María Rosa. La familia se encontraba cada vez más preparada para su asimilación en el nuevo medio social y cultural.

Como solía ocurrir con muchos de los inmigrantes centroeuropeos que viajaban a la Argentina en la era de la inmigración de masas, su vida fue itinerante, en busca de mejores oportunidades de empleo o vivienda. Mauricio Lida, su padre, trabajó en la industria gráfica por un tiempo, para luego intentar montar un negocio propio, con relativo éxito como comerciante. La familia siguió los pasos de los diversos emprendimientos y se mudó de barrio en barrio. De ahí que resulte algo difícil determinar el domicilio familiar. Consultado sobre este punto muchos años después, Emilio Lida aclaró:

> Con respecto al problema de nuestras direcciones anteriores te aclaro que Lemos 239 era la dirección de mi consultorio; María Rosa nunca vivió allá; la familia vivía en una cuadra anterior, Lemos 163. De allí nos trasladamos a Pavón 1314; de allí a Entre Ríos 263; desde 1933 vivíamos en San Juan 1318; desde 1938 en Solís 215 y desde enero de 1945 en Riobamba 118.[2]

Siempre fueron inquilinos; no tuvieron vivienda propia sino hasta mucho tiempo después. En ocasiones, subarrendaban habitaciones a algún huésped a fin de obtener mejores ingresos. Era una estrategia por la que se podía llegar a

[2] Carta de Emilio Lida a Yakov Malkiel, Nueva York, 9 de julio de 1985 y carta de Yakov Malkiel a Emilio Lida, California, 25 de junio de 1985, Malkiel Archives at Bancroft Library, 12/21.

vivir más holgadamente. Uno de los tantos huéspedes habría sido un español que introdujo en la casa algunos viejos libros traídos de Barcelona o Valencia—habrán sido de las casas Maucci o Sempere, por entonces las más importantes—. Irrumpieron en la casa de los Lida dejando una huella imborrable. El afable inquilino español permaneció en el recuerdo de la familia por generaciones, puesto que les enseñó a padres e hijos a hablar correctamente la lengua. El huésped les recitaba antiguos clásicos traducidos. En absoluto bien traducidos, diría María Rosa mucho tiempo después. Aquellas viejas traducciones de los clásicos grecolatinos utilizaban un lenguaje sobrecargado, lírico y arcaizante que ella no olvidaría cuando le tocó abordar como especialista el problema de la traducción de los clásicos. Escribiría, en su *Introducción al teatro de Sófocles* publicada por primera vez en 1944, que no conocía traducción aceptable en lengua española de las clásicas tragedias griegas, a pesar de que había distintas versiones publicadas por importantes casas editoriales.[3]

Quien mejor asimiló todas estas enseñanzas, y se lanzó vorazmente sobre los libros, fue Emilio, el mayor de los niños. Por estar más avanzado en la escuela, adquirió algunas herramientas con las cuales orientar a los menores. Además, fue el primero que en un principio tuvo libertad de movimientos por la ciudad; podía ir a diferentes bibliotecas—como la de la Sociedad Hebraica y distintas bibliotecas públicas de perfil popular, por ejemplo—y llevar libros prestados a la casa. Según el relato del propio Emilio:

[3] María Rosa Lida, *Introducción al teatro de Sófocles*, Buenos Aires, Paidós, 1971, p. 37.

Cuando tenía 11-12 años me regalaron un texto de preceptiva literaria que fue para nosotros una revelación: lo sabíamos de memoria y nos introdujo en el mundo de la versificación. Luego, apenas ingresado en el colegio secundario comencé a comprar libros de literatura, sólo limitados por los escasos recursos que Mamá me daba de sus ahorros. Recuerdo que el primer libro que compré, de segunda mano, fue *La Ilíada*, de la cual nos sabíamos de memoria largas tiradas que aún recuerdo.[4]

Emilio pudo empezar a sugerir lecturas y se ganó un ascendiente sobre los hermanos pequeños que habría de perdurar. Sin que nadie se lo hubiera dicho, él sabía que tenía que dar ejemplo y se tomaba muy en serio esa tarea. Esa actitud se advierte en una simpática foto de los años de infancia en la que Emilio—vestido de traje y con moño en el cuello—posa con adustez junto a sus hermanos todavía bastante pequeños. Mientras el mayor se comporta como adulto, los otros dos se abrazan y miran juguetonamente a la cámara. Raimundo está vestido para la ocasión con un traje de marinerito y la niña lleva puesto un vestido con moño al cinto. Era una foto característica de una familia de Buenos Aires que se encaminaba hacia su ascenso social a través del trabajo, el ahorro y la buena educación de los hijos.

La preocupación por la educación de los hijos se refleja en el hecho de que los hermanos varones asistieran a una de las mejores escuelas públicas de nivel medio que existían en la ciudad de Buenos Aires: el Colegio Nacional Manuel Belgrano. Pero no estaban firmes los planes para que María Rosa estudiara: sus padres consideraban que la edu-

[4] Carta de Emilio Lida a Yakov Malkiel, Buenos Aires, 15 de noviembre de 1980, Malkiel Archives at Bancroft Library, 11/21.

cación de la mujer era algo de lo que se podía prescindir, y más si se trataba de la educación media o superior. A María Rosa le fue necesario luchar para torcer la voluntad de los padres. Contó con el apoyo de sus hermanos mayores. De hecho, Emilio inscribió a María Rosa en el Liceo Nacional de Señoritas y se convirtió de algún modo en su tutor: le firmaba los boletines y documentos escolares, la llevaba a clase y la iba a buscar. Desde muy joven María Rosa se forjó la idea de que la mujer tenía que trabajar mucho más duro que el hombre para alcanzar su formación intelectual. No obstante ello, no existía en la Argentina ningún obstáculo legal para que la mujer estudiara y accediera, incluso, a la educación universitaria. Los padres de María Rosa, simplemente, consideraban que la educación de la niña era una inversión innecesaria, a diferencia de los hijos varones, a quienes esperaban ver convertidos en doctores—neta estrategia de ascenso social entre las familias de inmigrantes—.

A principios del siglo XX, los liceos de señoritas fueron instituciones públicas de gran prestigio social en la Argentina. Eran una clara expresión de los avances de la mujer en la sociedad, un avance que era común en casi todas partes en el mundo de la postguerra. El Liceo ofrecía una educación científica y humanista que no desatendía la formación integral de las muchachas en cuanto «señoritas», de acuerdo con los cánones de la época. Esto se verifica en sus planes de estudio, que incluían asignaturas específicas de economía doméstica, higiene y puericultura. A pesar del tiempo perdido en asignaturas anodinas, el colegio dejó su huella: allí María Rosa conoció a un modelo verdaderamente digno de ser seguido para su vida. Su nombre era Lidia Peradotto y enseñaba en el Liceo. Fue profesora universitaria, humanista, autora de ensayos, artículos especializados y de una tesis de doctorado, en la que precisamente se encontraba trabajando a comienzos de la década de 1920, justo cuando daba clase a María Rosa. Ahí María Rosa escuchó hablar, por primera vez, del desafío que implicaba un doctorado. Peradotto llegó a ser titular de la cátedra de Lógica en la Universidad de Buenos Aires, en un momento en el que ese tipo de puestos estaba bajo un apabullante predominio masculino. Fue un modelo a seguir dentro y fuera de las aulas; en pocas palabras, en la vida misma. La mayoría de los profesores del Liceo eran varones; las mujeres tan sólo impartían las materias propiamente femeninas. El hecho de conocer a una profesora a punto de obtener su doctorado le abriría enormemente los ojos acerca de las oportunidades que una mujer podía llegar a alcanzar en la vida académica, intelectual y universitaria.

Otra de las enseñanzas del Liceo fue el contacto con las lenguas clásicas. María Rosa afianzó sus conocimientos de latín y sobre esa base seguiría por su propia cuenta su aprendizaje tan intensivo como apasionado de la literatura antigua. Se entretenía recitando de memoria los poetas latinos. Se sabía al dedillo los versos de Horacio y de Virgilio y desafiaba a quien no los conociera con la minuciosidad de la que ella era capaz. Y además sabía traducirlos. Pasaba sus ratos libres volcando en el papel sus propias versiones de estos textos clásicos, tratando de buscar en cada caso la palabra que mejor reflejara el sentido que el autor debió de haberle dado en su tiempo. Las traducciones existentes al español eran pésimas, ella lo sabía. Elegía sus fragmentos preferidos y los transcribía primero en su lengua original; luego los pasaba al español. Traducir y recitar eran dos caras de una misma moneda. Era su modo de aprovechar—o, quizá, matar—el tiempo.

Se entregó al clasicismo, con sus tradiciones y sus jerarquías, aun cuando ese tipo de aficiones desentonara cabalmente con las tendencias predominantes en la sociedad porteña de su tiempo, una sociedad que se volvía cada vez más llana, bajo el imperio del tango, el cine, la radio y la novela popular. El Liceo no hizo de María Rosa una muchacha como las demás que asistía a bailes, conciertos o conferencias; muy por el contrario, la alejó del mundanal ruido de la ciudad y la sumergió en la lectura silenciosa, apenas compartida con un muy selecto círculo de amigas que sentían aquel mismo rechazo por la frivolidad. Según el retrato que de ella hiciera su hermano Raimundo unos años después de su fallecimiento, había en su afición por el clasicismo algo más que una inclinación meramente intelectual puesto que María Rosa era, también, un producto histórico del tiempo en que le había tocado vivir:

> María Rosa, helenista. No es azar que con tanta frecuencia acudiese a su pluma, y a su conversación, el contraste entre el sentir clásico y el moderno. Había una tensa, alarmada protesta contra las seducciones—tan siglo XX—del irracionalismo fácil, de la pereza mental (y las inmoralidades y crueldades que suelen acompañarla), del arte confuso e informe. Había una constante y a veces combativa adhesión a valores intelectuales tan a menudo despreciados. [...] Pero eran las formas haraganas de la literatura moderna las que hacían a María Rosa invocar en primer término el modelo griego—congruencia, reflexiva construcción unitaria—; contra tanta declamación y desahogo neorrománticos, palabreros y caóticos, subrayaba la sobriedad de aquella literatura de esencias.[5]

[5] Raimundo Lida, «Prefacio para la segunda edición», en María Rosa Lida, *Introducción al teatro de Sófocles*, Buenos Aires, Paidós, 1971, p. 8.

Su predilección por los modelos griegos se explicará porque ellos eran capaces de ofrecer una seguridad y un equilibrio que María Rosa no pudo hallar en ninguna otra manifestación cultural del muy convulso siglo XX. Incapaz de reconciliarse del todo con la modernidad de una ciudad que rápidamente se sumergía en el nuevo siglo, su opción por el clasicismo fue todo un gesto de independencia de carácter. Era sin embargo un refugio arcaizante, en más de un sentido antimoderno.

2. María Rosa comenzó en 1928 sus estudios superiores en la Facultad de Filosofía y Letras de la Universidad de Buenos Aires. Seguía los pasos de su hermano Raimundo. La elección de una carrera humanista no fue una decisión fácil para él, puesto que lo habitual era que los hijos de inmigrantes estudiaran derecho o medicina. «Papá se opuso tenazmente porque decía que era una carrera de vagos sin porvenir. Hubo una enconada lucha, pero al fin lo pude convencer a papá [de] que [Raimundo] no podía estudiar otra carrera que la de Letras», escribió muchos años después Emilio.[6] Una vez más, el hermano mayor amparó a sus hermanos. Emilio obtuvo su diploma de médico justo cuando los menores pensaban en ingresar a la universidad. Fue bajo la protección de Emilio, pues, como María Rosa y Raimundo hicieron sus respectivos estudios universitarios.

Naturalmente, el primer punto de referencia que María Rosa tuvo en la Universidad de Buenos Aires fue el Instituto de Literaturas Clásicas. Se integró a este instituto hacia 1932, después de graduarse con honores con el mejor pro-

[6] Carta de Emilio Lida a Yakov Malkiel, Buenos Aires, 15 de noviembre de 1980, Malkiel Archives at Bancroft Library, 11/21.

medio de su promoción. De esta etapa preliminar de su carrera proviene una larga serie de reseñas publicadas en *Emerita*, la revista madrileña de filología clásica fundada en 1933 por Menéndez Pidal y una colaboración más en el *Boletín de la Biblioteca de Menéndez y Pelayo* de Santander.[7]

Abruptamente, sin embargo, se apartó de este instituto hacia 1935. La intensidad de la labor de María Rosa contrastaba con la relativa inercia de un instituto que no pudo cumplir con los planes de publicación que la Universidad había previsto. Según lo dispuesto en 1931 por el Consejo Directivo, el instituto debía trabajar en la edición de diversas publicaciones: una revista (que se llamaría *Anales*) y tres colecciones de libros (una Biblioteca de Latinidad Argentina, otra de Filología Clásica y una Colección de Textos Griegos y Latinos). Pero las metas no se cumplieron: la revista tardó varios años en ver la luz; su primer número apareció en 1939 y su frecuencia fue irregular, puesto que cada nuevo número salía con años de demora. Para 1947, de los libros previstos tan sólo se había publicado un volumen (el *Miles Gloriosus* de Plauto, 1934) cuya edición estuvo a cargo del propio director del Instituto, Enrique François. El contraste entre la laboriosa joven y el ritmo de trabajo parsimonioso de sus colegas determinaría su definitivo alejamiento del Instituto de Literaturas Clásicas. Según el historiador Tulio Halperín Donghi, su retirada en 1935 no fue nada apacible:

> En cuanto al «lío de Clásicas», lo que puedo contarle son chismes muy indirectos, ya que ocurrió antes de que mis padres conocieran a María Rosa. Tiene que ver con que María Rosa comenzó a

[7] *Emerita*, II (1934), pp. 167-172; III (1935), pp. 158-164 y 336-345; IV (1936), pp. 128-136, 172-180, 307-312; *Boletín de la Biblioteca Menéndez y Pelayo*, XV (1933), pp. 265-267.

colaborar con *Emerita*, la revista de filología clásica española, y alcanzó bastante renombre [...] Según las versiones que me llegaron esa publicación llevó al punto de ebullición los celos que la prematura notoriedad de María Rosa despertaba en François, el director del Instituto, que sencillamente le cerró el acceso a él.[8]

Sea como fuere, en 1935 se produjo su ingreso al Instituto de Filología, dirigido por Amado Alonso desde 1927. Era un lugar mucho más agradable en el que trabajar. El Instituto llegó a convertirse en el verdadero refugio de María Rosa, tanto es así que el rincón que ella solía ocupar en la biblioteca quedó identificado con su imagen para los que la echaron de menos cuando partió a Estados Unidos.[9]

El Instituto de Filología llevó una marcha impetuosa en la década de los treinta. A poco de andar contaría con dos colecciones de libros especializados: la Biblioteca de Dialectología Hispanoamericana y la Colección de Estudios Estilísticos. Para 1940, la primera ya había publicado más de diez títulos. Este crecimiento no fue el producto de una política universitaria que hubiera sido decidida deliberadamente por las autoridades de la Facultad. En la década de 1930, la universidad no solía conferirles a sus institutos de investigación un presupuesto generoso. No existía, por otra parte, ningún tipo de agencia estatal dedicada específicamente a la promoción científica y la investigación, por medio de subsidios o becas a la investigación. Los recursos eran a primera vista magros, sin empleados permanentes, en especial

[8] Correo electrónico de Tulio Halperín Donghi a la autora, julio de 2009.

[9] Francisca Chica Salas, «Permanencia de María Rosa Lida de Malkiel», *Filología*, VIII (1962), pp. 1-5.

en los primeros tiempos. No obstante, no faltaron para el Instituto de Filología las oportunidades de conseguir trabajo para todos sus miembros. Incluso los asistentes técnicos gozaron de su respectiva remuneración. Y lo más importante: obtuvo cada vez más importantes cuotas de prestigio. Claro que había que irlo a buscar fuera de la propia institución universitaria. Esto es lo que marcaba la diferencia entre François y Alonso: el español participaba de infinidad de círculos sociales ajenos a la Universidad. De hecho, buena parte de la gestión cultural e intelectual de estos años tuvo sus centros más dinámicos fuera de la Universidad. La cátedra se salía de la solemnidad del claustro y se continuaba en tertulias, banquetes y cenas. Así, por ejemplo, en la casa de Victoria Ocampo, fundadora de la revista *Sur*, que pasó a ocupar el corazón de la sociabilidad de los hombres de letras: Amado Alonso, Pedro Henríquez Ureña, Francisco Romero o Jorge Luis Borges, entre otros.

Pero con sus veintitantos años, María Rosa no participaba de este círculo de relaciones, al menos no con el grado de intimidad que suponía el hecho de compartir veladas. Su relación con Alonso o con Henríquez Ureña, los más cercanos, se ciñó a las conversaciones mantenidas en la sede del Instituto de Filología, y no fuera de él. El Instituto no permanecía aislado de todas maneras. De hecho, por una temporada funcionó en una casa cedida por Victoria Ocampo, a menos de cien metros de las oficinas de *Sur*. No obstante ello, y a pesar de la cercanía física, los contactos de María Rosa con Victoria y su círculo fueron pocos; la trataba con admiración y respetuosa distancia. Muchos años después le escribiría:

Son pocas las veces que he estado junto a Ud. ante todo porque así lo ha querido el Azar que mueve el sol y las estrellas [...] y, por último, porque Ud. (con Jorge Luis Borges) me reducen con su sola presencia a la afasia instantánea y total. Ante Uds., que me inspiran la admiración más afectuosa y el sentimiento de mi propia pequeñez, vuelvo a reaccionar como en la adolescencia.[10]

La relación más intensa la tuvo con Alonso. A pesar de la fuerte vocación de María Rosa por las letras clásicas, que perduraría a lo largo de su vida, Alonso logró atraerla con fuerza hacia la filología en lengua española. Su maestro la acogió en su instituto sin presionarla para que modificara los temas de investigación por los que sentía mayor afición: una humanista de formación clásica también podía ser útil allí. Así, sus publicaciones más importantes de esos primeros años en el Instituto de Filología se mantienen en los temas clásicos: una colaboración en *Sur*, dos más en el *Boletín de la Academia Argentina de Letras* y un artículo para *Cursos y Conferencias*, todas ellas de alrededor de 1937.[11] Sólo hacia 1939 se advierte un viraje hacia temas más propiamente españoles. A comienzos de ese año comenzaba a publicarse la *Revista de Filología Hispánica*. Fue para el Instituto de Filología una apuesta importante. A partir de aquí María Rosa ingresó en la literatura española medieval y del Renacimiento a través de los temas y motivos literarios grecolatinos. Así lo revelan sus primeros trabajos de

[10] Carta de María Rosa Lida a Victoria Ocampo, Berkeley, 27 de abril de 1962, en *Testimonios sobre Victoria Ocampo*, Buenos Aires, Lafleur, 1962, p. 197.

[11] María Rosa Lida, «Helena en los poemas homéricos», *Cursos y Conferencias*, IX (1937), pp. 113-140; «El mito de Helena», *Sur*, XXXIX (1937), pp. 65-75; «La mujer ante el lenguaje. Algunas opiniones de la Antigüedad y del Renacimiento», *Boletín de la Academia Argentina de Letras*, XVIII (1937), pp. 237-248; «Las imágenes de la cámara maravillosa (*Historia Troyana*)», *Boletín de la Academia Argentina de Letras*, XXV-XXVI (1939), pp. 173-185.

esos años de transición, donde prevalece la idea de filiar influencias entre una y otra literatura.[12]

En el corazón de sus primeras aficiones intelectuales se advierte también su preocupación por el papel de la mujer en la literatura clásica y, por añadidura, en el Renacimiento y en la tradición humanista en general. Los personajes femeninos, de hecho, la atraen intensamente: Helena, Dido, Safo. A trasluz de sus trabajos en torno a clásicos personajes femeninos se puede leer una preocupación de fondo en torno a la libertad de la que goza la mujer para dedicarse a quehaceres intelectuales.[13] De esta serie de escritos en torno a la mujer, el que mayor difusión alcanzó fue un breve artículo sobre el motivo literario de la abeja en la literatura clásica y del Renacimiento: metáfora de Cupido, aludía a la abeja que picaba de flor en flor, a veces incluso equivocándose.[14] Por su contenido romántico y su carácter bucólico, Amado Alonso lo consideró apropiado para su presentación en su programa de radio *Hombres de hoy* en la emisora El Mundo, que se emitía los domingos a las once de la mañana. Por él circularon figuras reputadas del mundo intelectual de entonces: Francisco Romero, Pedro Henríquez Ureña, Carlos Vaz Ferreira, Eleuterio Tiscornia,

[12] María Rosa Lida, «El ruiseñor de las *Geórgicas* y su influencia en la lírica española de la Edad de Oro», *Volkstum und Kultur der Romanen*, XI (1938), pp. 290-305; «Transmisión y recreación de temas grecolatinos en la poesía lírica española», *Revista de Filología Hispánica*, I (1939), pp. 20-63.

[13] María Rosa Lida, «La mujer ante el lenguaje», *Boletín de la Academia Argentina de Letras*, XVIII (1937), pp. 237-248; «Dido y su defensa en la literatura española», *Revista de Filología Hispánica*, IV (1942), pp. 209-252 y 313-382; «El mito de Helena», *Sur*, XXXIX (1937), pp. 65-75.

[14] María Rosa Lida, «Abejas del Mediterráneo», *Letras. Boletín del Círculo de Profesores de Castellano y Literatura Arnoldo C. Crivelli*, II (1944), pp. 3-14.

Jorge Luis Borges y Ricardo Molinari, entre otros. En esa audición, Alonso presentó a María Rosa como «la primera humanista que ha producido la América española».[15] A pesar de lo erudito de sus estudios y lo clásico de sus temas, el trabajo de María Rosa salía a la luz por fuera de los circuitos especializados de publicación, los únicos a los que ella se asomó en un principio.[16]

Esta versatilidad refleja el modo en que se trabajaba en el Instituto de Filología. De hecho, Alonso no sólo impulsó la publicación de series de obras especializadas, que reflejaban la labor de sus miembros; su influencia se extendió a un público no especializado, incluso masivo, a través de empresas culturales que sacarían provecho del crecimiento editorial de Buenos Aires, en especial en la segunda mitad de la década de 1930. Por medio de su contacto con las principales casas editoriales, permitió que su Instituto se convirtiera en un semillero de escritores capaces de prologar obras clásicas, realizar traducciones y ediciones críticas de textos literarios, tanto antiguos como modernos. El Instituto, pues, no sólo fue un centro dinámico de investigación, de producción erudita y especializada, sino que logró construir estrechos vínculos con la industria editorial de masas, a la que asesoraba con frecuencia, y más cuando ésta lanzó al mercado sus nuevas colecciones de alta calidad. El libro barato de Buenos Aires contaría ahora con una producción editorial de primer nivel, con títulos, tra-

[15] «Text of Amado Alonso's Introduction», *Romance Philology*, XVII (1963), p. 524. Sobre este programa, véase «Nosotros y el cinematógrafo, el teatro y la radio», *Letras. Boletín del Círculo de Profesores de Castellano y Literatura Arnoldo C. Crivelli*, II (1944), p. 60.

[16] En el exterior, colaboró asiduamente con la revista *Repertorio Americano* de San José de Costa Rica y con la *Revista Cubana*, con artículos, reseñas y traducciones.

ducciones y prólogos eruditos avalados por uno de los institutos de investigación más prolíficos de la Universidad.

En este contexto cobran su cabal sentido las contribuciones a la industria editorial de aquella María Rosa Lida helenista, la de mayor visibilidad pública. Era todo un desafío intentar convertir en *best-seller* las obras de Horacio, Virgilio, Plutarco, Sófocles y Juan Ruiz. Tanto los prólogos a la *Eneida* (Losada, 1938), a las *Odas y epodos* de Horacio (Losada, 1939) y a las *Sátiras y epístolas* (Losada, 1940), como la *Introducción al teatro de Sófocles* (Losada, 1944) y la selección del *Libro de buen amor* (Losada, 1941), todos ellos a cargo de María Rosa, como la edición de las *Vidas paralelas* de Plutarco (Losada, 1939) a cargo de Pedro Henríquez Ureña, pero con algunos fragmentos traducidos por María Rosa, fueron muestras cabales del fuerte entrelazamiento que el Instituto llegó a tener con la industria editorial. Para Losada, y por encargo de Alonso, claro está, María Rosa también revisó las pruebas de imprenta de *Poesía junta*, de Pedro Salinas.[17] Entre sus contribuciones a la gran industria editorial, tan sólo resta mencionar su traducción y estudio preliminar a *Los nueve libros de la historia* de Heródoto (Clásicos Jackson, 1949) y la colaboración con breves fragmentos traducidos de textos clásicos en griego o latín para distintas publicaciones a cargo de otras personas cercanas al Instituto—en este sentido, colaboró con Henríquez Ureña más de una vez—. Quedó en el tintero sin embargo la traducción de *La ciudad antigua* de Fustel de Coulanges en la que María Rosa trabajó por encargo de Losada hacia 1940, pero que finalmente no

[17] María Rosa Lida de Malkiel, «Mis tres encuentros con Pedro Salinas», *Buenos Aires Literaria*, XIII (1958), pp. 97-103.

se publicó.[18] Pero la más popular de todas sus intervenciones en la industria editorial fue sin duda su traducción de la novela *Cumbres borrascosas* de Emily Brontë, publicada por Editorial Sudamericana (1938), que ha sido reeditada infinidad de veces, incluso hasta el día de hoy. Su prestigio como traductora había llegado tan lejos que adquiría peso propio, fuera del Instituto de Filología.

Sus ediciones alcanzaron una meta poco frecuente en la publicación de textos de la Antigüedad clásica: fueron juzgadas igualmente válidas tanto para un lector especializado que podría leerlas con confianza en una edición barata, como para el novato que se aproximaba a ellas por primera vez. Estas ediciones llegaron a España, naturalmente, y fueron largamente elogiadas por Menéndez Pidal. Claro que para los especialistas, María Rosa publicaría, además, una larga serie de artículos en la revista del Instituto, que comentaba en detalle aspectos presentados apenas someramente en sus prólogos para las ediciones populares. Así pues, el trabajo de María Rosa quedaba sólidamente articulado, abarcando al mismo tiempo al lector novato y al académico.

Este simultáneo esfuerzo por llegar tanto a un público erudito como a otro masivo y no tan cultivado era fruto del tipo de orientación que Amado Alonso imprimió al Instituto y a sus discípulos, y del sesgo específico que le daba a su trabajo en la Argentina. La María Rosa de la década de 1930, la que el público llegó a conocer a través de sus libros, debe ser comprendida dentro de este marco. A instancias de su «maestro», publicaba textos eruditos en el seno del Instituto, realizaba rigurosos prólogos y traducciones

[18] Carta de Yakov Malkiel a Emilio Lida, 18 de junio de 1974, Malkiel Archives at Bancroft Library, 9/21.

de obras clásicas, destinadas a la industria editorial masiva, y tímidamente se acercó por primera vez—y sospechamos que única, dado que no contamos con ninguna evidencia de que hubiera repetido la experiencia—a un micrófono de radio. La influencia de Amado Alonso sobre una discípula que quería ser ejemplar logró conducirla a realizar tareas a las que ya nunca más volvería en el transcurso de su vida norteamericana. En Estados Unidos, a partir de 1948, logró desarrollar una vida académica que incluyó un importante número de cursos dictados en diferentes universidades de todo el país, conferencias, participaciones en congresos, publicaciones especializadas y libros eruditos. Pero ya no tuvo más intervenciones para un público de masas. De hecho, sus publicaciones por la editorial Eudeba (Editorial Universitaria de Buenos Aires) en la década de 1960, y la reedición de sus obras en colecciones populares que llegaron incluso a venderse en los kioscos, fueron realizadas póstumamente gracias a la buena relación que Emilio Lida tuvo con el editor Boris Spivacow. El «paraíso perdido» que María Rosa dejó en Buenos Aires al partir en 1947—esta expresión aparece en su correspondencia con Yasha—fue en buena medida el producto del ritmo febril que Amado Alonso supo imprimirle al Instituto en la década de 1930.

Pero podemos hurgar más allá de esta fachada de la María Rosa helenista, la más conocida y la que le confirió todo su prestigio de erudita humanista. Por detrás de ella, hubo otra que prefirió conservar para sí, sin darle ninguna visibilidad. De hecho, su inclinación por temas de la tradición y la cultura judías tan sólo salió a la luz de manera póstuma. Databa, sin embargo, de mucho tiempo atrás. Corrían los años de la Segunda Guerra Mundial y el Holocausto despertaba la sensibilidad de la familia Lida—de los hermanos Emilio y María Rosa en particular—. Emilio, en efecto, hizo más tarde generosas contribuciones para la fundación del Estado de Israel. María Rosa, por su parte, se dedicó entre los años 1939 y 1943 a estudiar los textos clásicos de la antigüedad judía escritos por Flavio Josefo. La antigüedad, y más todavía, la judía, la atraían. Hizo a solas estos estudios y escribió sus ensayos en varios cuadernos manuscritos, que permitieron su edición póstuma muchos años después.[19] En Buenos Aires tan solo se publicaron algunos pocos escritos en este sentido en la revista *Davar*, de la Sociedad Hebraica Argentina.[20]

Las razones de por qué María Rosa, que había dedicado grandes esfuerzos a analizar las obras de Flavio Josefo, terminó por hacer su tesis de doctorado en torno a Juan de Mena, poeta del prerrenacimiento español y tema sin duda más afín al Instituto de Filología, nunca las expresó claramente. No obstante, es evidente que el contexto no ayudaba. Los años de la Segunda Guerra Mundial no eran precisamente los más apropiados para estudiar temas de la historia y la tradición judías. La opinión pública en la Argentina—a pesar de ser país neutral—se polarizó fuertemente a raíz de la guerra, y no faltaron en ella las voces que ex-

[19] Los textos de María Rosa Lida de Malkiel sobre temas judíos son: *Jerusalén. El tema literario de su cerco y destrucción por los romanos*, Buenos Aires, Universidad de Buenos Aires-Instituto de Filología, 1973; *Herodes: su persona, reinado y dinastía*, Madrid, Castalia, 1977; «Las sectas judías y los *procuradores* romanos. En torno a Josefo y su influjo sobre la literatura española», *Hispanic Review*, XXXIX (1971), pp. 183-213; «Las infancias de Moisés y otros tres estudios: en torno al influjo de Josefo en la literatura española», *Romance Philology*, XXXII (1970), pp. 412-448.

[20] Sus publicaciones en *Davar*: «Del judaísmo español: Yosef ben Meir Ibn Zabara», XXXVI (1951), pp. 5-17; «Cartas judías», L (1954), pp. 91-120; «Dos opúsculos inéditos», IC (1963), pp. 70-77.

presaban su simpatía por el Eje. Profesora desde 1938 en la Escuela Normal n.º 3 y en el Instituto Nacional del Profesorado Secundario a partir de 1941, percibía que en el ambiente se dejaba sentir un cierto antisemitismo:

> Me entregué a la investigación [de doctorado] cuando terminaba la guerra española: porque no sé cómo fue, pero así fue que las niñas judías del Liceo en que yo trabajaba eran las culpables de todo. Me enfrasqué persiguiendo ruiseñores en los bosques de Rivadeneyra para no ver todo el odio que había a mi lado, y así he seguido. Mis hijos predilectos, Dido y Sófocles, han nacido en momentos angustiosos para mí.[21]

La sensación de angustia se agravó en 1944, ya en pleno gobierno militar, cuando se vio forzada a asistir a un acto público en la Avenida 9 de Julio, al que la convocaron como profesora del Instituto del Profesorado, que se encontraba intervenido por entonces bajo la autoridad del recalcitrante Jordán Bruno Genta—el gobierno colocó las instituciones educativas bajo la batuta de los sectores nacionalistas, incluso católicos, muchos de ellos simpatizantes del Eje—. La escena que le tocó vivir fue angustiosa, según refiere una anécdota que recuerda Tulio Halperín Donghi, cuya madre, Renata Donghi de Halperín, era por esas fechas muy amiga de María Rosa. En ese acto masivo, de importante presencia clerical, al escuchar a uno de los monseñores sentenciar que «esta Plaza estará manchada de sangre», en referencia a la cruzada anticomunista en la que la Iglesia se había embarcado, María Rosa se echó a llorar.

[21] Carta de María Rosa Lida a Yakov Malkiel, Buenos Aires, 13 de noviembre de 1947, Malkiel Archives at Bancroft Library, 26/19.

En cambio, donde nunca percibió ni el menor atisbo de antisemitismo fue en el Instituto de Filología. Todo lo contrario: cuando Alonso debió abandonar la Argentina en 1947, se «le enrostró, como máxima acusación, el haber formado un instituto de extranjeros (léase de "judíos")», afirma María Rosa en carta a Malkiel. (Eran judíos, en efecto, Ángel Rosenblat y Frida Weber de Kurlat, amén de los hermanos Lida). Lejos de cualquier prejuicio, Alonso incluso alentó a María Rosa a publicar en la *Revista de Filología Hispánica* un artículo sobre el cual ella misma vacilaba, puesto que tocaba la cuestión judía. Temía que eso fuera mal visto. Con este trabajo daba sus primeros pasos en el estudio de las raíces judías de la literatura española, un tema delicado para los tiempos que corrían. No obstante toda la fuerza de carácter de la que era capaz cuando defendía sus convicciones, ella actuaba con mucha más cautela, incluso pudor, allí donde estaba involucrada la temática judía. Por ello, y a pesar del enorme esfuerzo que dedicó a la redacción de sus extensos manuscritos personales sobre Josefo, tomó la decisión de hacer su tesis doctoral, en cambio, sobre el poeta español Juan de Mena. Tanto éste como Juan Ruiz, con su *Libro de buen amor*, la atraían especialmente. Podía haber miles de razones para volcarse a estudiar a estos autores, pero en el caso de María Rosa no puede pasarse por alto su vinculación con la tradición judía. Según María Rosa, Juan de Mena era converso, y así lo sostuvo en sus publicaciones, aunque no siempre los demás críticos la apoyaran en sus conclusiones. (También de Fernando de Rojas, autor de *La Celestina*, a quien María Rosa luego dedicara largos años y quizá su más importante estudio, se decía que era converso). Y Juan Ruiz a su vez recogía motivos y tradiciones de origen judío en su célebre poema. De este modo, María Rosa no se apartaba del todo de la temática judía que en el fuero íntimo tanto le interesaba, manteniéndose al mismo tiempo bajo la órbita de la literatura española, el terreno hacia el que su «maestro» la quería llevar.

Con esta preparación, y con enorme curiosidad por todo lo que fuera de origen judeoespañol, en 1944 comenzó a enseñar Literatura Española Medieval en el Instituto del Profesorado, donde Jordán Bruno Genta era interventor. No lo pasó bien allí, puesto que Genta veía a María Rosa como judaizante. En lugar de enfatizar la fuerza de los valores católicos en la literatura española, ella hablaba de conversos y de literatura sefardí. Así pues, lo más correcto sería decir que de la antigüedad grecorromana pasó a la judía y de allí a la literatura española medieval y renacentista: la tradición judía fue el perfecto puente entre ambos extremos. No todo en la trayectoria de María Rosa fue, pues, obra de su más caro maestro, don Amado.

Juan de Mena le permitió reconstruir los motivos clásicos y al mismo tiempo detectar los guiños hacia las raíces semíticas. Lo prefirió entonces a Rojas o a Juan Ruiz, a pesar de que ya había trabajado sobre ellos con antelación (incluso había publicado una selección del *Libro de buen amor* en una edición popular). Pero estos autores eran en cierto sentido arriesgados para una tesis porque tocaban el tema del amor, y María Rosa no se habría sentido cómoda con la idea de tener que hablar sobre ello ante un jurado: «sucede que las personas me amedrentan, mientras el papel en blanco me asegura impunidad», confesaba en carta a Malkiel. *La Celestina*, de hecho, figura entre los libros que ella consideraba *non sanctae*, junto con el *Ars amandi* de Ovidio y otras tantas «lecturas pecadoras» más: así es como ella las llamaba. Claro que no se privaba de leer estos libros de todas maneras. María Rosa tuvo la suerte de que nadie le prohibiera nunca sus lecturas de juventud, ni los padres ni los hermanos mayores. Ni siquiera Raimundo se entrometía para recomendarle o censurarle autores, puesto que sabía que en esa tarea ella podía valerse perfectamente bien por sí misma. Así pues, creció con la libertad de poder leer cuanto quisiera, a diferencia de muchas jóvenes de su época que cargaron con infinidad de prejuicios al respecto. Las «niñas» de la *belle époque* tuvieron que lidiar con este tipo de convenciones. No obstante, y a pesar de toda la libertad de la que siempre gozó en relación con los libros, ella sentía, incluso en fecha tan avanzada como 1947, que había cometido una transgresión cada vez que leía una de esas obras *non sanctae*: su férreo sentido de la moral le imponía la idea de que, con todo, esas lecturas eran pecadoras. Similares pruritos operarían también desde los inicios de su relación con Malkiel, luego de su llegada a Estados Unidos con la beca Rockefeller.

3. Su beca fue producto de la creciente influencia que los hispanistas habían adquirido en las universidades norteamericanas por medio de Amado Alonso (Harvard University), Américo Castro (Princeton University) y Federico de Onís (Columbia University). Durante la década de 1930 las universidades norteamericanas cobijaron a intelectuales que huían de la Europa amenazada por el nazismo, así como también de la España asolada por la guerra civil, y esta tendencia continuará a su vez con la postguerra: entre ellos, Tomás Navarro Tomás (Columbia University); Rafael Lapesa (profesor visitante en varias universidades norteamericanas); Joseph Gillet (University of Pennsylvania); Leo Spitzer (John Hopkins University); Juan Corominas (Chicago University) y el propio Yakov Malkiel (University of California, Berkeley).

Alonso llevaba más de un año en Estados Unidos cuando arribó María Rosa. El filólogo español debió partir de la Argentina porque la Universidad de Buenos Aires, en pleno gobierno de Perón, le impuso condiciones que ya no podía cumplir. Un Perón que había llegado al gobierno, entre otras cosas, gracias a una campaña de propaganda de un fuerte tono antinorteamericano, no podía sino traerle problemas al Instituto de Filología, que tan fuertes vínculos tenía con las principales universidades y academias de Estados Unidos. La guerra había afianzado estos vínculos: el Instituto de Filología daba cursos de «español para extranjeros» y los alentaba a estudiar letras hispánicas. Estos intercambios se iniciaron hacia 1940, y no hicieron sino fortalecerse con el correr del tiempo. Entre los años 1945 y 1947, Alonso, por su parte, fue nombrado miembro de honor de la Modern Language Association of America, Foreign Honorary Member de la Academy of Arts and Sciences de Boston, miembro de la Philosophical Society of America y Doctor *honoris causa* por la Universidad de Chicago. Además, fue invitado como profesor visitante a Harvard en septiembre de 1946. Con todo, se fue de la Argentina con la idea de regresar a fines del año lectivo del hemisferio norte, en junio de 1947. Pero en 1946, en pleno gobierno peronista, una invitación a Harvard, es decir, una universidad yanqui, no era precisamente algo que pudiera ser bien visto y fue declarado cesante. Inmediatamente, los alumnos de Alonso y sus colaboradores directos en el Instituto enviaron una nota al interventor donde expresaron que era su «deber de conciencia» solicitarle que revisara la medida. La firmaban los hermanos Lida, Ángel Rosenblat, Frida Weber, Julio Caillet-Bois, Raúl Moglia, Paul Bénichou—en 1940 el intelectual francés nacido en Argelia de origen sefardí había visitado Buenos Aires invitado por la Universidad y se había hecho amigo de Borges y de Alonso—, Berta Elena Vidal de Battini, María Elena Suárez Bengoechea y Daniel Devoto.[22] Al igual que Alonso, poco después los hermanos Lida y Ángel Rosenblat terminaron alejándose de la Argentina.

En este clima de desazón, el viaje de María Rosa a Estados Unidos fue vivido como una suerte de destierro. Así lo refleja su correspondencia con Malkiel poco antes de partir. Las primeras cartas con él son de Buenos Aires y no hay nada en ellas que revele ningún tipo de relación más personal. Malkiel, un filólogo de origen ruso ya bastante conocido en la comunidad académica de Estados Unidos, había colaborado con algún artículo en la *Revista de Filología Hispánica* y por sugerencia de Américo Castro entabló relación epistolar asidua con Buenos Aires, de tal manera que estaba al tanto de la cesantía de Alonso y de la partida de María Rosa. Cuando le escribió para felicitarla por la beca Rockefeller que ella obtuvo en Estados Unidos, recibió a vuelta de correo sus impresiones personales de aquel momento crítico, sinceras y emotivas:

> Una beca que para todo el mundo es una amable excursión ¿será para mí el destierro definitivo? [...] ¿Encontraré [allí] lo que tenía en Buenos Aires antes de que se deshiciese nuestro inolvidable Instituto: un poco de amistad en el trabajo que es la flor de la vida?[23]

[22] La documentación pertinente está transcrita en Juan María Lecea Yabar, «Amado Alonso en Madrid y Buenos Aires», *Cauce*, XXII-XXIII (1999-2000), pp. 403-420.

[23] Carta de María Rosa Lida a Yakov Malkiel, Buenos Aires, 20 de agosto de 1947, Malkiel Archives at Bancroft Library, 26/19.

Malkiel interpretó que Buenos Aires era para ella una especie de «paraíso perdido». Una vez arribada a Estados Unidos, se siguieron escribiendo desde Harvard a California. Con el correr de los días y las semanas, la correspondencia fue adoptando un tono cada vez más íntimo. La angustia de María Rosa por su «destierro» dio pie a largos diálogos en tono de confidencias. A él le contaba cosas que a su familia en Buenos Aires no osaba escribirle: «como en esta carta, amigo Malkiel, a diferencia de las cartas que escribo a mis padres, no me veo obligada a irradiar una alegría que no siento, confieso que ante todo me hallo perdida», escribía. La amistad se fue afianzando. Malkiel, por otro lado, gozaba de la mejor reputación entre los lingüistas de la costa este. Los elogios que de él escuchaba en Harvard despertaron todavía más la curiosidad de María Rosa por un hombre que la confortaba con sus largas cartas, pero que no conocía personalmente.

Desde septiembre de 1947, hasta marzo de 1948, cuando finalmente se casaron, tuvo lugar un verdadero frenesí de cartas, matizadas por un viaje de él de un extremo al otro del país. Hicieron los arreglos para la boda en poco tiempo. Esto mejoraría sustancialmente la situación de María Rosa en Estados Unidos: había ingresado en el país con una beca por un año al cabo del cual su futuro sería incierto. Gozaba, sin embargo, de un permiso de residencia sin límites otorgado por las autoridades migratorias de Estados Unidos. Todavía en la década de 1940, la Argentina era considerado un país *non-quota*: es decir, que tenía el privilegio de no contar con topes a la emigración. Pero si bien esto allanaba su condición migratoria, no estaba clara, de todas formas, su situación laboral. Las perspectivas de que, una vez concluida su beca, pudiera obtener un puesto de profesora universitaria eran prácticamente nulas, dado que por entonces los puestos universitarios estaban reservados a los hombres, y más todavía en una universidad tan tradicionalista como la de Harvard. Esto producía enorme indignación en una María Rosa que veía cerradas todas sus oportunidades para hacer una carrera académica. Sus críticas al sistema universitario norteamericano las expresó a viva voz cada vez que tuvo oportunidad.[24] Y ni que hablar de los prejuicios contra la mujer universitaria o académica, a la que se tendía a aislar socialmente. Se veía ya casi sin ninguna opción en Estados Unidos:

> El desconcierto me alcanza ahora; no sé qué camino tomar ¿volver? Nada tengo que *hacer* en Buenos Aires. ¿Quedarme, desterrarme definitivamente de los míos? Sólo pagaría tan alto precio a cambio de trabajar bien aquí. Excluido Harvard, por el Este sólo queda dar clase en colegios de niñas. ¡Horror! ¿Ir a otra universidad, nuevo y absoluto destierro? Prefiero no pensar, como cobarde que soy, y decir con los sefardíes: «El Dió proveerá».[25]

Esta carta data de comienzos de noviembre de 1947, cuando aún no se habían visto y ella todavía lo ignoraba casi todo acerca de la vida de Yakov Malkiel. Apenas sabía que él provenía de Kiev y que su familia era de origen judío. Intentó averiguar algo más acerca del origen étnico de él a través de la interpretación etimológica de su apellido, pero no supo hacerlo bien: «mi conocimiento de hebreo no me

[24] María Rosa Lida de Malkiel, «Free opportunities for intellectual pursuits», *Journal of the American Association of University Women*, octubre de 1958, pp. 5-8.

[25] Carta de María Rosa Lida a Yakov Malkiel, Cambridge, 2 de noviembre de 1947, Malkiel Archives at Bancroft Library, 26/19.

permite precisar».[26] Sospechó que él fuera sefardí. Cuando él le comunicó que en verdad era askenazi fue para ella tranquilizador. Y para él también debió haberlo sido, puesto que ya antes la madre de Malkiel había rechazado una novia sefardí con la que él se había involucrado un tiempo atrás, en una relación que quedó trunca.

Entre los más tradicionales judíos askenazíes, esto era importante puesto que era todavía frecuente el prejuicio contra los sefardíes. Su prevención condensaba un cierto maltrato social de parte de los judíos de Europa Central para con los del Mediterráneo. Además, los sefardíes no hablaban *yiddish*, motivo por el cual, y nada menos que en Auschwitz, un judío italiano como Primo Levi pudo pasar por sospechoso para los propios askenazi.[27] Es significativo que María Rosa le escribiera a Malkiel que «en cuanto a no ser [usted] sefardí, me alegro infinito porque yo también soy ashkenazi».[28] El muy tradicional prejuicio de los askenazíes contra los sefardíes, común desde fines del siglo XIX entre los judíos de Europa Central, continuó vigente en Estados Unidos, en pleno siglo XX. Para María Rosa, el hecho de que él fuera askenazi allanaría, pues, enormemente las cosas. En este sentido, ella no se parecía a su hermano Raimundo que, en segundas nupcias, se casó con una mujer sefardí. Las convenciones de la educación recibida le impusieron a María Rosa un apego más intenso por la religión

[26] Carta de María Rosa Lida a Yakov Malkiel, Cambridge, 20 de agosto de 1947, Malkiel Archives at Bancroft Library, 26/19.

[27] «El *yiddish* era en realidad la segunda lengua del campo [...] Los judíos polacos, rusos o húngaros estaban asombrados de que los italianos no lo hablásemos: éramos judíos sospechosos», Primo Levi, *Los hundidos y los salvados*, Barcelona, El Aleph, 2005, pp. 130-131.

[28] Carta de María Rosa Lida a Yakov Malkiel, Cambridge, 25 de septiembre de 1947, Malkiel Archives at Bancroft Library, 26/19.

de lo que se habrá de verificar en su hermano Raimundo; el varón gozaba de una libertad que la familia le concedía a él con liberalidad, pero no así a la mujer, cosa que María Rosa tanto deploraría.

4. María Rosa no necesitó mucho esfuerzo para advertir que se producía un gran cortocircuito cada vez que se intentaba conciliar en la mujer la carrera universitaria, la independencia intelectual y la feminidad. A pesar de que en Buenos Aires para mediados del siglo XX no era infrecuente que la mujer accediera a las aulas, sí resultaba insólita la idea de que consagrara su vida a la investigación. Con este prejuicio a cuestas, María Rosa tuvo que aprender a colocar en sordina su propia independencia intelectual. Aquello que se guardaba de expresar en público podía en cambio escribirlo con tanta más vehemencia en sus escritos íntimos. Era a primera vista «una muchacha silenciosa, muy suave y un poco tímida» que ocupaba un tranquilo rincón en el Instituto de Filología y parecía huir por la tangente ante la vorágine del siglo XX.[29]

El siglo XX, sin embargo, la había torneado. Tan sólo sobre el final de sus días María Rosa tomó conciencia de lo fuertemente imbricada que se hallaba su propia vida con la época en que le tocó vivir. La experiencia en Estados Unidos y los logros profesionales que consiguió con el correr de los años le permitieron darse cuenta de que en realidad había sido afortunada por haber nacido en un tiempo en que la mujer tenía, con todo, más amplias libertades que

[29] La descripción citada pertenece a Francisco Luis Bernárdez, «*La Celestina* según María Rosa Lida de Malkiel», suplemento literario de *La Nación*, 17 de marzo de 1963.

en cualquier otro momento de la historia. Si no hubiera tenido la suerte de nacer en el siglo XX, habría quedado sometida a las mismas presiones, censuras y prejuicios que debió soportar Sor Juana Inés de la Cruz, un modelo con el cual ella gustaba de confrontarse para descubrir que su vida había sido tanto más afortunada:

> Sólo en la América democrática, y en el siglo XX, una mujer cualquiera, como yo, podía estudiar libremente cuanto quisiera, y estando en tierra ajena, de otra lengua y otra tradición, bajo el predominio aplastante de la ciencia y de la técnica, podía recibir recompensa en un campo totalmente impopular. Y recordé como contraprueba el caso de aquella mujer única, Sor Juana Inés de la Cruz, tan sedienta de saber [...] cuya vida quedó frustrada porque no tuvo la suerte de nacer en la América democrática, en el siglo XX.[30]

Mucha más gratitud, pues, para con Estados Unidos que para con la Argentina, a pesar de que los prejuicios contra la mujer universitaria no faltaban, tampoco, en las universidades norteamericanas. A la larga, sin embargo, las oportunidades que encontró allí la reconciliaron con el siglo XX; los años vividos en Buenos Aires parecían haberla alienado por completo de él.

[30] María Rosa Lida de Malkiel, «La peregrina en su patria», *Universidades*, V (1961), p. 18.

NOTA A LA EDICIÓN
por MIRANDA LIDA

La correspondencia de María Rosa Lida y Yakov Malkiel aquí recopilada permite seguir el trayecto que los conduciría a su boda en 1948, desde sus primeros intercambios apenas como colegas. Se trata de un conjunto de cuarenta y una cartas, la primera de ellas de Yakov Malkiel a María Rosa, enviada a Buenos Aires, con fecha de 20 de septiembre de 1943, la última de María Rosa a Yakov Malkiel, datada en Cambridge (Massachusetts) la víspera de su partida hacia Berkeley, el 23 de enero de 1948. Se ha transcrito esta correspondencia a la vista de los originales que se conservan en el rico fondo documental de los Malkiel Archives at Bancroft Library, que alberga la University of California at Berkeley (Bancroft MSS91/13 *Yakov Malkiel Papers, Carton* 19:21-27). Agradecemos a la biblioteca Bancroft la autorización especial que nos concedió para su transcripción en la presente publicación.

Esta edición pone de relieve material nuevo a través de pequeños pero significativos detalles que faltaban en la edición, valiosa en todo caso, de Barbara De Marco «Romance ha de ser...». The Correspondence of Yakov Malkiel and María Rosa Lida (1943-1948)», *Romance Philology*, LIX (2005), pp. 1-101. Se ha respetado la disposición del texto y se han reflejado sus añadidos y particularidades, con el lógico paso de la conversión tipográfica de los manuscritos originales.

Naturalmente, la transcripción literal no permite reflejar la caligrafía de los autores. Todo aquel que haya tenido la oportunidad de conocer de primera mano la delicadeza de la pluma de María Rosa Lida, su trazo cuidadoso, menudo, elegante y la dedicación con la que redactaba cada una de las cartas que le enviaba a su prometido (los borradores contrastan con la versión final de cada carta, más en la forma que en el contenido), comprenderá el motivo de esta aclaración.

AMOR Y FILOLOGÍA

CORRESPONDENCIAS (1943-1948)

[Las notas referenciadas con asterisco son de María Rosa Lida y Yakov Malkiel].

I

SEÑORITA MARÍA ROSA LIDA
Instituto de Filología San Martín 534
Buenos Aires, Argentina
Berkeley, California

20 de septiembre de 1943

Muy estimada Profesora:

Cinco meses ha tardado su libro en llegar a ésta, debido a la lentitud del servicio postal en tiempos de guerra. Me apresuro, pues, a darle las más cumplidas gracias por su libro y por su amabilísima dedicatoria. Por supuesto, ya había leído—y eso con mucho interés y provecho—sus artículos acerca de la defensa de Dido a medida que se publicaban en la *Revista de Filología Hispánica*; no es indiscreción confesarle que acostumbro a leer todos sus trabajos que están a mi alcance.

No hay que insistir en que soy profano (a lo mejor, novicio o aficionado) en el terreno de la historia de la literatura española. Por lo tanto, mi opinión personal es de escaso valor, por lo menos en lo que concierne a la ejecución técnica de su trabajo. Sin embargo, no puedo menos de decirle lo mucho que admiro la agudeza de varias observaciones de carácter general (por ejemplo lo que usted dice acerca del verismo en las letras españolas) y la descomunal abundancia de documentación.

Los extranjeros (hay que admitirlo con toda sinceridad) no sabemos formular cumplimientos en español con la elegancia que lucen sus compatriotas, ni mucho menos. Disculpe mi torpeza. Me tomo la libertad de agregar que usted tiene numerosos admiradores entre los sabios europeos y norteamericanos a quienes conozco personalmente—sabios mucho más competentes en la materia que su servidor. Ya acostumbramos referirnos a Usted como a la nueva Carolina Michaëlis... y eso porque sus escritos atestan una enorme erudición al lado de un impecable gusto estético y de un rarísimo don de seleccionar y caracterizar lo esencial.

Me permitiré enviarle varios artículos en el porvenir, tan pronto como se publiquen. Tratan de asuntos muy técnicos: problemas de etimología y de formación de palabras en las lenguas hispánicas y en latín. Usted comprenderá que le envío este material en testimonio de mi profunda simpatía.

Con este motivo, le saluda cordialmente

YAKOV MALKIEL

II

SEÑORITA MARÍA ROSA LIDA
Río Bamba 118
Buenos Aires, Argentina

6 de febrero de 1947

Muy distinguida Srta. Lida:

Ya habrá recibido Ud. algunos trabajos que me permití mandarle en testimonio de mi gratitud por el envío de su magnífico estudio acerca de Fr. Antonio de Guevara. Ese estudio de Ud., lo he leído desde la primera hasta la última línea con sumo interés. Entre otras cosas, me ha impresionado mucho el tono cortés de su polémica con Menéndez Pidal, quien—como Ud. dice en alguna parte—es el maestro de todos nosotros. Lo que me sorprende a mí no es que se hallen errores, y aún graves errores, en los trabajos de don Ramón, sino que sean tan raras las equivocaciones y tan numerosos los aciertos. Cuesta un esfuerzo enorme rechazar una teoría pidalesca. Ahora mismo, acaba de salir mi trabajo acerca de *vel(l)ido y melindre (Lang.)* que trae una explicación nueva de la voz cidiana (< lat. MELLĪTUS «dulce como la miel; de color de miel; lindo, bonito»). A ver si los especialistas aceptan esta nueva interpretación.

Y ahora permítame pedirle un gran favor. A raíz de la guerra mundial, se ha reunido en los Estados Unidos un grupo considerable de estudiosos de filología romance, muchos de ellos formados en las universidades europeas. Estos eruditos recién llegados y los filólogos de vieja estirpe americana (desde luego, muy amigos) acaban de fundar una nueva revista, *Romance Philology*, la cual, como la venerable *ZRPh*, publica artículos y reseñas en varios idiomas; el primer número saldrá a la luz dentro de algunas semanas. Publicaremos una monografía de J. Corominas; nos han prometido contribuciones importantes los profesores Tomás Navarro y Amado Alonso (a quien tuve el gusto de conocer hace algunas semanas en Washington con motivo de un congreso).

Ahora bien, me tomo la libertad de invitarle a Ud. a que contribuya a *RPh* con un artículo o una nota, redactada desde luego en español y dedicada a cualquier problema de literatura medieval o de lingüística, esta última sin límite cronológico. Claro que esa nota puede versar sobre las supervivencias de la antigüedad greco-latina en la literatura medieval. Por ciertos motivos, queda excluido el Renacimiento desde la segunda mitad del siglo XVI. Podría Ud. enviarme su artículo escrito a máquina o a mano, según Ud. prefiera, pues yo con sumo gusto me encargo de todo el trabajo técnico. Lamento tener que participarle que la única remuneración que ofrecemos son las tiradas aparte.

Le saluda afectuosamente

YAKOV MALKIEL

III

UNIVERSIDAD DE BUENOS AIRES
Facultad de Filosofía y Letras
Instituto de Filología
San Martín 534
Buenos Aires

Buenos Aires, 23 de febrero de 1947

SEÑOR YAKOV MALKIEL

Muy señor mío:

He tenido muchísimo placer en recibir la carta de U., y agradezco muy de veras su amable juicio sobre mi Guevara y sobre Menéndez Pidal. En este sentido, nosotros que venimos a ser como sus nietos o biznietos espirituales, creo que estamos en mejores condiciones para amar a Sócrates, amar a Platón y a don Ramón, pero más a la verdad. A sus discípulos y amigos personales les parece sacrílega toda divergencia. Pero la ciencia es efímera por naturaleza, y no empequeñece a un sabio el que no todo su sistema de pensamiento se transmita intacto y, particularmente, el que se desmoronen los elementos cuya presencia en su sistema se explica porque estaban difundidos y aceptados sin demostración en sus días. Hay varios aspectos de las ideas de Menéndez Pidal sobre la epopeya que me parecen discutibles—son principalmente viejos restos más o menos conocidos de la crítica (?) romántica—, y que pienso tocar en un estudio en que desearía comentar el concepto de mester de juglaría y mester de clerecía. Lo que me espanta es que la mayor parte de los hispanistas tomarán esto como ataque personal contra el Maestro, cosa que, como es natural, me dolería como una imputación monstruosa. Pero mi lema es *Propter Sion* (o *propter* la verdad o el deber) *non tacebo.*

Enhorabuena por la *Romance Philology*. Uds. están de nacimiento; nosotros, pienso que de duelo. No sé qué será de nuestra querida RFH, que empezamos con tantos bríos—todo aquí es muy precario—, pero de todas maneras creo que podré responder afirmativamente a su amable invitación, destinando para la nueva revista una de las varias notas de léxico que tenía reservadas para números ulteriores de la RFH. El material se halla en la imprenta, y la imprenta está cerrada por vacaciones (las cuales, en South America, se toman muy en serio). En cuanto a la imprenta reanude su trabajo, rescataré una nota para remitírsela a U. Aprovecho esta oportunidad para darle a U. las gracias por el gentil envío de sus trabajos, y para remitirle el siguiente ejemplo (por si sirviera para su artículo sobre *recudir*, pág. 114), en prenda de fraternidad filológica:

fuése a su espejo, ... el qual le demostró fermosa ymagen, *recodida* del hábito de la su hermosura... Como los rayos del sol reflecten y se quiebran en bien terso y polido espejo, se *recuden* contra otras. (Juan de Mena, *Glosa a su «Coronación»*, copla 33. Ed. de Amberes, Juan Steelsio, 1552).

Saludo a U. con mi más cordial consideración,

MARÍA ROSA LIDA
s/c. Río Bamba 118, 3er piso,
Buenos Aires

IV

SEÑOR YAKOV MALKIEL
Romance Philology
University of California

Buenos Aires, 28 de abril de 1947

Muy señor mío:

Conforme a mi promesa, he enviado a U. (con fecha 21-III-1947) para su *Romance Philology* una nota sobre «saber» en la acepción de 'soler'. Vuelvo a escribir a U. sobre el mismo asunto por haberme sucedido el bien frecuente percance de encontrar ejemplos que me duele desechar, una vez terminada la nota. Lo que hace el valor de estos ejemplos es que uno es bastante antiguo y el otro tiene la picante circunstancia de hallarse en la obra de un profesor de español, nada menos. Como U. ve, demasiados méritos para renunciar a insertarlos en mi nota como y donde U. juzgue oportuno:

> Ca esta Codicia que *saben* [*sic*] enlasar
> a todos ayna tiene convertidos.

RUY PÁEZ DE RIBERA,
Decir N.288.32
(*Cancionero de Baena*)

Plinio en la *Historia de los Animales* dice que las golondrinas son muy rectas y guardan equidad y justicia en dar de comer a sus hijos, y si acaso los hallan ciegos del humo de las chimeneas de las casas do habitan y anidan, *saben* buscar la hierba celidonia y la ponen en el nido, con que ven claro, restaurando su vista.

Ambrosio de Salazar, *Tesoro de diversa lección*. París, 1636, cap. IX.

Reciba U. mis más cordiales saludos,

MARÍA ROSA LIDA

V

SRTA. MARÍA ROSA LIDA
Buenos Aires, Argentina

9 de mayo, 1947

Muy distinguida Srta. Lida:

Acabo de recibir la carta que me envió Vd. por correo aéreo, así como varios trabajos de erudición—con una dedicatoria que por cierto no merece su servidor. Todavía no ha llegado el artículo acerca de *saber* 'soler'; tan pronto como llegue, insertaré los nuevos ejemplos según Ud. desea, sin el menor inconveniente. Espero que será ésta la primera y no la última contribución de Ud. a nuestra revista, tanto más cuanto que Ud. sabe que los redactores somos admiradores de su talento literario y científico y le agradecemos cordialmente cualquier ayuda que nos preste.

Me interesan sumamente sus investigaciones concienzudas en el campo tan poco estudiado de la literatura del siglo XV (a menudo, poco satisfactoria estéticamente, pero, sin embargo, importantísima en la perspectiva histórica). Ya conocía su nota acerca del abolengo de Juan de Mena; ahora leo su análisis pormenorizado del estilo de escritores conversos—análisis lleno de observaciones agudas y acertadas. En el mismo número de la revista, descubro una nota sobre el origen de J. A. de Baena, redactada por su discípulo, en la cual la cita a Ud. por lo menos dos veces. También he sacado mucho provecho de su artículo muy bien documentado sobre el tema de la aurora (¡qué temas tan poéticos sabe Ud. escoger!) y sobre Castellanos, inspirado este último por el malogrado Henríquez Ureña, a mi ver, una de las máximas figuras del panteón filológico hispano.

Acaba de salir a la luz mi librito *Three Hispanic Word Studies* («Latin MACULA in Ibero-Romance; Old Portuguese *trigar*; Hispanic *lo(u)çano*») así como el artículo «A Latin-Hebrew Blend: Spanish *desmazalado*», que me apresuro a enviarle en testimonio de mi respeto y de nuestra amistad.

Le saluda cordialmente

YAKOV MALKIEL

VI

SEÑORITA DÑA. MARÍA ROSA LIDA
Río Bamba, 118, 3°
Buenos Aires, Argentina

31 de mayo de 1947

Muy distinguida Señorita Lida:

Acaba de llegar a California el manuscrito de su nota acerca de *saber* 'soler'. Ya lo he copiado a máquina desde la primera hasta la última línea, insertando los dos ejemplos que usted tuvo la bondad de comunicarme por correo aéreo. (Resultó necesario copiar el artículo a causa de varias notas marginales; el impresor estadounidense es un déspota que se niega a pies juntillas a descifrar todo lo que no esté mecanografiado, y nosotros los pobres redactores, víctimas de este despotismo, trabajamos sudando como unos negros para facilitarle la tarea. Huelga decir que un impresor cobra más dinero que un catedrático. *O tempora, o mores!*). Espero que su nota, desde luego muy interesante y muy bien documentada, saldrá a luz dentro de un año. Hasta ahora hemos recibido más de veinte artículos y notas así como varias reseñas.

Con sumo gusto he leído su comentario al *Libro de buen amor*; me refiero a las notas publicadas en la *RFH* y también a la introducción y utilísimas *footnotes* de la selección, con ortografía modernizada, que ha preparado usted para la casa editorial «Losada». Este verano, espero publicar un curso de antiguo español basado en la lectura e interpretación de Juan Ruiz, y con tal motivo, no dejaré de llamarles la atención a mis oyentes sobre estos trabajos de usted.

Me complazco en enviarle varios trabajos (estudios acerca de *vellido-melindre-lerdo-lozano*- Ptg. *trigar*, y otros) en testimonio de mi admiración, afecto y gratitud.

Le saluda cordialmente

YAKOV MALKIEL

VII

SEÑORITA MARÍA ROSA LIDA
Río Bamba, 118, 3°
Buenos Aires, Argentina

31 de julio de 1947

Muy distinguida Señorita Lida:

El profesor Morley acaba de decirme que usted piensa trasladarse a la Universidad de Harvard para continuar sus trabajos de investigación filológica en colaboración con el Sr. Amado Alonso.

Con este motivo, no puedo dejar de escribirle cuánto me alegro de la llegada de una compañera de trabajo tan fina y tan simpática a quien yo me atrevo a considerar como muy buena amiga.

Varias veces, en los treinta y tres años que llevo, tuve que cambiar de residencia y me doy cuenta de los sacrificios, las pérdidas y los desengaños que ocasionan tales cambios, sobre todo en la vida de un intelectual; y probablemente más aún para una mujer sensible que para un hombre endurecido.

De todos modos, sin poder ahorrarle en lo más mínimo tales desengaños, me apresuro a asegurarle que usted hallará nuevos amigos entre los hispanistas europeos que vivimos en Norteamérica; y que su vida será tan intensa y tan fecunda como en Buenos Aires.

Me interesaría sumamente saber cuándo usted piensa llegar a Boston; espero pasar tres semanas (a principios y a mediados de septiembre) en los centros académicos de la costa atlántica y podría arreglar el viaje de tal manera que nos viésemos. Pero aun cuando resulte imposible vernos este año, quiero que usted sepa que siempre estoy dispuesto a hacer todo lo posible para suavizar un poco las asperezas de su nuevo ambiente.

El primer número de nuestra revista californiana está para salir en el mes de agosto. Se han publicado recientemente varios nuevos trabajos míos, que me tomaré la libertad de mandarle a Harvard.

Le saluda cordialísimamente y le da la bienvenida
su amigo

YAKOV MALKIEL

VIII

Buenos Aires, 20 de agosto de 1947

Amigo Malkiel:

Sólo por el apellido de U. (sefardí ¿verdad?) sospechaba yo su naturaleza angélica o arcangélica, y para cerciorarme pregunté una vez al Dr. Alonso dónde U. llevaba las alas y la espada flamígera. Después de su carta del 31 de julio no me cabe duda de que es U. el arcángel Dios-dela-Reina o Reina-de-Dios: mi conocimiento (¡!) de hebreo no me permite precisar y, además, la etimología es terreno suyo y no mío.

Su carta es la que podría escribir no sólo alguien que adivinó mi pena por haber pasado ya por lo que me tocará pasar, sino también alguien que me conociera hace muchos años. Sí: soy la fémina menos andariega que pueda U. imaginar; la más desvalida para andar sola por esos mundos; la más apegada a mi rincón y a mi gente—sí, nací varios siglos demasiado tarde—, y es gran picardía que Dios y el diablo hayan resuelto remitirme de un hemisferio a otro. Me voy, porque, para seguir trabajando no me queda absolutamente otra alternativa, pero no puedo dominar por momentos—por muchos momentos—ráfagas de pánico que apenas me atrevo a confesar a mí misma: ¿caeré bien?, ¿podré adaptarme?, ¿volveré a mi tierra? Una beca que para todo el mundo es una amable excursión, ¿será para mí el destierro definitivo? Estas zozobras tan grandes y angustiosas aquí ¿perderán importancia allí? ¿Encontraré lo que tenía en Buenos Aires antes de que se deshiciese nuestro inolvidable Instituto; un poco de amistad en el trabajo, que es la flor fina de la vida?

Amigo Malkiel: la amistosa comprensión que U. me brinda en su carta es lo que me ha impulsado a abrumar a U. con tales confidencias. Es también lo que ha causado la dilación de mi respuesta, pues quería indicarle el día de mi llegada a Boston, que he desconocido hasta hoy: será el domingo 21 (más tarde de lo que yo deseaba) pues no tengo alojamiento antes.

Como U. dice que pasará tres semanas en la costa atlántica, ¿tendré el gusto de estrecharle la mano antes de que la geografía implacable interponga entre nosotros todo el ancho de los Estados Unidos?

Un cordial saludo de

MARÍA ROSA LIDA

P. S. La notita *saber* 'soler' no tiene ejemplos italianos. Acabo de tropezar con uno que viene de perlas, en un soneto de Immanuel Romano, el amigo judío de Dante; comienza «*Amor non lesse mai l'avemaria...*» y dice en el último terceto:

Amor fa quello, di che piú mi doglio:
chè non s'atenne a cosa, ch'io li mostri,
ma sempre mi sa dir—Pur così voglio.

Y juro por Mahoma que éste es el último ejemplo que agrego.

IX

Manhattan Towers Hotel
Broadway at 76th Street
NewYork 24, N.Y.

14 de septiembre de 1947

Distinguida amiga:

Me alegro mucho de saber que unos pocos días—no más—nos separan de su llegada a los Estados Unidos. Puede U. figurarse fácilmente con cuánto gusto yo la saludaría en Nueva York o en Boston. He tratado de cambiar mi ruta, pero inútilmente; el día 21 tengo que estar de vuelta en California, de modo que debido a esas implacables circunstancias habrá que posponer nuestra primera charla. Me siento algo menos culpable y avergonzado después de oír que un erudito tan prestigioso como D. Américo Castro acudirá al aeródromo neoyorquino para ayudarle a orientarse en la metrópoli.

Es probable que a fines de diciembre iré al congreso filológico anual que se reúne en Detroit, a pocas horas de viaje de Chicago (más cerca de la costa este). Le suplico haga todo lo posible para asistir a este congreso (aburridísimo, desde luego) porque así, de un golpe, conocerá U. todos sus colegas norteamericanos y aún europeos. Si U. asiste a la sesión del «discussion group Comparative Romance Linguistics» que su servidor ayudó a formar el año pasado, la presentaremos a todos los especialistas reunidos en una sala. Yo hablaré probablemente acerca de la etimología de *marrano* (a pesar de lo que dice Farinelli, el «converso» *no* es el «puerco»; se trata de dos voces distintas). Después de la conferencia, podrá U. discutir (en español, claro está) el problema. Si U. quiere que yo le envíe de antemano una copia de mi conferencia, lo haré con sumo gusto. El último año, Amado Alonso y Juan Corominas tomaron parte en parecidas discusiones. Repito que no hay que vacilar en usar el español como medio de expresión en nuestro grupo—muy cosmopolita. También le prometo presentarle a Ud. todos mis amigos y compañeros de estudios que asistan al congreso. Si puedo serle útil de cualquier otro modo, no deje U. de escribirme; mande lo que quiera, y yo haré todo lo posible para cumplir con sus deseos.

Mucho más graves que estas pequeñeces son los problemas que suscita U. en su carta. Eso de adaptarse a la vida americana es una cuestión tan compleja, tan delicada que casi no me atrevo a escribirle nada, por miedo de decir cosas banales. Algunos expatriados europeos se conducen aquí como prisioneros de guerra; otros, al contrario, son más americanos que los yanquis (caso curioso de ultracorreción en el terreno sociológico) y ya desdeñan la cultura que les nutrió. A mí me parece que para impresionar favorablemente a los americanos hay que aceptar ciertas cosas, pero sin sacrificar el núcleo de nuestra propia personalidad. Somos un poco como los griegos en Roma. Podemos fecundar la cultura de este país. Pero U. domina esta materia mejor que yo; ¿cómo quiere U. que yo le hable de Horacio, si es U. la mejor conocedora de aquel poeta entre los filólogos hispanos?

Quizá lo mejor sea adoptar una actitud un poco conservadora; aguardar un rato y no sacar conclusiones apresuradamente. Las sociedades humanas son un poco como los sistemas fonológicos. Ciertos matices bien marcados en el mundo latino puede ser que se pierdan aquí; surgen otros, desconocidos fuera de América.

Lo esencial es que U. sepa que tiene amigos y lectores que le agradecen cualquier estudio magistral que U. lleve a cabo. Este sentimiento de ser útil, de no vivir en un vacío es muy importante. Yo se lo digo porque a mí me declararon en 1940 (cuando yo llegué de Alemania, con mis viejos padres, sin un centavo) que yo era «muy superfluo». Recuerdo el bello giro: «*beyond the saturation point*». Los años que pasé en Nueva York (1940-41) eran una verdadera «estación en el infierno».

En cuanto a la etimología de mi apellido, significa 'Dios es mi rey'; ocurre en el Pentateuco, como nombre de un nieto de Jacob. Soy israelita, pero no soy sefardí. Nací en Kiev; mi padre es oriundo de Petersburgo. Y a pesar de lo que le dijo el Dr. Alonso, no hay ningunas «reinas» ni en mi nombre ni en mi vida, porque vivo soltero.

Le saluda cordialmente

YAKOV MALKIEL

X

Cambridge, 25 de setiembre de 1947

Amigo Malkiel:

Ὕστερον πρότερον ὁμηρικῶς. Empiezo por el apellido: el Dr. Alonso no tiene nada que ver con la mala etimología con que yo profané su maravilloso apellido. Es mía la vergüenza porque, *mea maxima culpa*, no sé hebreo y tengo que recitar en griego—lo más antiguo a que puedo remontarme—la mezuza que llevo al cuello en hebreo. Lo que pregunté al Dr. Alonso por carta, y no me respondió (¡estos hombres de ciencia!) fué que, ya que le había conocido a U., me dijera si llevaba U. las alas visibles, fuera del saco, cabellera, hasta los hombros o cosa así. Porque en esto de haberse quedado por el Este hasta mi llegada, y andar huidizo entre California y Detroit, huelo más que nunca su naturaleza evanescente y arcangélica. En cuanto a no ser sefardí, me alegro infinito, porque yo también soy ashkenazi.

Ya he empezado a trabajar en mi épica, muy monásticamente. La bibliografía es mucha—demasiada—, y no hay más remedio que sumergirse y leer con toda atención tantas cosas farragosas e inútiles que no hacen sino consumir tiempo y paciencia. En fin: leer y tomar notas es una forma de matar el tiempo o, más exactamente, de dejarse morir, como cualquier otro. ¿Contenta con el cambio? No lo sé. Como en esta carta, amigo Malkiel, a diferencia de las cartas que escribo a mis padres, no me veo obligada a irradiar una alegría que no siento; confieso que, ante todo, me hallo perdida. Perdida entre tanto desconocido, entre tanta calle tortuosa—yo, hija de una rectilínea ciudad hispánica—entre tantos hábitos nuevos, en esa Universidad laberíntica, en esa biblioteca monstruosamente enorme—varias veces pensé con el pánico, consiguiente, que pasaría la noche allí, mareada en el dédalo de sus estanterías, pasillos, ascensores, escaleras. ¡Qué contraste con la pequeñita—y muy insuficiente, claro—biblioteca de Buenos Aires, que yo me conocía a ciegas!

Me siento abrumada por la proporción enorme que todo tiene aquí, cohibida por dentro, con terror de disgregarme, y no hacer nada ni ser nada. *This evil of solitude.* Envidio su tesón y aliento: no deje de enviarme su estudio sobre «marrano»; veamos si su ardor de trabajo es contagioso. Pasé día y medio con D. Américo Castro y su encantadora esposa: hay reinas o, en fin, presidentas constitucionales que valen la pena ¿verdad? D. Américo me habló mucho de U. y con mucho elogio, lo que no es poco decir, de modo que pensaré muy mal de U. si elude otra vez un encuentro. Por otra parte, el fin de año me parece una fecha tan remota que no me atrevo a hacer planes. ¡Para qué! El azar mueve el sol y las estrellas.

Amistosamente,

MARÍA ROSA LIDA

P. S. ¿Por qué no me etimologiza mi apellido? Yo sólo sé que era el nombre general de Palestina antes de la llegada de los filisteos; que la pequeñita ciudad de Lida fue quemada y arrasada por lo menos tantas veces como la mismísima Jerusalén, que la única mujer sabia del Talmud, Beruriah, está en relación con Lida (mi modestia sufre, pero es así), que en Lida, según una oscura tradición, murió lapidado a la judía—no crucificado a la romana—Jesús; en Lida curó S. Pedro al paralítico, recibió martirio S. Jorge, protector de doncellas, y estudió hebreo S. Jerónimo—con mucho gasto y poco provecho.

¿Tendría U. la gentileza de enviar mis saludos al Dr. Morley? ¿Consideraría U. una intrusión que saludase yo a sus padres de U.?

MRLIDA
Mi dirección actual es:
Ames House
62 Brattle Street
Cambridge 38, Mass.

XI

UNIVERSITY OF CALIFORNIA
Department of Spanish and Portuguese
Berkeley 4, California

16 de octubre de 1947

Distinguida amiga:

El Sr. Gillet me advierte que en Detroit hablaré del «cansancio» y no de los «marranos». Sin embargo, para cumplir con mi promesa, me tomo la libertad de enviarle una copia del artículo hispano-oriental que tal vez la divierta un poco. Se publicará esta nota en la excelente revista *Journal of the American Oriental Society*. Puede ser que mi teoría sea equivocada; aun así, si sirve para reanudar la investigación del problema, valdrá algo. Puede U. guardar esta copia o bien devolvérmela, según prefiera; pero le suplico no la enseñe a otros, ya que los etimólogos consideramos nuestros estudios como secretos militares (¿bombas atómicas?). Si U. desarrolla un poco este tema político, resulta que es U. mi aliada.

Y hablando de alianzas, no puedo menos de pensar en la nueva revista *Romance Philology*, cuyo primer número acaba de salir. Lo curioso que ha ocurrido es que tenemos mucho más material francés que hispano; claro que los estudios del antiguo francés y del provenzal tienen más arraigo en este país que los estudios hispano-latinos. Aun así, me causa honda tristeza que muchos colegas hispanos me hayan prometido ciertas «dádivas» y luego las hayan olvidado. Exceptúo a U. y a mi simpático amigo Juan Corominas, quien contribuyó con una excelente serie de nuevas etimologías, así como al Sr. Morley (reseña de Bénichou), a Gillet y a Entwistle.

Lo que nos falta sobre todo son las reseñas críticas. Y ahora surge el problema siguiente. Me dice U. que mata el tiempo o se deja morir—cito sus palabras con fidelidad paleográfica—extractando materiales acerca de la épica medieval española. Como se trata evidentemente de la preparación de un libro, en mi vida me atrevería a interrumpir el trabajo de tan simpática colega con mis súplicas. Pero si U. tropieza con libros recién publicados que, de todos modos, debe leer, ¿no le parece posible redactar una reseña—breve o detallada, según el caso—y enviármela? Pienso, p. ej., en la nueva edición del *Poema de Alfonso Onceno* (por Yo Ten Cate) o en las adiciones y enmiendas al *Cantar de Mio Cid* incluidas en el tercer tomo de la nueva edición (1946). Podría U. en tal reseña formular varias ideas que luego desarrollaría en su *magnum opus*.

Y ahora déjeme pasar a varios asuntos más personales que van mencionados en su carta. A título de proemio, debo confesar que me avergüenzo de contestarle en español, idioma que, lejos de dominar, estropeo según el testimonio unánime de mis amigos, mientras U. lo sabe amoldar artísticamente a lo más íntimo de su pensamiento.

Yo le agradezco sumamente la franqueza con que habla, tanto más como que se trata de una *pen-friendship* (¡qué giro tan bello!) y U. ni siquiera me ha visto. Le prometo no divulgar nada.

Se puede resumir cierta parte de su carta en dos palabras: Atenas y Jerusalén. Tal es el problema central en la vida intelectual y emocional de cada judío que no es converso ni «marrano» (¡cuántos nuevos marranos andan por este mundo!).

Cuando estalló la inolvidable revolución del mes de marzo de 1933—tenía yo entonces precisamente dieciocho años y medio, edad muy tierna, muy romántica, ¿verdad?—pensaba ser poeta, admiraba a los pintores modernos, leía a Rilke y Valéry, entre los contemporáneos, y Catulo y Horacio, entre los antiguos, etc., etc. (despreciaba a los filólogos e historiadores y juraba nunca hacerme lingüista, de esos que no saben más que analizar, incapaces de crear cosas nuevas). El tres de marzo de 1933 (3.III.33—fíjese U. en las cifras—) salí del colegio; dos días después fue elegido canciller A. H.

Pues bien, en la Universidad, pude escoger varias materias, y, claro que la primera decisión, en lo que concierne a los idiomas muertos, fue: ¿cursaré el griego—o el hebreo y el árabe? Me decidí por las lenguas orientales. Actualmente estropeo todos estos idiomas; mis conocimientos concretos, «palpables» son casi nulos. Sin embargo la decisión fue importante para el resto de mi vida. Ya me encamino hacia Jerusalén, y no hacia Atenas; sin renunciar a todo lo bello, fecundo y valioso en la cultura grecorromana.

Y, siendo así, me rebelo contra el espíritu de desaliento que descubro en la carta de una amiga tan fina como U. No me gusta eso de «dejarse morir» y de «matar el tiempo». En la liturgia hebrea, hay un bello pasaje: «No moriré—que viviré—y proclamaré las hazañas del Señor». Sin aspirar a ser autoridad en materias teológicas, admito que me impresiona mucho tal pasaje (¿sacado del Salterio?).

Mi padre murió en Berkeley a principios del año 1943. Mi mamá la saluda cordialmente. Ella no domina el español—a pesar de ser persona muy culta—pero ha oído hablar de Ud. con frecuencia y la quiere mucho.

Al escribir a sus padres en B. A. (en esas cartas que «irradian alegría»), no deje U. de mencionar que ha adquirido nuevos amigos.

La saluda amistosamente

YAKOV MALKIEL

XII

Cambridge, 2 de noviembre de 1947

Amigo Malkiel:

Business first. Por poco que valga la admiración de su servidora, demasiado perezosa para hacer lingüística en serio, su estudio de *marrano* la tiene entera. Repito que no puedo juzgar de los datos materiales pero, como razonamiento y método, me parece que no deja resquicio y que impone una convicción obligatoria. Los diccionarios de argentinismos que tengo a mano—Granada, Garzón, Salazar, Segovia, todos anticuados—no registran una palabra muy corriente, *berretín*, 'capricho, manía, idea fija'. A nosotros, los de Buenos Aires, nos suena como de origen dialectal italiano, como varios otros términos del rioplatense vulgar; pero pienso si no tendría conexión con el *berrín* y *berrinche* de su pág. 7? Conforme a su pedido, le he guardado secreto (trabajo me ha costado) y no mostré a nadie el artículo de U. Es lástima que se publique en una revista de estudios orientales: después de todo, y salva su mejor opinión, expresada en la pág. 1, la palabra *marrano* pertenece por completo a la cultura de Occidente—a menos de considerar míticamente al judío y todo lo que le atañe como una abstracta entidad oriental. Además, por buena que sea esa revista, me temo que, por el título, se les pasa por alto a muchos hispanistas. En fin—para acabar arrimando el agua a mi molino—, que no se olvide U. de la RFH, que está resucitando en México. No sé si violo, en su beneficio, un secreto de estado, pero ahí va: el primer número mexicano de nuestra revista publica una nota de Spitzer (yo no la he visto) a su *lerdo*: ya ve cómo está U. presente al reiniciarse la segunda existencia de nuestra fénix revista.

En cuanto a su pedido de reseñas (tremenda gente son los directores de revistas: ¡qué modo de explotar la debilidad de un momento de ascetismo!), haría con mucho gusto la de *Alfonso Onceno* si a U. no le parece inconveniente reseñar un libro aparecido hace cinco años. ¿O es que la prometida segunda parte, con texto, lengua y versificación, ha aparecido luego? A mis manos no ha llegado. Y aquí «*fago punto*». *Let's stop talking shop.*

Por asociación, al escribir estas palabrejas inglesas: ¡cómo le envidio la redacción inglesa! Y a propósito ¿cómo tiene U. la osadía de coquetear con su «estropeado» español? «Malkiel sabe todas las lenguas», decía Américo Castro en Nueva York; y, en contraste con las colaboraciones de hispanistas no españoles, que nos obligaban a inacabables remiendos de estilo, aún recuerdo el asombro que causó al Dr. Alonso y a todo el difunto Instituto de Buenos Aires, el impecable español de *Alalma, alatma*. No coquetee: los hombres, que lo tienen todo en este mundo, no deben coquetear. Deje U. eso para las mujeres, raza aporreada si las hay, que no pueden entrar por la puerta principal del Faculty Club, y para quienes está vedada la enseñanza en Harvard.

Su carta me ha hecho un bien infinito—y perdone U. el

egoísmo de tomar así ese amargo *testament of youth* que U. ha trazado. Bien sé que la historia externa de mi vida ha sido feliz, inmerecidamente feliz, comparada con la de la enorme mayoría de mis contemporáneos. El desconcierto me alcanza ahora; no sé qué camino tomar: ¿volver? Nada tengo que *hacer* en Buenos Aires. ¿Quedarme, desterrarme definitivamente de los míos? Sólo pagaría tan alto precio a cambio de trabajar bien aquí. Excluido Harvard, por el Este sólo queda dar clases en colegios de niñas. ¡Horror! ¿Ir a otra universidad, nuevo y absoluto destierro? Prefiero no pensar, como cobarde que soy, y decir con los sefardíes: «El Dió proveerá». Entretanto estoy en proceso de adaptación, me pierdo menos en los corredores de la Widener Library; se me empieza a multiplicar el trabajo y a acortárseme, gracias a Dios, los ratos de cavilaciones e introspección.

Es aventurado juzgar a las personas a través de sus obras. Por sus trabajos tan sistemáticos, tan sólidos de método e información, parecería que no conociese U. la tentación imperiosa de comenzar un trabajo a la semana de haber empezado otro, ni la de hacer dos (o tres) a la vez, ni de interrumpirlos todos para enfrascarse en la lectura de versos, dramas, novelas y sobre todo, cuentos de hadas. Despréncieme: todo eso me pasa a mí. He estado trabajando cuatro años en Juan de Mena (listo para imprimirse como anejo de la *NRFH*), y a la vez en traducir a Heródoto (listo para imprimirse en Buenos Aires). Aquí terminé una notita sobre *civil* 'cruel' y redacté otra sobre un decir de Francisco Imperial; las clases de literatura del Dr. Alonso me han sugerido unas observaciones sobre la *Celestina*; de noche traduzco la graciosa *Vida de Homero*, atribuida a Heródoto. Si Dios quiere, escribiré después algo sobre la idea de la fama en la Edad Media, con los materiales juntados al estudiar a Mena; seguiré con la épica al paso criollo que U. ve, traduciendo por la noche a Tucídides (que es la gran ambición de mi vida). ¡Cuántas tentaciones me saldrán al paso antes de acabar! Y en todas caeré, Dios mediante.

Trabajando así me siento un poquito más aclimatada, aunque todavía no me atrevo a mirar al cielo: porque añoro el cielo del Sur—aquí las estrellas son distintas—, que tiene mucha más pedrerería [*sic*]. Pero basta de melancolías. Me ha tonificado, como un mágico talismán, su magnífico versículo «No moriré...». Es del Salmo 118,17: ¡qué vitalidad la del poeta que lo pensó! Todo él es una maravilla de fuerza espiritual, y de mentís a la realidad.

Amigo Malkiel, no nieto sino biznieto de Yakov (Génesis 46, 17; y vía Zilpa ¡bah!), leo entre líneas una risueña sorpresa ante mi locuacidad y confidencias. Ahí va una más: de tales contradicciones está amasado no digo *homo sapiens*, pero por lo menos *femella insipiens*, que mis amigos y familiares le informarán a U. que soy por demás callada y reticente. Sucede que las personas me amedrentan, mientras el papel en blanco me asegura impunidad.

Afectuosos cariños para su madre, y un saludo cordial de

MARÍA ROSA LIDA

XIII

2703 Stuart Street
Berkeley 5, Cal.

8 de noviembre de 1947

Estimada y querida amiga:

Dice U. en su última carta que es U. muy aficionada a cuentos de hadas. Pues bien: ninguna princesa de aquellos cuentos puede exigir que se cumplan sus deseos con mayor rapidez, exactitud y buena voluntad. El viernes pasado, a las dos de la tarde, recibí yo esa carta suya en la cual me invita U. a contribuir con un artículo a la NRFH. Ese mismo día, a las seis de la tarde, despaché yo al Prof. Alonso un artículo de veinte páginas, redactado en español, que él ya habrá leído (¿y rechazado?) cuando abra la presente. Y si U., con su escepticismo de erudita, se niega a admitir que este servidor suyo haya podido elucidar las curiosas peripecias que integran la historia del *cansino* dentro de cuatro horas, por lo menos deberá U. conceder que he adivinado bien su pensamiento. Y es éste un hecho que cabe señalar y aún subrayar.

Yo me atrevo a escribirle esta carta a los dos días de recibir la suya porque tengo que iniciar ahora mismo las preparaciones para mi segundo viaje al este. (Lo que mis amigos llaman «*Drang nach Osten*»). Y como esta vez quiero conocerla personalmente—y conocerla bien—le pido me ayude un poco a planear este viaje.

Mis vacaciones de Navidad duran del veinte de diciembre al siete de enero; tengo, pues, unos dieciocho días a mi disposición. El día 29 estaré en Detroit con motivo del Congreso de la Mod[ern]. Lang[uage]. Assoc[iation]., principalmente para ver varios amigos (son muy ruidosos y huecos estos congresos, pero son inevitables, según me consta). Luego, el día 31 pasaré en New Haven (Yale University) con motivo de otro congreso (Linguistic Society of America). Por lo tanto, quedan libres los días 23-28 de diciembre y 1-3 de enero.*

* Hágame el favor de contestar a esta pregunta por correo aéreo. Hay que usar un sello de cinco centavos. Puede U. emplear papel de grosor normal—¡y no unas alas de mariposas!

Estos viajes al Este son el único lujo que yo me permito; trato de organizarlos de tal manera que queden combinados lo provechoso y lo ameno. Lo útil, en este contexto, es la lectura de varias revistas europeas cuyos últimos números (a partir del año 1940) todavía no han llegado a California; sobre todo *ASNSL*, *ZRPH*, *VKR*, *ZFSL*, *RF*, *LGRPh*, *St. Neoph*, DLZ *(Deutsche Literaturzeitung)*, *Neophil.*, *Rev. belge de phil. et d'hist.*, *Le franç. mod.* Lo ameno y apacible es trabar amistad con algunos colegas cuyos trabajos estimo y convertir «pen friendships» en «real friendships». Pues bien, el último agosto lo pasé yo en Chicago, Baltimore (donde el Sr. Spitzer me explicó detenidamente cómo me descuartizaría en la *NRFH*; de modo que no ha violado U. ningún secreto), Washington y Nueva York. Esta vez, podría yo efectuar el trabajo en Harvard University, donde tendría yo el placer infinito de conocerla. Hay que comprar los billetes de antemano—lo más pronto posible; de modo que yo le agradecería su gentileza si me informase acerca de sus planes entre el 23 de diciembre y el 3 de enero. Me gustaría también ver al Profesor Alonso y conocer su familia que debe de haberse trasladado a Boston. Es muy posible que U. y el Dr. Alonso prefieran dejar la ciudad durante las vacaciones; en este caso, yo no tendría la osadía e importunidad de molestarles con mi presencia y llevaré a cabo mi trabajo bibliográfico en otro centro universitario.

Me gustaría ahora infinito contestar a varios problemas que suscita U. en su carta, escrita en estilo tan pulcro y atildado. Déjeme primero asegurarle que esperamos ansiosamente su reseña del primer tomo de *Alfonso Onceno* (nunca saldrá a la luz el segundo; Yo Ten Cate se habrá casado con un platero u orífice de Ámsterdam quien le prohíba dedicarse a investigaciones; tendrá tres hijos, todos rubios como ella). No corre prisa; puede U. enviarme su reseña dentro de algunos meses. Me parece que lo ideal sería una reseña nutrida, de seis a diez páginas, en la cual pudiera dejar traslucir sus nuevas ideas acerca de la épica sin formularlas definitivamente; así intrigaría al lector y esbozaría sus propias teorías *tentatively*, para usar una palabra mágica.

Me gustaría añadir algo acerca del Salterio, sobre todo acerca de los recién descubiertos salmos paganos, verdaderas perlas de poesía hebraica desde el punto de vista estético (pese a los rabinos que los condenarían... si los conociesen); y sobre la magnífica Widener Library donde un día topará con el simpatiquísimo historiador ruso Mikhail Mikhailovich Karpovich, muy amigo de nuestra familia, a quien la suplico no deje de saludar cordialmente. Me asombra un poco su producción enorme; espero que la investigación no es para U. una especie de opio (lo que fué para mí por largos años); de todos los temas que anuncia U. el que más me interesa es el análisis de la obra de Juan de Mena (me acuerdo de dos o tres brillantísimas notas en la *RFH* y de la atinada interpretación de Antonio de Guevara). Pero no deje U. de enviarme todo lo que vaya publicando: yo lo leo cuidadosamente, y aun vuelvo a leerlo.

Y es éste el último punto que me permitiré desarrollar esta noche. ¿Quién nos lee? A veces tengo la impresión de que hojeen mis trabajos unos tres o cuatro individuos—nada más. Si U. sufre de parecidas aprensiones, yo trataré de consolarla. Ya sabe U. perfectamente en qué alta estima tienen sus espléndidos trabajos las lumbreras del hispanismo. Ahora bien: violando todas las reglas de la etiqueta, copiaré una carta que recibí hace una semana de una antigua compañera de estudios cuyo nombre, por lo visto, no puedo revelar. Dice la autora de la carta textualmente:

Endlich habe ich in der Garage, dem Ort, wo alle unsere wertvollen Sachen wegen Raummangels hochaufgetürmt untergebracht sind, einen Abdruck jener Marranen-Arbeit *gefunden, von der ich Ihnen erzählte und die Sie gerne sehen wollten. Behalten Sie die Arbeit, bis Sie einmal Zeit finden, sie zu lesen, und dann schicken Sie sie mir bitte zurück.*

Los Angeles ist augenblicklich sehr viel erträglicher als es in den Sommerwochen war, die ich hier zubrachte. Es war damals fürchterlich heiss; jetzt ist es schon.

Als ich neulich in UCLA *durch Zeitschriften blätterte, blieb mein Blick auf einem Artikel der Maria Rosa Lida hängen!*

Mit herzlichen Grüssen, Ihre...

Aquí tiene U. un testimonio absolutamente fidedigno y auténtico del afecto de sus lectores—evidentemente más numerosos de lo que U. sospecha. Lo curioso es que en mi vida he mencionado el nombre de U. al hablar a aquella simpática dama que se enfrascó, irresistiblemente, en un artículo de U. Y esto deberá alentarla más que todos los elogios que le prodigan las lumbreras.

Distinguida amiga: yo me alegro sumamente de poder verla en el próximo porvenir. Si hay distancias u obstáculos que separan personas de marcada afinidad de gustos e intereses, hay que vencer los obstáculos.

Sigo pensando mucho en U. Cuando nos veamos en Cambridge, podremos discutir varias cosas. Y para que U. sepa a qué monstruo ha escrito algunas cartas confidenciales, acompaño—¡oh colmo de vulgaridad californiana!—una pequeña fotografía que me da un aire más prusiano del que tengo.

La saluda afectuosamente

YAKOV MALKIEL

XIV

Cambridge, 13 de noviembre de 1947

Amigo Malkiel:

«Azar que mueve el sol y las estrellas»: esta enmienda a Dante es la filosofía de la oveja descarriada que tiene el honor de ser su corresponsal. U. subraya el azar que le permitió satisfacer en cuatro horas mi pedido: agregue estos otros. Por empezar, satisfizo U. mi deseo el viernes 7, que era mi cumpleaños. Yo pasé ese fin de semana, del 7 al 9, en N. York, con mi querido hermano Emilio (es médico y estaba allí por sólo un mes; dentro de pocos días vuelve a la Argentina), que tiene letra parecidísima a la de U. y prometió escribirme antes de partir. Hoy el nombre de U. ha resonado todo el día en la Widener Library, Office 47, porque el Dr. Alonso leía y comentaba su «cansino»—mi regalo de cumpleaños—que en este momento ocupa, junto con mi Imperial, un sobre destinado a México, NRFH. Su «cansino» queda, además, asociado en mi vida a una experiencia inolvidable: hoy es la primera vez en mi vida que he visto nevar. La nieve es hermosísima en hexámetros, en *Diffugere nives*, en cuaderna vía («más blancas que las nieves que non son coceadas») y supongo que también en algunos metros. Pero sobre un cuerpo hecho al clima subtropical moderado de *ma douce contrée* (*la douceur argentine*, que decía Joachim Du Bellay), decididamente no. Por eso, no me atreví a salir de la Widener en todo el día, y sólo de noche, al volver a casa, hallé su carta. Me precipité a ella con toda avidez, porque creí que era de Emilio: tan parecida es la letra de mi hermano en la sangre y mi hermano en la Filología. Por cierto que el texto no me hizo arrepentir de mi avidez. Y aquí me tiene U. contestando a toda prisa. (Pero, ¿por qué no quiere U. alas de mariposa, hombre prosaico? ¿O es porque está orgulloso de sus alas de arcángel? Yo, como no tengo alas de mariposa a mano, incluyo muy romántica unos pétalos de las flores que recibí en mi cumpleaños). Y basta de prólogo.

Pienso quedarme todo diciembre y enero en Harvard para adelantar mis infidelidades—la nota sobre la *Celestina* y varias reseñas—y me quedaría ahora con gusto doblado, para poder contemplar en la carne al lejano destinatario de tantos borrones indiscretos. El Dr. Alonso, su esposa—una inglesita muy linda—, y sus cuatro magníficos retoños—no ha perdido el tiempo en «retoñas»—, están muy bien instalados en Arlington, en las afueras de Cambridge; a veces le envidio, Dios me perdone: tan triste y tan mala cosa es ser ganado trashumante. No conozco sus proyectos, y soy tan torpe en averiguar nada por vía diplomática, que el único procedimiento que se me ocurre es preguntarle a quemarropa: «¿Piensa U. quedarse, sí o no?».

«Espero que la investigación no es para U. una especie de opio». Pone U. el dedo en la llaga: ya lo creo que lo ha sido. Me entregué a la investigación cuando terminaba la guerra española: porque no sé cómo fué, pero así fué que las niñas judías del Liceo en que yo trabajaba eran las culpables de todo. Me enfrasqué persiguiendo ruiseñores en los bosques de Rivadeneyra para no ver todo el odio que había a mi lado, y así he seguido. Mis hijos predilectos, *Dido* y *Sófocles*, han nacido en momentos tan angustiosos para mí que dudo que pudiera estarle escribiendo hoy, si esos trabajos no me hubieran dado entonces una razón para vivir. Tan cierto es que todo libro encierra una biografía. Sólo Emilio y yo sabemos el sentido de varias páginas de *Sófocles*. Y ahora, el desastre político de la Argentina—que me ha deshecho un poco a mí, también—me ha dado luz de repente, si no me engaño, sobre las *Coplas contra los pecados mortales* y su contraste con el triunfal *Laberinto:* πάθει μάθος.

Tertio capitulo memoro picturam. La Madre de U. es encantadora; parece, por la fotografía, valiente y optimista, como suelen ser ellas, pese a todo lo que les ha tocado sobrellevar. Su Madre es encantadora; mucho lamento no poder decir lo mismo... de su corbata. ¡Qué quiere U.! Yo aprendí, cuando tenía seis años, este profundo aforismo:

La verdad amarga y duele
pero el mal evitar suele.

Así que, como U. insinúa una comparación principesca, creo que me corresponde, en mi calidad de flamante princesa, recompensar a tan diligente servidor, y prometo comprar a U. (cuando acabe de convencerme de que, después de todo, *no* es U. un arcángel), una corbata al gusto hispanoamericano. Y si U. se resiste, le recordaré que es deber de todo hispanista asimilarse la cultura hispánica, porque la filología y la cultura etc., etc., etc. (Vide Américo Castro, *Obras Completas*, *passim*). Yo desearía con mucho gusto corresponder a su fineza, pero sólo dispongo de una fotografía vieja (i.e., cinco años más joven), y como el lema de Harvard es VERITAS, prefiero no mandarla. Entretanto me pongo en manos de un fotógrafo norteamericano (que ojalá sea conmigo más piadoso de lo que fue Jehová, siempre duro con las mujeres, como buen judío), trataré de hacer mi retrato en el orden que mandan el *Libro de Alexandre* y el *Buen Amor*; soy dueña chica, de cabello castaño cobrizo, que hasta la fecha no aprendí a peinar; las cejas apartadas, luengas, etc., etc. Dios me ha dado una frente como gustaba a Mino da Fiesole y como desespera a las modistas de sombreros. «Tengo los ojos marchitos* | de meldar la Ley de Dios» (ay, y también de meldar lecturas *non sanctae*, como la *Celestina*, Ovidio, el *Pervigilium Veneris*, *Las mil y una noches*, *Tristán e Iseo*: por lo cual arderé como decía J.L. Vives, *in perpetuam gehennam ignis*, mientras U., desde los miradores del cielo, mirará mi tormento y se hará aire con su horrible corbata norteamericana, y yo sufriré más). Pero hace poco aprendí que Miguel Ángel tenía los ojos como yo—castaños y llenos de pintas—, y me siento mucho mejor. (Eso me hace dudar, entre paréntesis, de la explicación que dí a Juan Ruiz 433a. Pienso ahora si los ojos «pintados» no serán *vairs*, llenos de pintas y rayitas, como suelen ser los ojos claros). ¡Quién sabe si una de las razones menores de mi amor a Juan Ruiz no será su preferencia, frente a la tradición unánime de los labios grosezuelos, por la boca de labios angostillos, como Dios se ha servido de darme, aunque no se ha servido nunca, todavía, de henchir de risa, conforme a la promesa bíblica! *Hactenus de pictura*.

Ya que U., «sabio, solo y solícito y secreto» reserva el nombre de su gentil amiga, yo la llamaré, como en la novela de Dickens, Miss Sophronia Sphynx, y rogaré día y noche por ella. ¡Qué niños modelos son Us.! Ella, pobrecilla, hace penitencia en la áurea California con mis pergeños y U., en vacaciones, se traslada de mar a mar para leer todas esas revistas muy serias cuyos títulos e iniciales parecen un conjunto cabalístico. *O quam mirabilis!* Pero si en algún momento su naturaleza arcangélica cede al peso de la carne mortal, no desdeñe la pequeña colección de lecturas pecadoras que pude traerme de Buenos Aires, y que está a su servicio en 62 Brattle Street, Cambridge 38, Mass.

* No «cansinos», de ningún modo.

Mis mejores cariños para su simpática Mamá, y amistosos saludos de

MARÍA ROSA LIDA

P. S. A propósito de Yo Ten Cate ¿U. cree, de veras, que editar *Alfonso Onceno* ¡tan luego *Alfonso Onceno*! es más importante que tener tres hijos?

XV

Cambridge, 19 de noviembre de 1947

Amigo Malkiel:

Aprovecho esta ingenua fotografía, tomada en el Empire State Building durante mi visita de cumpleaños a mi hermano, para cumplir mi deuda. A la izquierda está un amigo argentino, bastante típico; a la derecha ve U. a lo mejor de los Lida, con el rostro lleno de preocupaciones, prematuramente envejecido, a fuerza de trabajar e inquietarse por los demás. Y en el medio, yo, naturalmente despeinada, llena de bártulos, tratando de sujetar el sombrero, riéndome fuera de lugar (gran habilidad mía), dando la espalda a las maravillas de la arquitectura neoyorquina y mirando a la tierra que está cerquita del Paraíso terrenal, según asegura el *Esplandián* según creo: el ejemplar de la Widener está prestado, pero U. lo ha de saber.

En cuanto a «cansino», olvidé decirle en la carta anterior el escándalo que ha causado. San Jerónimo, patrono de filólogos y casi cliéntulo—como diría Fernando de Rojas—de los Lida (y algo tentado de bailarinas él también) ¿qué diría de citar en un trabajo de investigación a una daifa como la Rita Hayworth? ¡O género másculo, descogido e frágile! Malkiel, que está U. a tiempo: absténgase de ir al cine, y ponga sus pensamientos en la salvación de su alma y en Donna Filologia.

A propósito: ayer llegó el niño, quiero decir *Romance Philology* I, 1. *Many happy returns* y cordialísimas felicitaciones. Creo que al Dr. Alonso le impresionó también muy bien. Para el canje con la inminente *NRFH* (¿por qué no he de dármelas yo de cabalista?), sería más práctico que U. remitiese su revista a la dirección de México, o sea,

Nueva Revista de Filología Hispánica
Señor Raimundo Lida.
Colegio de México
Sevilla 30. México, D. F.

Amistosos saludos para su Madre y para U.

MARÍA ROSA LIDA

XVI

2703 Stuart Street.
Berkeley 5, Cal.

21 de noviembre de 1947

Querida amiga:

Debido a la prontitud con que ha contestado U. a mi última ya tengo arreglado el viaje. Salgo de Berkeley el 19 de diciembre, a las once de la mañana, con un tren rápido; el día 22, también por la mañana, llego a Boston. De este modo, pasaré unos diez días en Cambridge y leeré todas las revistas eruditas.

Esta visita mía a Massachusetts no será la primera. Por primera vez fui a Boston a mediados de enero de 1942. Todavía estaba sin empleo—después de veintitrés meses de residencia en los Estados Unidos (*when Uncle Sam frowned on those refugees* [= *refujews*]); vivía y sostenía una familia de tres enseñando idiomas modernos en unas pequeñas escuelas particulares de Nueva York cuyo nombre ya no recuerdo. A principios del año, había recibido inesperadamente un ofrecimiento curioso: me invitaban a enseñar en la Universidad andina de Wyoming, altitud de dos mil metros. Pues bien, antes de este destierro quería yo establecer relaciones con algunas casas editoras de Boston. Desde luego, todos mis planes fracasaron (peor: escribí un libro de doscientas páginas, a pedido de Heath & Co., y nunca lo publicaron), pero por lo menos conocí al simpático historiador Karpovich, explorador incansable de todos los arcanos de Widener Library y verdadero amigo de nuestra familia.

La segunda visita a Cambridge la hice en el mes de enero de 1946. El Dr. Morley y yo—muy amigos a pesar de una diferencia de edad de treinta y seis años—los dos fuimos al Este con motivo de uno de esos consabidos congresos anuales de la M. L. Assn. Después del congreso, M. fue a Boston donde está arraigada su familia y yo partí para Nueva York donde se han refugiado los escasos restos de la mía. Súbito oí decir que había caído enfermo M. en Cambridge; ese mismo día tomé el próximo tren y a las seis de la tarde penetré en el hospital adonde habían llevado al paciente. Todavía recuerdo su sorpresa cuando me reconoció: «*Yasha my boy, you come to me from another world. You bring California with you!*».* Bello ejemplo de patriotismo californiano.

* Yasha es la forma hipocorística de Yakov; así me llaman mis amigos más íntimos. Yakov Lvovich es una forma un tanto más fría, con el

Después de este exordio autobiográfico, pasemos a materias de mayor trascendencia. Desde luego, le agradezco mucho la fotografía que muestra una joven dama un tanto burlona en compañía de dos caballeros muy serios y doctos. Me encanta ver a María Rosa Lida en el ambiente nuevo—eboracense (yo, que había soñado encontrarme un día con ella en Soria, Astorga o… Hita). Lamento ver al simpático don Emilio pensativo y angustioso; pero, francamente, lo que más me interesa (siento tener que desañar al anónimo «amigo argentino») es el aspecto de su hermana, rebosando de energía y juventud (después de haber escrito cinco libros y veinte artículos; los tenemos todos aquí, excepto la traducción de Brontë que uno de sus numerosos admiradores… ¡hurtó!). Examiné la fotografía bajo un microscopio y ya estaba a punto de consultar a Paz y Meliá sobre la aplicación de reactivos fuertes para reconocer con mayor claridad el descomunal color de los ojos cuando de súbito caí en que—al fin y al cabo—la fotografía no era un instrumento de trabajo para interpretar acertadamente el *LBA*, 433a. Por lo tanto, no la archivé en mis ficheros; al contrario, *je l'ai sur moi*.

Y ahora déjeme contestar a algunas preguntas que ha suscitado U. en sus tres cartas anteriores.

¿Por qué envié el artículo sobre *marrano* al *JAOS*? Exclusivamente para honrar a Eugen Mittwoch dedicándole este estudio. Esto le parecería absurdo, pero así somos los europeos. En el clima friísimo de la universidad alemana de 1933-35, el Dr. Mittwoch, con la barba de un rey asirio, con los ojos llameantes de un mago, último judío que enseñaba en Berlín, y ¡qué JUDÍO!—con letras mayúsculas—era para mí la encarnación del profesor ideal. Ese hombre

---

patronímico; así me llamarían mis colegas y estudiantes si yo enseñase en Rusia.

nunca me dio buenas notas; pero adivinó que yo cursaba el árabe sólo por amor de él; y ¡cómo me felicitó cuando yo, probablemente el último estudiante de mi raza, saqué el doctorado en 1938 *magna cum laude*; cuán espontáneamente me adelantó dinero para ayudarme a imprimir la tesis (inventando amablemente la leyenda de una beca); cómo, por último, se esforzó por ayudarme a ir a América (sin decirme ni una palabra)! Nadie sabe el secreto de que aun la posición que tengo actualmente en Berkeley se la debo a él. Mis profesores de filología románica no prestaron la más mínima atención a mí; el Prof. Ernst Gamillscheg tachó con su propia mano la última frase en la prueba de mi *curriculum vitae* en la cual le agradecía cordialmente su enseñanza. Ya ve U. que no quiero ser ni huérfano ni bastardo entre los filólogos. Ha dedicado U. un bellísimo ensayo al Dr. Alonso que precede a su bibliografía; y ha hecho U. muy bien. Yo, después de terminar mi trabajo acerca de *maraña* (que publicará Marcel Bataillon en su *BHi*) decidí escribir una nota sobre *marrano* para honrar a mi maestro predilecto, al maestro que me quería cuando yo era un judiezno—nada más. Como él era orientalista—una de las figuras máximas de la filología semítica—envié el trabajo a la revista cuyos lectores le conocen. Por lo demás, el Dr. Spitzer… escribirá una nota crítica que enviará a Arlington; ya sabe U. el resto.

Luego—y ya marchamos por un terreno algo resbaladizo—no puedo menos de contestar a sus quejas sobre los infortunios de las damas. Y ya estamos, querida María Rosa Lida, en plena Edad Media: podemos escribir juntos un *descort* en antiguo provenzal (mi amigo Kurt Lewent de Nueva York se encargaría gustoso de la corrección de estilo, como que domina la lengua de los trobadores maravillosamente). No tiene Vd. razón al afirmar que la mujer es la persona aporreada, el hombre, el verdugo; la mujer, la víctima; el hombre, el tirano. Por lo menos, esto no se refiere a California, donde las mujeres controlan los tres cuartos del capital; donde se casan cuatro veces, usando pretextos ridículos para divorciarse; donde son ellas las que escogen a sus maridos, y no al revés (*je parle en connaissance de cause*; y ¡qué maridos! Como la loba de Juan Ruiz. Pero más vale callarse; gato escaldado...); donde son ellas las que beben, fuman, etc., las que gozan de la vida en nuestro siglo de hedonismo.

Pero concedo que hay que hacer una excepción: la que sufre en Norteamérica es la mujer culta. No se le perdona la cultura a la mujer como no se le perdona la pobreza al hombre. Ya ve U. que los dos somos criminosos. Y fíjese U. en lo siguiente: siempre he pertenecido al grupo universitario, excepto que, en el plano académico, siendo varón, me hallo unido al grupo mayoritario. Pues bien, en largos años no he podido averiguar por qué la gente odia a la mujer culta: las hay jóvenes, simpáticas, muy lindas e incluso muy ricas. Todo esto no aprovecha nada; el mero hecho de que ella es una «Ph.D.» ya la condena a la solitud. Me niego rotundamente a aceptar esta teoría; no creo que una hija de banquero o una cocinera o una bailarina (cualquiera que sea la etimología de su apellido; Zorina significa «auroral», Tumanova «nebulosa») sea *siempre* preferible a una dama culta. Lo único que yo odio en una mujer es la vulgaridad —que nada tiene que ver con la erudición.

Y ahora, para terminar, cuatro palabras sobre nuestros trabajos. Desde luego, ninguno de sus lectores tiene la osadía de escudriñar el sentido digamos íntimo de ciertas páginas que ha escrito U. Pero todos los que entendemos un poco de la materia nos damos cuenta de ese tono lírico que anima la mayoría de sus escritos; y es un lirismo simpático, porque no es nunca exagerado, nunca llega a deshacerse en sollozos histéricos, como ocurre a algunos colegas que sufren de «desmesura».

Me dice U. que la preparación de algunos libros le ha salvado la vida; es lo que llamaba el malogrado Stefan Zweig «*Heilung durch den Geist*». Es este motivo uno de los más elevados que hay; pero no es el supremo. Y si U. ha alcanzado tanto siendo infeliz—podrá U., así confío, producir obras aún más significativas cuando U. sea feliz un día; cuando U. descubra que su contribución cabe dentro de un conjunto más grande—como los esfuerzos de R. M. P. caben dentro del resurgimiento espiritual de España que se debe a la generación del '98.

Nada diré de la corbata; de las actrices de la pantalla; de que soy un niño modelo; de que su admiradora es mi «gentil amiga» (está casada y tiene un hijo que se llama Pedro); de que U. se dedica a lecturas pecaminosas. ¿Por qué tantos flechazos, tantas andanadas y tantos desafíos? Dediqué toda esta semana a la corrección de pruebas. En la nota 377 de mi artículo sobre *alguien* cito un pasaje de la *Historia Troyana Polimétrica*, ed. R. M. P., pág. 146, abajo, que le recomiendo mucho que U. lea. No lo cito para estimular su curiosidad y... para no comenzar la página novena.

La saluda muy afectuosamente

YAKOV MALKIEL

XVII

Cambridge, 27 de noviembre de 1947

Mi señor don Diego:

¿o prefiere U. En Jacme, Micer Jácome, Messer Giacomo, Messire Jacques? ¿o Jacobillo (= «*Yasha, my boy*»), como el pajecito fiel de «Álora, la bien cercada...»? Romance ha de ser, que para algo es U. padre de la *Romance Philology*. Aunque quizá lo más adecuado sea «Señor Santiago», con el santo metido ya dentro, en recompensa de la piedad filial hacia su maestro Mittwoch. En serio: mi escrúpulo por el destino de «marrano» era por temor de mermar su publicidad; la dedicatoria a su maestro, todo lo que U. escribe sobre él, honra a ambos. ¿Cómo piensa U. que me parecerá absurdo? («Esto le parecerá absurdo, pero así somos los europeos». ¡Estos europeos! ¡Qué soberbia satánica! ¿Creen Us. que no hay gente bien nacida fuera de Europa?). Yo, que cuento como mi mejor lance de fortuna haber dado con el Doctor Alonso, sé lo que es venerar a un maestro, y hablarle con el alma de rodillas, por bondadoso y campechano que sea. Para el caso del Dr. Alonso, cristiano viejo y buen católico, siempre recuerdo aquella bellísima explicación del Talmud—no lo tengo a mano: U. rectificará mi mala memoria—de que Dios no aniquila al mundo con todos los paganos que le niegan, sólo por treinta sabios que hay entre ellos: el primero, mi Doctor Amado, que Dios bendiga. ¡Tantas noblezas le podría contar de él! Cuando le presenté mi nota biográfica sobre Juan de Mena, me apresuré a advertirle que se podría publicar en cualquier revista fuera de la Argentina, donde la palabra «judío» es malsonante y un estudio de ese tipo podría comprometerle. Me miró sin comprender ni responder palabra, y lo guardó para nuestra RFH. Y no por filosemitismo sentimental *à la* Cansinos Assens, no por favor personal, sino porque es el hombre que más respeto tiene a la verdad. Es hombre esencial, como diría nuestro pariente, Hernando del Pulgar. En Buenos Aires, la víspera de su partida, el interventor oficialista de nuestra pobre Facultad (un pequeño canalla que le había estado envidiando durante veinte años) le enrostró, como máxima acusación, el haber formado un Instituto de extranjeros (léase «judíos»). Y, en efecto, así era, prácticamente. Lo gracioso es que, cuando le vi por primera vez de vuelta de su primer viaje por los EE.UU., contó muy satisfecho que había tenido muy buenos alumnos en Chicago, y el mejor de todos, una notabilidad, era un tal Kaplan. Me costó no reírme porque, pensaba yo, ¿valía la pena cambiar de hemisferio para encontrarse allí un Kaplan, dejando aquí un Rosenblat, una Weber, unos Lida? Y lo primero que me ha presentado aquí son un Simches, un Kohn... En fin: si día llegará en que diez gentiles se asgan de la falda de un judío para salvarse (Zacarías 8, 23), nosotros, los alumnos judíos del Dr. Amado—y en particular las doncellas que le amamos, para hablar como fray Luis—, reuniremos nuestras faldas para llevarle con toda comodidad, como en hamaca paraguaya, y depositarle delicadamente en el regazo del Justo de Israel. Celebro que a U. no le parezcan mal las palabras que pronuncié en la despedida que ofrecieron al Dr. Alonso sus alumnos de la Facultad. Le confesaré que, entre lo que hasta la fecha llevo escrito, tengo dos páginas de cuya perfección estoy absolutamente segura; son las dos primeras páginas de mi tesis (sobre Juan de Mena) que rezan así: «A Amado Alonso, mi maestro», «A la memoria de Pedro Henríquez Ureña». Y le aseguro a U. que esas dos páginas no me allanaron el camino cuando di mi examen de tesis en mi pobre Buenos Aires. Así que comprendo perfectamente su emocionada ternura por su maestro y amigo Mittwoch. ¿Qué ha sido de él? En cuanto a Spitzer ¡qué le vamos a hacer! El pobre es incorregible; si no polemiza no vive. Pero es muy mal ejemplo: a mí me acongoja ese cisma en la Sinagoga. En serio: la manía de Spitzer me parece detestable.

Personalmente aborrezco tanto la polémica, amigo Malkiel, que he llegado hasta el otro extremo (igualmente vicioso porque, en fin, lo que debe prevalecer sobre todo es la verdad), de no responder a una crítica injusta y equivocada, con lo cual mi crítico (Dámaso Alonso, que Dios perdone) quedó muy ufano, pensando que si yo callaba era porque no tenía cómo excusar mi pecado, y le falta papel para imprimir su triunfo y multiplicar su equivocación. Dios hay en el cielo.

A otra cosa: ¡valiente consuelo me da U. a mi *Planctus de conditione feminarum*! Las ventajas de *amare, pergraecari* (en traje plautino suena menos feo) no me tientan. Sabrá U. que la Argentina es en esto la más tradicional de las naciones hispanoamericanas, y yo soy en esto architradicionalísima. El código norteamericano en esta materia me queda tan lejos como un estudio etnológico de Cochinchina o Micronesia: para mí no existe ni existirá otro código que el Deuteronomio 22, 13 y sigs. Éste será, como U. dice, el siglo del hedonismo o, para ponerlo más claro, el de darse los gorrinos gustos so capa de freudismo barato pero, por anticuada que le parezca, yo me atengo *sin escaldamiento alguno* (y a mucha honra lo digo) a mi fray Íñigo de Mendoza: «¡Oh pureza sin historia!». No es que yo me sienta especial víctima de la vida norteamericana; lo que me sorprende es que, en el fondo, se hostilice aquí exactamente como en el resto del mundo, a las dos amenazas de la sociedad: el hombre que no ha hecho dinero y la mujer con una pizquita de sesos. Recuerdo que cuando mi hermano Raimundo cumplió cinco años, yo envidié tanto su condición masculina (no sé por qué privilegio) que dije con toda la gravedad de mis tres años: «Cuando cumpla cinco años voy a ser varón». No hace mucho, ante una postergación injusta en Buenos Aires, yo decía: «Espero que en mi próxima reencarnación,

Dios tenga la bondad de hacerme varón, católico y nazi». Bienaventurados los pobres, los perseguidos, etc. Pero alguna vez, perdóneme U. la vulgaridad, me gustaría tener la recompensa de este lado de acá de la tumba. He recordado todo esto porque la semana pasada, el Dr. Alonso, ocupado en una reunión administrativa, me confió su clase de Literatura: lectura y comentario del capítulo «Príncipe de la Paz» de los *Nombres de Cristo*,* que hace años había «retraducido» al latín por pasatiempo. Los alumnos me hicieron saber, extraoficialmente, que la clase no había parecido mal y yo, con ese gustillo, me quedé cavilando que yo podría trabajar muy bien en Harvard sólo con que el Dios de Israel fuese tan misericordioso conmigo como lo fué Zeus Olímpico con Ifis (*Metamorfosis*, IX, 666 y sigs.) pero es lectura pecaminosa, no insisto. Y no quiero porfiar pero ¡esa corbata! Para no decir nada del archivo etimológico de apellidos de comediantes y saltatrices. Dios tenga piedad de su alma).

¿Cuándo conoceré a su amigo Mikhail Mikhailovich Karpovich, que para mí suena como personaje de novela rusa? No lo sospecho: me paso el día en mi celda monacal (Widener 47), de la que sólo emerjo para buscar libros y, de cuando en cuando, para leer versos. No conozco a nadie—tengo, como se decía antes, don de soledad y don de lágrimas—salvo a los amigos que me presenta el Dr. Alonso; si por él no fuera, estaría en el más absoluto aislamiento. Lo cual a veces me pesa; ahora no, porque estoy entusiasmada

* Al preparar la clase, y leer lo que no venía al caso, me topé con este texto, que viene de perlas; agréguelo U. a mi prontuario:

«De los dientes sale a los labios, que para ser hermosos han de ser delgados...

Como el hilo de carmesí tus labios, añade luego, y *el tu hablar polido*. Lo cual viene muy natural con los labios delgados, como cosa con la *Celestina, nequitiarum parens*, y enamorada de Calisto (las cosas que dice: «¡O! ¡Si en sueño se pasase este poco tiempo!». «Pero tú, dulce imaginación, tú que puedes, acórreme»), ese Calisto que vive de una tajada de diacitrón, comida de prisa porque no puede perder tiempo: necesita todo su día para soñar. ¿A que U. no es capaz de vivir así? (Yo tampoco, pero si llego a hacer algo con todo este amor que me bulle por Calisto y por su mamá, la sin par Fiammetta, acompañaré cada separata con una tajadita de diacitrón).

Por lo que U. me escribe, el Dr. Morley debe de ser persona encantadora. Conmigo ha tenido tal gentileza, tan fina bondad en ofrecerme amparo que, confieso, me inhibe para escribirle. (Sí, yo escribo largas cartas confidenciales a los que me maltratan acusándome de «flechazos, andanadas y desafíos» a mí, que no manejo más arma que la pluma fuente y la aguja, y haciéndome vagar por las estanterías de la Widener en busca de la *Historia troyana en prosa y verso*, pág. 146). Hace rato que era mi deber escribirle, pues me había encargado le trasmitiese saludos un antiguo amigo de él, Mr. Hackett, médico californiano director de la Rockefeller en Buenos Aires quien, según me contó, le salvó la vida hace años, en circunstancias muy pintorescas, durante una expedición arqueológica en Guatemala. Si U., amigo Malkiel, se encarga de transmitir este mensaje al Dr. Morley, le iré perdonando alguno de sus muchos agravios.

---

que se sigue una de otra. Porque, según dice Aristóteles en las reglas de conocer las cualidades de un hombre por sus facciones, los labios delgados son señal de hombres [scil. οἱ,αἱ ἀνθρωποι] discretos y bien hablados, y de dulce y graciosa conversación».

Si lo dijese de mío, sería yo de retar:
dícelo gran filósofo, no soy yo de culpar.

Vale.

Y transmita mis cariños a su Mamá. Cordiales saludos de

MARÍA ROSA

P. S. ¿Cuántas lenguas sabe usted?

XVIII

Berkeley, 9 de diciembre de 1947

Querida María Rosa:

No se espante usted—así firma U. su propia carta del 27 de noviembre. Examiné cuidadosamente el material paleográfico que estaba a mi alcance antes de atreverme a llamarla por su nombre en vez de por su apellido. La carta del 2 de noviembre muestra claramente las cuatro letras *Lida*; las del 13 y del 19 del noviembre ya revelan una curiosa abreviatura: parece derretirse el apellido, no logré descubrir más que *Lid*—seguido de una romántica línea que recuerda el vuelo de una mariposa; pero en la del 29 de noviembre ya no descubrí nada, a pesar de esmeradas raspaduras—como las que se hacen para restaurar el éxplicit de una poetisa o de una juglaresa. ¿Se habrá derretido la nieve de Boston—la que cayó el 7 de noviembre (día en que, de aquí adelante, el Dr. Alonso siempre recibirá mis notas y artículos para su revista)—y con la nieve se habrán derretido los restos de su apellido truncado?

Lo que usted me escribe acerca del paraíso perdido de Buenos Aires me interesa mucho. Sin lisonjearla en lo más mínimo, puedo asegurarle que el Instituto de Filología gozaba de las simpatías de todos los romanistas y que el esfuerzo realizado por usted y sus compañeros de trabajo no será olvidado nunca por nosotros. Ojalá tenga igual éxito el Sr. Alonso en Norteamérica. La situación actual es muy compleja porque falta la centralización que caracteriza la vida universitaria de Hispanoamérica y de Europa. ¡Qué contraste entre ese Harvard que le parece a usted tan apetecible (y a mí tan... *vieux jeu*) y nuestra California arrogante y juvenil!

Entre sus amigos argentinos el que más me impresionó fue tal vez Henríquez Ureña a quien tuve el gusto de ver (no de conocer: nadie me presentó a él, quizá porque fuesen tan modestos mis ingresos o por otro motivo parecido) en Nueva York, allá en 1941. Me encantó su confeferencia (acerca de Rubén Darío) en el Instituto de las Españas. Henríquez Ureña, lo mismo que D. Alonso, es a la vez filólogo muy riguroso (sus estudios léxicos acerca de las voces indígenas representan lo mejor que hay en el campo hispano) y crítico muy fino y sensible. Combinación corriente en tiempos de Leopardi y Carducci, pero cada vez más rara en este prosaico siglo de especialización y de esterilidad. Le envié algunas separatas al Dr. Henríquez Ureña en 1945, pero no me contestó, lo cual no me sorprende, ya que él iba absorto en sus investigaciones. Lástima que no sepa lo que pensaba de mis métodos. No lo digo por vanidad, sino porque espero poder perfeccionar mi análisis lingüístico. Lo que escribí antes de 1944 no vale nada y me avergüenzo de haberlo publicado. En este respecto hay un contraste enorme entre usted y quien escribe estas líneas. Sus primeros trabajos que conozco («Trasmisión y recreación...», «Notas al *L.B.A*») ya muestran una sorprendente madurez de juicio y una inagotable erudición.

En cuanto a mí, sólo puedo repetir las palabras del genial medievalista Ernst Kantorowicz (autor de la obra clásica acerca del Emperador Federico Segundo), a quien me honro en contar entre mis amigos de Berkeley: *Ich war doch wie vor den Kopf geschlagen*. No hay nada que añadir. Actualmente, al contrario, puedo decir con Paul Valéry: «*La confusion morose | qui me servait de sommeil | se dissipe dès la rose | apparence du soleil. | Dans mon âme je m'avance | tout ailé de confiance, | c'est la première oraison*», etc. Sólo hay que substituir *sommeil* por *cauchemar*. Ya estoy alegre y muy optimista. Escribiría versos si... dominase un idioma de veras (me hallo en la situación de los gitanos que hablan ocho lenguas... mal). Creo que una «estación en el infierno», para hablar con Rimbaud, es salutífera, si a uno no le queman, como han quemado a mi inolvidable prima, poetisa y medievalista, Raïssa Bloch de Gorlin (quien tanto se parecía a U.);* a su marido, filólogo brillante y poeta original; y a otros doce o quince parientes, mientras mi genial primo Victor Zhirmunski parece haberse vuelto loco durante el sitio de Petersburgo, ya que me escribe una larga carta en inglés chauceriano, llamándome «*Dear Professor*» (a mí, quien le tuteaba siempre; para quien él no era más que «Vitya») y preguntándome ¿cómo les va a mi hermana y mi cuñado? Y es que desgraciadamente no tengo hermana, y él debería saberlo.

Ésta es Europa, la Europa de mediados del siglo veinte. Yo me arrepiento de haberla «airado» a U. llamándome europeo. Como concepto geográfico Europa ya no significa nada. Como concepto cultural sigue existiendo, pero si así interpretamos el ámbito de la palabra, es U., querida María Rosa, *europeísima*; y creo que me supera a mí (ciudadano norteamericano) en este europeísmo espiritual, como me supera en tantos respectos.

* Espiritualmente.

Ahora recuerdo cuando por primera vez vi u oí su nombre: al entrar en la oficina de Tomás Navarro a los ocho días de llegar a Nueva York. Él me mostró inmediatamente los primeros números de la *RFH*, añadiendo que el Sr. Alonso buscaba «nuevos talentos». Lo que llamamos nosotros *a talent scout*. Lo curioso es que U. me dirigió una de sus primeras cartas a la Universidad de Pensilvania y que a pesar de esa equivocación yo la recibí. Luego me di cuenta de que ya era una estrella... de octava magnitud en el firmamento norteamericano.

El Dr. Morley nunca estuvo en Centroamérica; nadie le salvó la vida; y no es arqueólogo. Se trata de una equivocación con su primo *homónimo*, especialista en el terreno de la cultura maya. El Sr. Morley es lector apasionado de los trabajos de U. (lo mismo que yo) y lamenta que U. no haya aceptado su invitación. No deja de decirme: «*She is a no-girl*» (una muchacha que dice que no a cualquier cosa que se le proponga)...

Y ahora, para terminar, un pequeño favor que quisiera pedirle. En Cambridge seré yo el anfitrión y U. el huésped; sin embargo, le suplico me reserve un cuarto en un hotel. Resultará fácil, creo, ya que el día 22, por la tarde, cuando yo llegue, la mayoría de los estudiantes y numerosos profesores partirán con motivo de las vacaciones. Estoy dispuesto a pagar de cuatro a cinco dólares diariamente y no me importan los detalles, si hay una o dos ventanas, etc. (ya que no quiero suicidarme; al contrario).

Como no puedo llenar diez páginas con mi devaneo, prefiero copiar para U., aficionada a la poesía, dos poemas que mucho influyeron en mí y en toda la «generación del treinta y tres» (a la cual, entre los hispanistas, pertenecía también el malogrado Georg Sachs, hijo muy talentoso del gran crítico Curt Sachs). Hacía ocho años que no había vuelto a leerlos, pero ahora, al abrir el tomo y al copiarlos para U., no vacilo en declarar que aún los hallo bellísimos. Tenía Karl Wolfskehl al escribirlos unos setenta años y ya estaba ciego. Quizá sólo a los patriarcas cabe escribir cosas tan sencillas y tan definitivas. Marcan estos poemas el momento doloroso del divorcio entre los judíos centroeuropeos y Alemania en 1933. Lo emocionante es que Wolfskehl era precisamente el hombre único que, siendo sionista desde su juventud, dominaba perfectamente el antiguo alemán, de modo que su obra anterior representaba un raro connubio de lo teutónico y de lo hebreo. Ahora vive en Nueva Zelanda, traduciendo a Ibn Gabirol al alemán.(!)

Por último, me queda el particular placer de escoger mi propio nombre entre las formas rosellonesas y genovesas que U., muy generosa, me brinda—porque, al fin y al cabo, tengo que firmar esta carta y rehuso firmarla «Prof. Dr. Y. Malkiel». Distinguida amiga: por debajo del seudohispanista que se mete en cosas de que nada entiende; por debajo del ciudadano norteamericano que insiste en llamarse europeo; por debajo del doctor en letras y filosofía que dejó Alemania—«*bei Nacht und Nebel*» después de haber pasado en Berlín diecinueve años de su vida; por debajo de todas estas capas (y paso por alto que mi tesis versó acerca de un tema francés...) vive el niñuelo que vio la luz del día el 22 de julio de 1914 (una semana antes de estallar la Prim. Guerra M.) en la ciudad (bizantina, asoleada, hundida en jardines...) de Kiev y a quien le gusta *únicamente* que le llamen... Yasha y que le escriban en caracteres cirílicos. ЯША

XIX

Cambridge, 14-XII-1947

ЯША:

Yo no sé si esto está bien escrito en caracteres doñeguiles (=señoriales =cirílicos); a mí me parece una charada: La *R* al revés lleva en la cola una rosa porque ahí es nada el simbolismo de la rosa (y además por una profecía de san Bernardo de Claravalle, que hacía mucha gracia a mis amigos de Buenos Aires); lo del medio parece una coronita ¿verdad? Y al final, A, alfa, 1. Así que, por donde se lo mire, presenta U. un escandaloso complejo de superioridad: mi enhorabuena. Envidio su pujanza, sus ganas de tomar partido a pie firme en la vida, su optimismo. Nunca he sido así; siempre renunciar, aun con lágrimas, ha sido para mí el único camino. Cuando el Dr. Alonso me ordenó estudiar alemán ¡hace tantos años! me faltó tiempo para aprender de memoria aquello de *Entbehren sollst du, sollst entbehren*: era mi concepción de la vida, y no por historia sino por composición química. ¡Cuántas veces, al leer esas horribles noticias de los crímenes inexpiables de Alemania, he pensado: cuántos, mejores y más dignos que nosotros, los que por puro azar estamos aquí en salvo, han muerto! ¡Qué responsabilidad, qué deuda para los que hemos tenido la suerte inmerecida de hallarnos fuera de la hoguera! Las poesías de Wolfskehl son muy hermosas, sobre todo la primera, en su fuerte y refinada sencillez. Pero ¡qué orden dura! ¿Hay cosa más dura que un éxodo? ¿Cree U. que sólo lloraban por las ollas los que lloraban por Egipto? Don Pedro Henríquez Ureña me predicaba siempre contra mi apego poco razonable a las cosas y lugares, contra mi apego a Buenos Aires—no bizantina, no, ni hundida entre jardines, sino abierta, joven y mía, y fundada bajo la advocación de

Erasmo y de Virgilio con crimen, hambre y locura. Buenos Aires. Nosotros, los judíos, los profesionales del destierro y del patriotismo, sabemos bien que el patriotismo es irracional, y no vamos a incurrir, como las gentes felices a quienes ha sido deparado nacer, vivir y morir en su tierra, en la falacia de justificarlo con razones. «Restaura a Jerusalén»—no porque sea la mejor ciudad del mundo, ni por este motivo ni por aquél: «Restaura a Jerusalén, porque Tus hijos aman sus piedras».

Amigo Malkiel—Yasha (apenas me atrevo: apenas llamo por el nombre sino a los varones de mi familia—, no olvide U. que su servidora no es una *American girl* sino un producto del Deuteronomio + inhibiciones hispánicas), volvamos a lo práctico e inmediato. Esta tarde he cumplido su encargo; le reservé alojamiento en el Hotel Continental, Garden Street entre Chauncy y Berkeley (para que no eche usted de menos su áurea California), del 22 por la tarde al 28 de diciembre, y del 1.° al 3 de enero, a $5 por día; en el otro hotel de apariencia más lujosa, pero de servicio regularcito, según me han dicho, pedían más. No se alarme U.: Cambridge tiene el privilegio de pagarlo todo más caro que Boston o cualquier ciudad grande.

Ahora puedo contestar a algo que me preguntó U. en una ocasión anterior: el Dr. Alonso va a pasar en México los días 26-10, así que afortunadamente U. podrá tratarle unos pocos días, y tener el gusto de conocer a su deliciosa mujer—muy delicada este año, pobrecilla, entre asma e hígado—y a sus cuatro muchachitos (para no decir nada de *Ciutti*, su *cock*[*er*] *spaniel*).

Y con esto pongo fin, creo, a la primera parte de esta novela epistolar que su colega Ch. E. Kany tendrá que insertar en la próxima edición de sus *Beginnings of the Epistolary Novel*, sólo que la nuestra no es *beginning* sino *end*

and perfection (ἐντελέχεια, que dice el vulgo peripatético).
Mis cariños a su Madre, y saludos de

MARÍA ROSA

P. S. Al Dr. Morley, a quien yo respeto tanto, que no me levante falsos testimonios. ¿No recuerda él, lopista—¿o es el primo?—el título de una comedia de Alarcón que viene de perlas?

XX

Hotel Tuller on Grand Circus Park
Detroit, Michigan

29-XII-[1947]

Minha prezada e cara Carolina:

Apresso-me a escrever-te algumas linhas acerca das impessões de viagem. Hoje cheguei a esta ruïdosa e suja cidade, onde faz un frio terrível (sem que se veja o menor vestígio da neve—quao diferente do nosso inesquècível Boston!). Cheguei à manhã, depois de passar urna noite sem descanso, nem sequer sonhando no porvir, mas ainda assim muito contente, inteiramente satisfeito das nossas últimas façanhas. Nomeou-me a mina Universidade diretor duma revista que se chama Romance Philology. *Parece que ultimamente ha havido muito mais «romance» doque «filologia», não achas? Espero, malicioso, que a tua traduçao do livro griego também não progrediu.*

Ás duas da tarde falei no tema do cansaço. *O problema central é o desenvolvimento do grupo interno—*ns. *Já ves que, simplificando-se* cansar, *se chega bem félcilmente a* cazar *(ou a* caçar*). Caçar mulheres, isso é* féminas puellasque assector.

Depois da conferència houve uma discussão. Criticou-me severamente o meu implacàvel censor L. S.; agregaram curiosos detalles os amigos J. B. e G. C.

Gostei muito dos doces que tiveste a gentileza de me dar; doces que me trouxeram à memória a mellita puella. *Penso em ti—saùdoso, choroso, soluçando, gemendo e… sorrindo. Beijo-te ternamente.*

Teu príncipe consorte

JOAQUIM

XXI

7 de enero de 1948

Mi querida María Rosa:

Tengo que contestar a unas cincuenta cartas que llegaron a Berkeley durante mi ausencia, pero desde luego ésta es la primera que escribo. Ya han comenzado las «operaciones» necesarias para tu traslado a la costa oeste.

En mi vida he visto a Morley tan extasiado como hoy cuando le conté nuestra «aventura relámpago». Este hombre tan cauteloso, precavido y callado repetía incesantemente: «*But that's terrific! What a concentration of brainpower under one roof!! That's news!*». Y luego, al reflexionar un poco, agregaba: «*There can't be a mistake! There can't be a mistake. Not in this case*».

Parece que la cuestión de la residencia es mucho menos grave de lo que yo pensaba anteriormente. Se trata de días, no de semanas o meses, como suponíamos en Boston. Por otro lado, resulta necesario informarme exactamente acerca de tu *visitor's status*. ¿Cómo has ingresado en los Estados Unidos? Desde luego, a base de la beca otorgada por Rockefeller. Pero hay que pormenorizar las condiciones de tu ingreso: hasta qué tiempo tienes el derecho de residir en este país y cosas por el estilo. Desde luego, se trata de formalidades y todo se arreglará muy fácilmente y pronto. Mañana voy a Oakland para obtener varios informes importantes.

Pienso continuamente en tu llegada. Aquí hay una lluvia torrencial, bastante fría. Pero… «*Anar posc ses vestidura | nutz en mi camisa | car fin amors m'asegura | de la freia bisa*», según dijo mi trobador predilecto, Bernart de Ventadour.

Целую тебя

ЯША

Lección primera de ruso

Целовать тебя
= OSCULARI = TE

XXI*bis*

8.I.48

Mi querida María Rosa:

El resultado de mi pesquisa en Oakland es muy favorable. La cuestión del pasaporte parece que no tiene importancia alguna. Todo irá muy bien y no habrá obstáculos cualesquiera. Tan pronto como tú vengas, podremos arreglar todos los pormenores del enlace. Creo que podríamos casarnos a las dos o a las tres semanas de tu llegada.

No trabajes demasiado. Esos lindos ojos tuyos no me gustaría verlos cansados.

¿Qué te parece el recorte del *Aufbau*? El monarca sueco se parece a todas luces a nuestro común amigo, el doctor Morley, cuya última alumna serás… tú («*lent that girl… I could learn something from her!*»).

Целую тебя

ЯША

XXII

9 de enero de 1948

Дорогая Марія Роза!

Ayer te envié una carta «urgente» para que tú la recibieses el sábado por la tarde o bien el domingo por la mañana. Ya sabrás que esos obstáculos en que pensábamos no existen en la realidad. ¡Cómo me alegro de tu próxima venida! Y ¡cuánto celebraré recibirte en nuestra calurosa «patria chica»!

Aunque tengo mil cosas que hacer, continúo pensando en la algara navideña. Tengo varias teorías acerca del «*coup de foudre*». Pero ¡qué importan las teorías!; lo que más me importa es la práctica; el resultado concreto; la solución perfecta, tan rara en este mundo. (Tú sabes que los pobres etimologistas siempre buscamos las soluciones perfectas; muy rara vez las alcanzamos).

El semestre termina el 24 de enero. Desde el 26 de enero hasta el 5 de febrero sigue el período de los exámenes. Tengo tres exámenes; el 29 y el 31 de enero y el 4 de febrero. Entre el 24 de enero y el 29 de enero estoy enteramente libre. Ojalá pudieras venir en esa fecha.

Ya están arreglados los estantes para los libros de la princesa, la octava maravilla del mundo, según dicen mis vecinos, muy envidiosos. El galán del carpintero debe de haber soñado en ti.

Y a propósito de los libros—no dejes de tenerme al corriente de tus negociaciones con Schönhoff. Ya aguardo impaciente la llegada de tu biblioteca; sobre todo de cierto tomo dedicado a Rembrandt.

Te saluda cordialísimamente tu impresario, gerente, compañero de trabajo (*Alexandre*), profesor (de ruso y hebreo), alumno (de griego y castellano), primo (vía R. M. P.), hermano (mellizo?!), al fin… muy tuyo… tu

ЯША

P. S. Me parece justificada la etimología de Swadesh; mejor dicho—hasta cierto punto. ¿No corregimos juntos sus pruebas el día de Navidad, a las doce y media?—¿Recuerdas el libro que leyeron Francesca da Rimini y cierto caballero?

Segunda lección de ruso.

Дорогой, masc
(dorogói, dorogáya)
Дорогая, fem CARUS, -A

XXIII

Cambridge, 10-1-1948

Biaus dous amis:

¡Pobre Tucídides! Me disponía a dedicarle la noche del sábado, cuando al volver a Ames House veo la carta de su rival victorioso. Como no podré mandarla al Correo hasta el lunes, te la escribo más larga, y con todo rigor cronológico.

Lunes 5. Llega a Widener 47 Auerbach, para dejar recado al Dr. Alonso. Decididamente se va a Penn State a fin de mes; me pregunta muy amable por mis proyectos, qué pienso hacer ya que a mí no me gusta mucho enseñar (¡Abajo Katiusha!). ¡Ay Dios, qué difícil es reconciliar *Propter Sion non tacebo*, Harvard's VERITAS, y la vida en el siglo! Tenía fuertes ganas de reírme pensando en tu relato del coloquio ferroviario—con inserción de la nasal Schmidt—, en el eludido almuerzo del sábado 3, y en el repiqueteo de lengua de los lengüistas [*sic*] idealistas cuando se enteren de nuestro asuntillo. Contesté que debía terminar mi estudio celestinesco, y que probablemente me iría a alguna otra Universidad. ¡Cuá, cuá, cuá!

Martes 6. Queda resuelto el embalaje de la lámpara gracias a un ángel en forma de electricista que vino a instalar luz fluorescente en Widener 47, y no dejó de pegar la hebra (conste que esto no es peculiaridad rioplatense) todo el tiempo. Yo le pedí primero que me regalase la caja en que había traído la lámpara de flúor, pues venía muy bien para la mía, y segundo que me la llevase a casa (mide metro y medio; y el martes nevaba terriblemente); así lo hizo: sin duda desciende directamente por línea masculina de don Tristán de Leonís o de don Lanzarote del Lago. Recibo carta de mi gente (y otra el miércoles 7). Imagínate, Yasha, si para mí todo *esto* resulta tan increíble que tengo que recurrir a las pruebas tangibles de tu paso por Cambridge—unas rosas secas, las cintas de las cajas de bombones, las pruebas fotográficas—para convencerme de que no ha sido un sueño absurdo, ¿cómo habrá sorprendido a mi familia? Pero como son tan buenos y me quieren infinitamente más de lo que merezco, están contentos sabiendo que yo lo estoy, y fían en mi elección. ¡Mira qué responsabilidad para mí y para ti! Deseos no les faltan de estar presentes en nuestro casamiento, pero son muy razonables. Prácticamente, sería mejor que nosotros fuésemos allá en un futuro no muy lejano, para resolver el traslado de mi dinero y alhajas, que no veo cómo resolver de otro modo. Me dice Emilio que, al leer la «Crónica de veinte reyes», mi padre, mi riguroso padre, a quien yo he tenido terror de niña—y de grande—, se enterneció como nunca, y sacó una botella de vino de Palestina para brindar por nuestra salud. Emilio—tú no sabes, no puedes saber qué bueno es Emilio—me escribe en su primera carta, entre mil cariños, esto que te copio textualmente: «Nada tengo que decirte que no comprendas sin decirlo. Díle a Yasha que desde ahora soy su admirador N. 2 (tú, la N. 1): no puede ser sino muy grande y muy bueno quien sabe tanto y ha sufrido tanto». A riesgo de violar todas las reglas, no resisto a la tentación de mostrarte el final de la segunda carta, para que veas* cómo es de bueno y cariñoso Emilio. No dejes de devolverme la hoja, por favor. Otra coincidencia que me ha enternecido. ¿Te acuerdas de cuando estábamos cenando en el *Commander* y recitamos alternativamente *Integer uitae scelerisque purus*? Pues Emilio, muy conmovido por la «Crónica de mi rey único», habla de «esa maravillosa franqueza que sólo puede ostentar quien, como tú, 'eres entera y en el alma pura'». Es que yo leí por primera vez esa oda entre las poesías de Esteban Manuel de Villegas, que había comprado Emilio—hace un siglo!

Miércoles 7. Confieso que se me hacía cuesta arriba ir a Schoenhof's a pedir ayuda para embalar mis libros, pero saqué fuerzas de flaqueza para seguir tu consejo por puro espíritu de *santa ubbidienza*, para hablar como los *Fioretti* de San Francisco. Todo resultó muy bien; hoy los he visto: el embalaje es perfecto; los aseguran y envían por expreso ferroviario. Ahora falta ver la cuenta que me pasan. Me queda todavía una veintena de libros que no pude llevar a casa a tiempo, pero ésos ya no son problema, y la ropa tampoco lo es. Pequeño incidente para ilustrar un aforismo de Esquilo:** por la noche, a las 10—*Library closing!*—, me retiro de la Widener con una pila de libros coronada por A. Cappellanus,

* Y *aprendas*. Lo de las promesas de mi Madre, en el P. S., eran bromas que me hacía «para cuando me casara».

** πάθει μάθος no lo traduzco para vengarme. ¿Te parece bonito que en una carta tan corta me escamotees, todavía, las últimas palabras? Ya lo dijo Juan Ruiz:

> El amor faz sotil a la que era sandía,
> mas no enseña cirílico a quien no lo sabía.

De Amore. Pienso que es un poco escandaloso llevar a la vista un libro con un rótulo tan incendiario, lo cambio de posición, resbalo sobre la nieve dura y lisa, y caigo en elegante posición recumbente (adjetivo-participio presente que le sabría a gloria a Juan de Mena). Creo que no tengo nada roto, pero aseguro (πάθει μάθος) que he aprendido todos estos días, cuántos y cuáles músculos entran en juego al sentarse, inclinarse y levantarse: *If the dull substance of my flesh were thought...*

Jueves 8, viernes 9. Estoy tratando, desde el lunes, de adelantar un poco mi trabajo celestinesco, demorado por culpa exclusiva de quien yo me sé. Me ha dejado tan aterrada tu declaración de que perderíamos seis meses de *trabajo—Alas, alas, that love was ever sin!*—, que quisiera ganarlo mientras puedo, que sin duda los quehaceres y preparativos redoblarán a fin de mes. Además, me gustaría demostrar al Dr. Alonso que sigo trabajando normalmente.* Así he acabado hoy un capítulo sobre tiempo y espacio en la *Celestina*. Como te figuras, estoy en completo desacuerdo con Gilman,** pero nada de provocar defunciones à la Caro Lynn, que el mozo es joven y padre de familia. Por los diarios sabrás que el viernes por la mañana hubo un asalto muy científico en la Coop.: bombas de humo para simular incendio; todo el mundo huye, y los asaltantes se apoderan bonitamente de $50 000. En mi opinión deben de ser estudiantes de Química de Harvard en busca de medios para retirarse y hacer *research work* (VERITAS). ¿O elementos tenebrosos del Oeste?

Sábado 10. He ido a buscar nuestras fotografías. Herr Koby te envía muchos saludos: en mi vida he visto pi-

* Lo que, por supuesto, no es verdad.

** Insigne *macaneador*: peculiaridad rioplatense.

llo semejante. No ha querido entregarme los negativos; guarda los negativos de sus fotografías en un fichero que no vendería por $2000 ni 3000 dólares. *Because no one would give them*, comentó a carcajadas el ayudante checo, mientras Koby, con su elocuencia de barbero, guiños, visajes y disparates en español y en inglés, me explicaba que ése era el premio gordo de su negocio, pues si un cliente quería más copias, no tenía más remedio que acudir a él. En cuanto a las fotografías, como yo venía preparada a lo peor, no me parecieron tan calamitosas como las pruebas: tú, seráfico y arrobado; yo, como propaganda de dentífrico.

Acabo de hablar con la Señora de Alonso; el Doctor llega el martes, con un día de retraso, que ojalá no se prolongue. Me causa malestar esta situación a medio resolver. Escríbeme, por favor, qué ruta deberé seguir por tren; me han dicho que hay varias: por Seattle, por Luisiana, ¡qué sé yo! Mi geografía se va estrechando cada vez más. Mientras escribo en borrador observaciones sobre *La Celestina*, cada vez que tengo que nombrar a Calisto y, para abreviar, escribo «Cal.2», me acuerdo de California y por asociación de contigüidad, de su capital [intelectual] Berkeley, de su flor y nata [afectiva] Stuart St., de su Dios y Rey [subjetivo], de que en Cambridge hace un frío horrible, como todavía no se había sentido, de que este sábado y domingo son un poco melancólicos...

Me halagan mucho las palabras del Dr. Morley, siempre tan fino.

¿Cómo no me dices nada de tu Madre? Hasta pronto.

ЯШA
ЯШA MARÍA ROSA ЯШA
ЯШA

XXIV

SRTA. MARÍA ROSA LIDA
Ames House
62 Brattle Street
Cambridge 38, Mass.

2703 Stuart Street
Berkeley, 5, Cal.
10 de enero de 1948

Querida María Rosa:

Esta mañana recibí tu primer mensaje—¡qué poético! No dejes de saludar a todas tus compañeras, las que se han echado novio y las otras. ¿Qué tal Margarita? ¿Y su amigo de Nueva York, el que cursa derecho en Harvard?

Ha salido a la luz el segundo número de *RPh*; según me aseguran mis amigos, muy superior al primero. Lo curioso es que en la última página de la cubierta van enumerados en el orden alfabético los artículos que están para publicarse en los próximos números; y que en esa lista siga inmediatamente a tu nombre el mío. *Quão tenra e saüdosa é essa vizinhança* (dirían nuestros antepasados en el campo epistolar, Joaquín y Carolina).

Espero que muy pronto el Dr. Alonso vuelva de México; y que, después de consultarle, tú no tardes en despachar la consabida carta a los directores de la Rockefeller Foundation para iniciar tu mudanza al oeste.

En la fotografía del «campus» hay que reparar en el campanario (que aquí se llama «*campanile*»); luego la orientación resulta fácil. Debajo del campanario, a la izquierda, se ve la biblioteca universitaria; a la derecha Wheeler Hall.

Para provocar al cartero cantabrigense, adorno el sobre con una banderilla (= «*stickerette*») que luce el emblema de nuestra (= Я.M. + M.R.) Universidad. Te envío otras banderillas con las que puedes desafiar a los carteros porteños. Fíjate en el lema: *Fiat lux* (yᵊhī'ōr). Nuestra procaz California no es de ningún modo refractaria al espíritu de la ciencia (SGM: «*but that girl is* really *a creative scholar*»).

Aguardo impaciente: (1) la maleta; (2) la caja; (3) la preciosa dueña de ambas, quien, a su vez, es una «prenda con dueño».

Te saluda afectuosamente

«El número ocupado»
ЯША

XXV

2703 Stuart Street
Berkeley 5, Cal.

11 de enero de 1948

Mi «perfecta solución»:

[estilo de los trobadores provenzales quienes así terminaban más bien que comenzaban sus cartas poéticas a las beldades meridionales ...]

El papel en que escribo estas líneas es el último que me compré en Europa, allá por los principios de 1940, en plena guerra mundial. Parece que voy a reanudar algunas tradiciones interrumpidas hace largo tiempo; tanto me siento rejuvenecido.

¿Qué tal salieron las fotografías de nuestro amigo berlinés del Harvard Square?

Mi mamá te envía un paquete de dulces preparado por ella misma.

Saluda cariñosamente SUAM MELLITAM PUELLAM.

ЯША

XXVI

12 de enero de 1948

Mi querida María Rosa:

Hace sesenta horas que recibí la bella «cantiga d'amigo»; desde entonces, silencio. ¿No recuerdas tu promesa de escribirme todos los días? Yo he cumplido con la mía. Todo me inquieta. ¿Se habrá resfriado la frágil y delicada porteña en el clima boreal de Boston? ¿Han salido mal las fotografías? ¿Se opone la R. F. a que la ilustre erudita se traslade al oeste? ¿Protesta la familia contra la *mésalliance* con un hombre que domina mal el griego...? ¿Y que no sabe el número exacto de las comedias de Plauto? ¿No caben los libros de la asidua lectora en la caja que le regalaron los libreros? *Ou la jeune savante s'est elle décidée à coiffer sainte Catherine?* (consulta el diccionario sobre el significado de este giro).

I am speechless. And, mindful of the old saying «Lass Blumen sprechen» (=say it with flowers), I am sending you a bouquet of flowers: a mixed bouquet, for a change.

Please, write me every day *from now on. I am quite restless (I* mean *it).*

Yours,

YASHA

XXVII

Cambridge, 12-1-1948

Ωφίλε Ιάχωβε*

Recibí tu *special delivery* el sábado, bien tarde y ya perdida la esperanza de tener noticias tuyas en toda la semana; en

* = Дорогой ЯША

seguida preparé una cintita de seda para atar tu nueva serie epistolar. Por mi respuesta, ya ves que el problema del embalaje está resuelto, pero no había alcanzado a trasladar a Ames House todos mis libros, y en la veintena sobrante quedó el almanaque Rembrandt. Entretanto usa el otro; el de Rembrandt lo usaremos juntitos ¿sabes? Los detalles de la operación con Schoenhof's van en la carta, que va dentro de la fotografía, que va dentro del cartón, que va dentro de un sobre, muy pero muy astroso—no tenía otro, y quería echarlo el lunes a primera hora—, que recibirás muy pronto, si Dios quiere.

A mi vez te envío ésta *by special delivery* por si hay urgencia acerca de mis datos de pasaporte. Todo irá, espero, a pedir de boca pues, por consejo del excelente amigo Andrés Vázquez (el único que, además de mi familia, conoce nuestras pecadoras andanzas), no he entrado como *visitor* sino como inmigrante, sin más trámite que mostrar al cónsul mi cuenta de banco ya que yo, como ciudadana argentina —compatriota del General Perón y de Evita—soy *non-quota*. Lo hice, por las dudas tuviese que prolongar la beca. Y así fue: pero no por obra y gracia de John Rockefeller, sino de un *feller* incomparablemente mejor: *Deus Rex Meus* (¿y no hay un salmo que llama a Dios «mi roca»?). Bueno; vuelvo a la tierra para copiar mi *Alien Registration Receipt Card*, que al lado de la fotografía que te llevaste como trofeo dice: *Registration Number 6775198* (en rojo), y del otro lado:

María Rosa Lida

was admitted to the United States on Sep. 20, 1947 at New York as a Nonquota immigrant for Perm. Res. under Sec. 4c of the Immigration Act of 1924 and has been registered under the Alien Registration Act, 1940. Visa Application No. 1-111227.

Estoy aguardando con viva impaciencia la llegada del Dr. Alonso. Por desgracia, me parece difícil que llegue a aprovechar tus días libres 24-29. Y lo desearía: esta situación incierta me desazona. En los pocos días que estuviste a mi lado, lo veía todo fácil y resuelto; ahora me vuelven a asustar las cosas. ¡Cómo me han conmovido las palabras del Dr. Morley y la preciosa carta de tu Madre! Yasha, mi Yasha, tenemos una gran responsabilidad (por momentos, a fuerza de cavilar a solas, acabo por asustarme); tenemos que querernos mucho los dos, y ser buenitos, y comprendernos, y perdonarnos, y vivir limpia y buenamente. Lo deseo mucho, y confío mucho en ti, más que en mí. En lo que no confío es en el *brain power* de la última alumna del Dr. Morley. Me sorprendo soñando en lugar de trabajar; y no con Calisto, ni con Tucídides, nada de eso. No digo más, pero ¡me queda tanto por decir! Y preferiría decírtelo al oído, no por carta.

Me hacen gracia las fotografías—sobre todo la de Wyóming, donde vivía otrora aquel pobrecito profesor alemán de luengas barbas y unos sesenta y cinco años de edad, que por pura solidaridad conmovió mi alma judía. Bueno, bueno. *Longam epistulam breui fine concludo: uale, unice meus.*

MARÍA ROSA

P. S. ¡Qué ruso escandaloso enseñas tú, y qué bellas mentiras decían los trovadores! Quisiera ver a tu admirado Bernart de Ventadour en estos días, en Massachusetts. Adiós, hermanito.

МАРІЯ РОЗА

XXVIII

Cambridge, 13-1-1948

Mi Yasha:

Son las 10 de la noche; acabo de volver de Widener, donde estoy desde las 9 de la mañana sin ver a persona viviente, salvo a esa chica alemana, la autora de mis fotografías, Ilse Hempel, que quizá vaya a Berkeley en verano para enseñar francés (es licenciada por la Sorbona y *teaching fellow* en Radcliffe, con éxito. Es, además, muy buena chica, y le participé mi secretillo. A Margarita la veo ahora muy poco, porque yo paso el día encerrada en la Widener, y ella en su laboratorio. Su problema sentimental es múltiple, trágico y esdrújulo: la pobre contemplaba la elegante sencillez de nuestra solución, semejante a la de las grandes fórmulas matemáticas).

Entre ejemplo y ejemplo de motivación dramática en la *Celestina*, había pensado muchos modos de empezar en broma la carta de hoy, pero cuando volví, Yasha, un poco cansada, solitaria y *tristonha*, cuando vi tu precioso ramo, tan suave de color y de perfume, y tu carta llena de cariño y buen humor, renuncié a todo juego de ingenio, y no sé decirte si reía o lloriqueaba. Mis vecinas han venido a admirar mi ramo: iris, narcisos, tulipanes y esos lindos racimos rosados que en mi tierra llaman «conejito».

Eagerly awaited. Yo también te espero, Yasha, ¡cómo te espero! El Dr. Alonso se retrasa—por el tiempo infame: lluvia, barro, nieve; pero ¿por qué no desfundan a Cambridge y Boston y las fundan en un lugar decente? Como tengo tan poca práctica de viajar, la perspectiva de tener que hacerlo y, entretanto, estar en suspenso sin poder poner manos a la obra, me desazona. Paciencia: ¡cómo voy a reír de todo esto una vez que esté en la juvenil California!

Me encanta que nuestros artículos salgan juntitos; es buen agüero ¿verdad? En cada carta me escribes otra gentileza del Dr. Morley: estoy en gran deuda con él. ¿Te figuras la cara de mi gente cuando reciba el gallardete de oro y azul?

Дорогой ЯША, μάλα χάίροις
prenda con dueño

XXIX

SRTA. MARÍA ROSA LIDA
Ames House
62 Brattle Street
Cambridge 38, Mass.

14 de enero de 19[48]

Mi «mejor hallazgo»:

[así puede dirigirse a su novia sólo un incurable etimologista].

Siento un gran alivio después de haber recibido tu larga carta. Ya ha pasado la zozobra que se apoderó de mí (no sé por qué) anteayer. Me alegro sumamente de que tus padres y el simpático y virtuoso (aunque un tanto severo) doctor nos hayan dado el parabién; he leído con gran entusiasmo la carta de don Emilio que has tenido a bien mostrarme y te la devuelvo inmediatamente. Tu «dote»* y tus verdaderas alhajas no son las que dejaste en Buenos Aires, sino tus finos trabajos; las cariñosas cartas que vas escribiéndome; nuestras inolvidables pláticas.

* Institución *desconocida* en este país [afortunadamente. Y. M.].

Espero que con la venida del Sr. Alonso la cuestión de la beca se arreglará bien y pronto. Lamento nuestra separación más de lo que supones y cuento los días ansiosamente.

Me parece que la mejor ruta es la de Chicago—Omaha—Cheyenne—Ogden—San Francisco («Union Pacific» y «Southern Pacific»). Es *absolutamente* imprescindible que tú andes en un vagón-cama; si prefieres el comfort, de primera clase («City of San Francisco» *and* «Overland»; también «Pacific Limited», algo menos rápido); si no te importa y quieres ahorrar dinero, segunda clase («Golden Coast»). De todos modos, no puedes emprender este viaje en un *coach-seat.* Cuando llegues a Berkeley, debes irradiar la alegría, el descanso, el reposo, el sosiego, la juventud, qué sé yo... *it is the* first *impression that counts.*

A propósito de impresiones, mi mamá me encarga espontáneamente de que te diga que ella anda también enamorada de ti después de haber escudriñado muy concienzudamente tu cara en la bellísima fotografía que de aquí en adelante adornará su aposento. En caso de que se efectúe una alianza entre vosotras—¡VAE VICTO!

Дорогая моя: Я тебя люблю

ЯША

Tercera lección de ruso:

Я (yá) = EGO
Мой, моя [moi, moyá] = MEUS, -A
Любить [llubítl] = AMARE

XXX

Cambridge, 14-1-1948

Animule mi:

Contra lo que me comunicó ayer Mr. Berrien, el Dr. Alonso llegó ayer a Cambridge y vino hoy por la mañana a Widener 47. Es el hombre más bueno del mundo (por si no te lo he dicho todavía). Me pidió excusas por el tono de broma cariñosa con que te había hablado. «Pero ahora es mi yerno», me decía riendo con toda su bondad leal. Me subrayó lo valioso y original de tu método de explicar la etimología partiendo de una situación de cultura, haciéndose lenguas de tu saber y dándome paternales recomendaciones para tu trabajo. Le enteré, además, de algo que él ignoraba: tu cultura general, tu condición de filólogo—etimológicamente—no de mero lingüista.

Como yo sospechaba, el retraso debido al abominable tiempo atmosférico le impidió tratar mi asunto de la Rockefeller. Inmediatamente saqué tu borrador, lo pasé en limpio, y se lo presenté, antes de despacharlo, ya que él figura en ese histórico texto. La respuesta fue: «Después de esto, debiera U. abandonar la filología y dedicarse a dirigir un *bureau*, o a la diplomacia». Expliqué cuál era el origen de mi excelencia epistolar, y todos se echaron a reír (estaban también presentes la Sra., y el Dr. Rimoldi). Puse la carta en el correo antes de almorzar y, esta vez—puedes decírselo al Dr. Morley—por correo aéreo.

El Dr. Alonso y la Señora me llevaron a comer al Faculty Club. Me pareció descortesía abandonarlos a la vuelta, y por eso queda para mañana, si Dios quiere, la averiguación en la *Railway Agency*. El dilema que veo es éste: por una parte, desearía con toda mi alma aprovechar tus días libres del 24 al 29, y salir lo antes que me permita el ferrocarril. Por otra parte, no quisiera dejar Cambridge sin la respuesta afirmativa de la Rockefeller. Con femenino maquiavelismo se me ha ocurrido esta escapatoria: la Rockefeller acompaña su cheque con este aviso: «*Your next stipend check will be sent to the address given on this voucher unless you notify us of a change of address before the 27th of the month*». Ya que ellos no especifican en kilómetros ni en meridianos la longitud del *change of address*, ¿se podría dar aviso un par de días antes y tomar la maleta? *Loquere tu nobis et audiemus*.

Tú, varón cosmopolita y viajero, sin duda sonreirás con suficiencia de mis tribulaciones de exploradora novel del *Far West*. Pero yo estoy francamente aterrada. Lo único que me sostiene es el eco de una voz baja y tranquila que me aseguraba en *Boston North Station*: «Y después, ya no viajarás sola». No lo olvides.

Mis mejores cariños para tu madre. A ti, como interrumpiste tu curso de ruso, y no tengo idea de la moción de los adjetivos, no tengo más remedio

que decirte εὖ πράττοις φίλτατε ЯШA

MARÍA ROSA

P. S. Ya ha empezado la distribución de banderitas de oro y azul.

XXXI

Cambridge, 15-1-1948

Filiole mi, pusiole mi:

¡Cómo he trabajado hoy en la viña del señor! Al mediodía

fui a la Agencia del ferrocarril; pedí billete para lo antes posible, pero ellos dudan de conseguirlo antes de quince días: el lunes me contestarán con certeza.

Por la tarde me hice embalar una «punta» (rioplatensismo) de libros en el *Collating Room* de la *Widener Library* que es el acabamiento y perfección (ἐντελέχεια) de Harvard University. ¿Tienen Vs. algo así en California? (=»¿Tenéish voshotrosh?» en castellano de doña Justina...). Porque si no, tendré que reconsiderar los pactos preexistentes, como dicen los diplomáticos.

Después de cenar, le pedí prestada una maleta a Margarita, tan cariñosa como siempre (le encantó tu mensaje e insiste en saber si tienes, ya que no hermano, primo disponible). Pero esa maleta y el resto del equipaje no pueden partir *mucho* antes que la dueña: el lunes, Dios mediante, ya sabré algo a punto fijo.

Las chicas de Radcliffe, pobrecillas, todas ojerosas e insomnes por los exámenes inminentes—casi echo de menos las constantes llamadas telefónicas y el jolgorio mixto en el *living-room*—, no sé qué pensarán de mi asidua correspondencia californiana. Yo declararé sólo la parte profesional del viaje, porque ante quien no conoce mis antecedentes morales ¡qué quieres! me cuesta mucho confesar mi pecadillo. Margarita Silva y la excelente chica cubana (historiadora) Mimí Estévez, cuyo dormitorio ocupaba yo durante la «algara navideña», se sonreían ante mis escrúpulos argentinos—Cuba y Puerto Rico están mucho más norteamericanizados—, y me han ofrecido muy cariñosamente una «despedida» última, a puertas cerradas, que acepté con mucho gusto. Pienso pasar el domingo 18 con los De Robertis y los Alonso, como despedida, por las dudas tuviera la suerte de conseguir boleto para cuando yo lo pedí—23/24. He recibido carta del excelente Andrés

Vázquez* y su mujer, los únicos a quienes permití que se mostrase la «Crónica de Dios-es-mi-rey». La carta es conmovedora de cariño y lealtad; copio lo que te atañe: «Acepto mi nueva posición de hermano adoptivo,** y ojalá lo sea también del simpático Malkiel (¿quién duda que es simpático?). ¿Cuando lo conoceremos? ¿Aquí? ¿Allí?... Me pregunta continuamente [mi Madre] si yo sé algo de Malkiel; lo único que puedo decirle es que corregí la nota que salió en la RFH (que me perdone si salió alguna errata; ya veo que él hace las cosas sin erratas [¡olé!]) y que, por lo que veo, es hombre de buen gusto [?!]. Con su hermano [Emilio] estuvimos soñando en voz alta: ¡un nuevo colaborador para *nuestro Instituto*! ¡Y qué colaborador!».

Mi Yasha: acabo de leer tu carta del 12. A la hora en que te escribo estas líneas tú ya habrás recibido la carta con los datos sobre mi pasaporte, y la que va dentro de nuestro retrato. Pero la inquietud que entre veras y bromas refleja tu carta del 12 me duele como un reproche. No sé cómo explicártelo: toda la semana del 5 al 10 fue angustiosa para mí. Descuento la miseria del resfrío atroz: estuve horriblemente sola en mi celda, y sentí el peso de esa soledad más que nunca, después de haber estado acompañada los pocos días de tu visita. El *cossante* es más grave de lo que parece. Además, cosas que en tu presencia no se me ocurrían me atormentaban *in that evil of solitude*: «¿Qué pensará de mí? ¿Qué pensaría, qué hubiera pensado yo de una mujer que se conduce tan "norteamericanamente"?». Estaba tan desasosegada que no podía trabajar.*** Y todo me parecía

* Secretario del Dr. Alonso, factotum de la RFH, ex-manager mío: vale su peso en oro, y eso que es gordito.

** Así le suele llamar mi Madre. Yo había escrito: «hermano adoptivo, posición más sólida que la de *manager*».

*** En cuanto volvió el Dr. Alonso y empecé el plan de operaciones, irreal—hasta que a última hora de la tarde del sábado llegó tu primera carta, y se distendieron mis pobrecitos nervios, exhaustos a fuerza de vibrar en vacío. Desde entonces te escribí todos los días, y tú, ЯША, no estás enojado ¿verdad?, sino que, como nuestro Dios en el Templo, «escuchas y perdonas».

Recordare, Iacob pie,
quod fui causa tuae uiae [Cantabrigiā tenus]
parce tuae Rosae Mariae.

Y dile a tu Madre que no se fatigue, que no trabaje por mí: no lo merezco, todavía, yo que no he hecho nada para que su Yasha sea *tellement joyeux*, y que quisiera—mi obra maestra—hacerlo *tellement heureux*.

Hasta mañana, si Dios quiere.

MARÍA ROSA

XXXII

16 de enero de 1948

Mi medalla de oro:

Dudo de que la serie actual de mis cartas merezca esa nueva cinta de seda que tú mencionas en una de tus últimas cartas. Ello es que tengo tanto que trabajar (la dirección de la revista me cuesta unas veinte horas semanales de trabajo mecánico que fácilmente podría hacer una secretaria) que vuelvo a casa un tanto cansado y carezco de la inspiración

---

escribiendo a la Rockefeller Foundation, me sentí mejor: ayer y hoy he trabajado bien.

necesaria para escribir nada sustancial. El tono de tus cartas ha cambiado también, pero en otra dirección. Ahora tú escribes como si me hablases, con menor pretensión literaria (катюша) y con mayor intimidad y franqueza; los que los críticos americanos llaman muy atinadamente *immediacy*. Por lo tanto, ya te tengo menos miedo y más afecto.

Me alegro de que los presuntos obstáculos desaparezcan uno tras otro. El hecho de ser tú una *permanent resident* nos ahorrará un viaje al Canadá o al Méjico, a no ser que nos decidamos a pasar allí algunas semanas de turistas, sin preocupaciones jurídicas.

A ver lo que dice el Sr. Alonso con motivo de su regreso. Seguro estoy de que te ayudará a arreglarlo todo con la RF y espero que haya tenido mucho éxito en México y que pronto saldrá a la luz aquel libro acerca de Juan de Mena que tanto me inquieta; y que a mi ver más importancia tiene que tus alhajas y tu mantelería.

Aquí vivimos en «pleno terremoto». Acaba de morir el pobrecito de H. H. Vaughan, viejo caduco, desmoronadizo quien desde hace dos décadas explicaba las materias filológicas. Aprovechándose de su fallecimiento y de la jubilación del Sr. Morley, algunos «amigos» propusieron que se eliminase la filología por completo. Yo pronuncié un discurso que varios colegas llamaron elocuente, explicando a un grupo de profesores que la filología románica... es la ciencia del porvenir (un tanto atrevido, ¿verdad?). De todos modos Berkeley es la Covadonga de la ciencia de Diez y Schuchardt: no me rindo.

Ahora creo que esa pérdida de seis meses era una exageración. No «perderemos» más que dos meses si... si comenzamos pronto la edición del *Libro de Alexandre* que tan amablemente me prometiste emprender conmigo.

Entre el 5 de febrero y el 16 de febrero median once días

de vacaciones en California. A mi ver, tú podrías reservar un billete de *ida* [¡y *no* de vuelta!] ahora mismo; en caso de que la R. F. se oponga a un traslado en el próximo porvenir (lo que me parece *inconcebible*), siempre se puede cancelar.

No vale la pena ir a la estación de ferrocarril. Dirígete sea a una *traveling agency* en Cambridge (hay una a cuatro pasos del Harvard Square), sea al *business manager* de Radcliffe College, quien lo arreglará todo—*in a jiffy*. Así se vive en los EE.UU.

Mi mamá te abraza,

а я целую Дорогую МАРІЮ РОЗУ ЛИДУ
(*dulce ridente... dulce loquentem*).

Cuarta lección de ruso:

(la -y [pron. *u*] o la Ю [pron. *iu*] evidentemente indican el acusativo del femenino; algo como *-am* en latín).

ЯША

XXXIII

Cambridge, 16-1-1948

Lir entre carts:

No, no hay protesta contra *mésalliance* alguna. La familia filológica y la otra chochea contigo, y como la otra sólo te conoce por mi *Crónica*, infiere tú cómo te habré pintado. Me pregunto si no he exagerado. Conté, por cierto, lo de la ingeniosa cita de la *Historia Troyana*, y mira lo que me escribe Emilio: «Me leí la *Historia Troyana*, que encontré sin dificultad siguiendo tus indicaciones. Los renglones 5-10 de la pág. 146 están hechos a tu medida; luego, en medio de las serias consideraciones sobre la volubilidad femenina se destaca la prudente opinión del *connaisseur* Salomón (se la transmito a Yasha): "*quien falla mogier fuerte dé loor a Dios por ende*". Me hizo tanta gracia que me leí el libro entero». Siguen tantas cosas cariñosas y, además, la respuesta a la consulta sobre ictericia, que me parece lo mejor mandarte las hojas finales: cuídamelas, pero no me las remitas, no se extravíen si acaso lograra partir pronto de Cambridge. Y estúdialas: ¡ah, si fueras tan bueno como Emilio!

Como ves, sigo contestando a tu carta del 12 (la que anunciaba las flores que me enternecieron tanto dos días antes, y habla de *coiffer Sainte Catherine* = 'quedarse para vestir santos'), ya que hoy no he recibido nada. ¿Es posible que estés enojado, de veras? Ya que te gusta la lírica provenzal, querría buscarte un texto oportuno, pero la única *trobairitz* que tengo a mano, la Condesa de Dia era una grandísima cochina, hablando sin perdón. Y el Deuteronomio es el Deuteronomio. No me queda más consuelo que el francés del Norte, por boca, por ejemplo, de Audefroi le Bâtard, quien profetizó:

Au novel tens pascor ke florist l'aube espine,
*esposa Messire Jaques la bien faite Argentine.**

Así que pelillos a la mar, y me escribirás todos los días ¿no? Todos los días que faltan para esta partida que ya ansío, y temo también, en sí y por sus consecuencias. Entre las respuestas que espero, entre las diligencias y los preparativos que no puedo hacer sin conocer la fecha de la partida,

* ¡Cuál sufre mi modestia por la frase adjetiva! Mas respetar el texto es la ley del escriba.

entre el vago terror a un viaje en lo desconocido, y nuevas despedidas, y el deseo de aprovechar al máximo los últimos días de la Widener, estoy tan desasosegada que duermo muy mal. Sé bueno conmigo, Yasha, ЯША (¿Sabes? Al día siguiente de irte tú, cambiaron la exposición de las vitrinas en la Widener, y retiraron aquellos primorosos libros en ruso que habían preparado en tu agasajo).

Como yo soy indiscreta *natura institutoque*, voy a transmitirte una instrucción secreta de mi Madre: «Quiero que seas especialmente buena, muy buena y muy paciente con la Madre de Yasha, que la consideres como representante mía, y que la quieras como a mí, y con más cautela, porque te conoce menos». Mis padres, Emilio y Andrés Vázquez están todos muy ansiosos por saber fecha y detalles concretos de nuestro «contrato». Y por último insinúan, tímidamente, si no sería posible venir a casarnos a Buenos Aires. ¡Pobres, cómo me quieren! ¡Y cómo los voy a echar de menos en el día solemne! Tú tienes a tu Madre, y tus relaciones de California: tienes que ser bueno conmigo.

Dale un gran abrazo a la «representante» de mi Madre. Hasta mañana.

Boenjour ait ki mon cuer a,
N'est pas od moi.
Pleust Dieu ki ainc ne menti
que li miens amis fust or ci
a sejour!
Se j'avoie...

Deuteronomium vetat ne loquar.
[MARÍA ROSA]

XXXIV

Cambridge, 17-1-1948

ЯША МОЙ

¡Alabado sea Dios que consoló mi sábado! Hoy recibí tu carta del 14, en la que ya veo que se te ha pasado la zozobra, y a mí, por consiguiente, el temor de que te hubieras enojado. ¿Tú no te enojarás conmigo, Yasha, verdad? Es tan corta la vida que no puede haber mayor necedad que derrocharla en disgustos voluntarios—como si faltaran los que no está en nuestra mano prevenir. Lo digo porque, tras dos semanas de jornadas largas en la Widener—donde los pintores trabajan continuamente—, me vuelven a aparecer síntomas leves de esa irritación de la piel que tuve antes de tu llegada, y para la que el dermatólogo me había indicado como primera medida no concurrir a la Widener. De todos modos, aun cuando no consiguiera billete de viaje para el 23/24, tendré que hacer la semana próxima algunas diligencias, de modo que abreviaré mi permanencia en la Widener: ¡qué poca suerte, tener que desperdiciar los últimos días!

Tú sabes que yo no entiendo absolutamente nada de viajar. Creo que la ruta que me señalaban es la que recomiendas (Chicago, Omaha, Ogden, San Francisco) y pedí vagón-cama. Lo que yo quisiera es llegar lo antes posible, para poder sacar partido de tus días libres, pero eso no depende de mí. Y creo que al llegar y haber cumplido la etapa más penosa de nuestra increíble aventura, la alegría borrará el cansancio. Dios dirá.

Tienes que advertir muy en serio a tu Mamá que la *marâtre Nature* ha sido dura con su pobre futura nuera (porque *belle-fille* es una *contradictio in adiecto*) pero que, en cambio, tengo tantas ganas de cariño, paz, trabajo (por gusto, no por desesperación), que yo también digo como el bueno del Dr. Morley (Dios le pague la leal solicitud por nosotros): *It can't be a mistake!* Y lo que es la perfidia femenina: me hace mucho tilín la idea de una alianza entre nosotros contra el déspota. (Y me propongo decir siempre y exclusivamente *merci*, para comenzar la ofensiva).

Espero despedirme este domingo de mis amigos argentinos y de la Señora de Alonso, según te escribí ayer. Todos ellos me demuestran tanto afecto, que me siento un indigno gusano. Y me hacen tantas bromas cariñosas que, por suerte, me abrevian un poco estos largos días:

> Estos días atán luengos para mí
> no solían ser ansí

Muchos saludos a tu Mamá—con recomendación de no hacerse demasiadas ilusiones sobre *poor me*. Hasta mañana, m'hijito.

MARÍA ROSA

P. S. Sospecho que la prensa nacionalista de mi país pronto hablará del imperialismo norteamericano por la audacia ostentosa de las *stickerettes* californianas.

Bis. No puedo resistir a la tentación de mandarte estas fotos. Mi cuñada y mi hermano me escriben continuamente con un cariño y contento que me confunde. Te ruego que las guardes (lo mismo que la carta de Emilio que te incluí ayer), hasta que yo llegue a Berkeley. (La nena mayor es Isabel Victoria; la pequeña Judit Sofía).

En este momento—11 de la noche—entra una chica (Marion Cohen, por más señas), para entregarme tu *special delivery* del 16. Yasha: te pareces también a Emilio—ya sabes que en mi boca éste es el mayor elogio—en esto de trabajar *tanto* por el bienestar de la Humanidad. En general: no exageres la caridad. ¡Si a lo menos fueran capaces de darse cuenta de cómo trabajas por la civilización! Estoy contigo, con toda mi alma, en tu papel de Pelayo. Y pienso mucho en el *Alexandre*, pero la lógica secuencia de las cosas exige, previamente, la atención hacia Swadesh—digo, *La Celestina*.*

Otra cosa: me parece atisbar un poquitín de malicia, que por otra parte no comprendo muy bien, en los puntos suspensivos de: «no perderemos más que dos meses si… si comenzamos pronto la edición del *L. de A.*». ¡Orden, m'hijito!

Reitero mis cariños, *unice meus*.

MARÍA ROSA

XXXV

2703 Stuart Street
Berkeley 5, Cal.

19 de enero de 1948

Mi María Rosa:

Esta mañana he recibido tres cartas tuyas a la vez, una más sustancial que otra. Me avergüenzo de no haberte escrito con puntualidad en los últimos días; andaba aplastado bajo el peso del trabajo mecánico. Basta con decirte que tuve que preparar una lista de 450 direcciones de profesores de idiomas a quienes nuestras Prensas Universitarias piensan enviar ese cartel que ya habrás recibido; luego mecanografié la lista. No olvides que *RPh* es un «*one-man job*». Yo estoy de redactor, escribiente, secretario y gerente. Parece

* Esa proporción inversa de miedo (¡tú, miedo!) y afecto, de que me hablas en la carta, *placet, confiteor et mel sapit*.

mentira, pero es la verdad; y ahora comprendes por qué me eligieron a mí, humilde principiante, director de un boletín científico: porque pocos, muy pocos, son los que están dispuestos a hacer tales sacrificios.

Segunda confesión: no progresan mis propios trabajos de investigación en las condiciones actuales. *To save face*, redactaré mi pequeña nota acerca de *aterecer, aterido*. Los curiosísimos datos que tiene la carta del simpático doctor porteño (mi cuñado *in spe*) comprueban de lleno mi sospecha de que se trata de derivados de *ictericia* (*propterícia, atericia, entericia*). Escribiré la nota en español y la enviaré al Sr. Alonso como pequeño recuerdo de mi visita hibernal a Boston; desde luego, no dejaré de mencionar como mi autoridad en materias medicinales al Dr. Emilio Lida, quien de este modo ingresará por primera vez—salvo error—en el gremio de lexicólogo, ya no como aficionado culto, sino como técnico perito.

La oficina 476 de Wheeler Hall ha cambiado de aspecto por completo, con gran sorpresa de todos (y aun de tu servidor), aunque nadie adivina los motivos ulteriores de la metamorfosis. En el curso de la «limpieza general», para usar un término más concreto, di con un pedacito de papel que acompaño; debo de haberlo escrito hace dos años y pico cuando me sentía muy solitario. Ya que mi escritura no es muy legible, copio a continuación la bella frase de Goethe con esmero caligráfico:

Das allerstarrste freudig aufzuschmelzen
Muss Liebesfeuer allgewaltig glühen.

Ese hombre que a los ochenta se enamoró de una muchacha de dieciocho y se puso a escribir poemas *con* ella entendía de la materia.

Me alegra sumamente oír que toda tu gente parece aprobar nuestros planes con tanta cordialidad. Esa carta de tu madre nos ha conmovido mucho. Mi mamá te tenía miedo hasta cierto punto, pero yo logré explicarle que tú, además de ser autora de ocho (?) libros repletos de erudición—y escritos con muy buen gusto—ser profesora de griego y del antiguo castellano, etc., etc., eres también... digámoslo así: *a girl born to be married* (palabras usadas por el historiador californiano Bolton al hablar de una alumna suya... y mía... muy talentosa quien ahora mima a su primer nene).

¡Imagínate mi impaciencia al leer en tus últimas cartas la grata noticia de que tan pronto nos veremos! Desde luego, yo tengo un solo deseo, y es de verte lo más pronto posible en California. Aquí sufro de un... calor veraniego (mientras tú andas *aterida* en Cambridge). Ésta es la ventaja de nuestro clima sub tropical. Berkeley es una ciudad bellísima en el mes de febrero y de marzo y todos los pajaritos (*some are very cute*) nos cantarán sus epitalamios.

De ahora en adelante, nos escribiremos todos los días. No dejes de participarme el *nombre* del tren y el *número* del vagón que te traerán a Berkeley; también el día y la hora de la llegada. Pido estos informes porque quiero ir a tu encuentro, como te prometí.

Entre el 5 de febrero y el 16 de febrero no enseño.

Всё бӯДет óченъ хорошó, Дорогáя моя
Твой

Lección de ruso (creo que la cuarta):

Весь, Вся, Всё	[ves, vsya, vsyo]	omnis, -e
БӯДу, бӯДешъ, бӯДет	[búdu, búdesh, búdet]	ero, -is, -it

О́чень	[óchen]	valdē;-issimus, -a, -um,-ē
Хоро́ш, Хороша́, Хорошо́	[jorósh]	bonus,-a, -um; neutr. =běně
Твой, Твоя, Твоё	[tvoy, tvoyá, tvoyó]	tuus, -a, -um

XXXVI

19 de enero de 1948

Mi María Rosa:

Ésta es la segunda carta que te escribo hoy. Han llegado casi simultáneamente a mi oficina las dos cajas de libros, bien embaladas, y… la suscripción de Da. Justina Ruiz de Conde, en un elegante sobre. Esas mujeres de Radcliffe y de Wellesley (hago caso omiso de las de Wheaton College, Mass., como C. Lynn; la pobrecita víctima de una furia vulturina). Pues… ¡apresúrate! Y si te despides de Isabel Pope (quien habrá recibido por ahora el segundo número de *RPh*), no dejes de decirle que ella tiene varios admiradores en Berkeley, incluso algunos números todavía *no* ocupados.

Hoy conocí a un arquitecto en el Faculty Club; el profesor de francés que me presentó (mi buen amigo Percival B. Fay, a quien llaman Pibi—¿sabes por qué?) explicó con un guiño: «*this fellow specializes in building homes for newly-weds*».

Continúa el terremoto. Acaba de morir el segundo profesor de filología, Clarence Paschall. Como ves, aquí tomamos la ciencia en serio y no a burla. Hay mártires; hay asesinos.

Hace exactamente un mes que partí de California «*in an east-bound train*». ¡Qué viaje! Ahora sí que queda justificado el título de la revista que *dirijo*: *Romance Philology*. Todo el mundo se burlará de mí. «*Vous l'avez voulu, Georges Dandin*».

Desde luego, no me he atrevido a abrir las dos cajas, como respeto la propiedad ajena. La prenda es mía, pero de ningún modo soy dueño de su erudito equipaje. *Impedimenta reginae*. Así y todo, las dos cajas son la primera prueba tangible, tridimensional de tu próxima venida y por lo tanto no puedo quitar los ojos de ellas. *Something new has been added*, según afirma el famoso anuncio de no sé qué cigarrillos (serán los *Camel*, si no estoy equivocado).

Sin revelar nuestros planes, hago alusiones misteriosas al hablar a mis amigos, para preparar el terreno. Algunas «Justinas» de Berkeley no me perdonarán *nunca* esa escapada navideña, pero mi conciencia es limpia, limpísima en este respecto.

Ya es la una de la noche, pero yo salgo para echar esta carta al buzón. Es que hace tanto calor en California; mientras los diarios afirman que han muerto de frío, *ateridos*, más de ochenta personas en el este.* *Go West, young woman!*

Te saluda y te besa tu

ЯША

[P. S. Me gustan mucho tus firmas... con muy acertados flechazos].

XXXVII

Cambridge, 19-1-194[8]

Deus rex meus:

El hombre propone y Dios dispone. Me había propuesto despedirme de mis amigos el domingo 18, para no dejarlo

* [Anotación lateral]: Ya no haces alusión a tu caída en la nieve. Espero que se trate de un muy ligero «desliz» sin consecuencias. Es que necesitas el apoyo de un varón.

todo para el último momento, pero el infame clima cantabrigiense desconcertó todos mis planes.

Ha nevado atrozmente y, como tenía un pie lastimado (también consecuencia climática), no me atreví a emprender tan largas romerías. Pasé sábado y domingo en mi cuartito, cosiendo y escribiendo a los míos, pobrecillos, que tan ansiosos están de noticias mías. A propósito de correspondencia: las niñas de Ames House, dicho sea en honor de la verdad, son tan serviciales que, cuando llegan tus cartas *by special delivery*, me las suben a mi cuarto (deben de creer que contienen material de vida o muerte), y son tan discretas que no me han dicho una palabra sobre el agresivo torrente epistolar californiano.

El sábado por la tarde me despedí (*in pectore*) de la sala de revistas de la Widener Library. ¿Quieres creer que, desde 1945 no tienen *Vox romanica*? Leí atentamente tu *Desmazalado*: me parece uno de los mejores trabajos que has hecho, tan claro y bien planeado. Y leyéndolo comprendí la animosidad de Spitzer: si figura con una conjetura descabellada de la que él mismo tuvo que desdecirse ¿cómo no va a chillar *pro domo sua*?

En la misma mañana en que me llegaba la edición anotada de *Welcome, <M.R.> to the U. of C.*, fui a la Railway Agency: me han conseguido billete para mucho antes de lo que prometían (psicología norteamericana, diametralmente opuesta a la sudamericana), y me lo entregarán el miércoles.

Parto de Boston, Dios mediante, el 24, sábado, a las 7:50 de la tarde, para Chicago. La ruta es Overland, como tú me recomendaste. El miércoles, con el billete a la vista, te copiaré todos los datos sobre recorrido, horario, nombre del tren.

Comuniqué mi nueva a la bella Mrs. Kronkite, Dean of

Graduate Students (¡no *Krankheit*!), y todo sucedió como tú lo habías previsto. La buenísima Margarita me había enseñado una fórmula muy elegante, pero Mrs. K. ha de tener buena práctica, porque apenas acababa yo de recitar el introito, cuando me dijo muy jovial a quemarropa: «*What! Are you going to be married? Congratulations!*». *And so on, and so forth*.

¡Lástima que en el Railway Express no reine Mrs. Kronkite! ¿Te acuerdas qué amables fueron cuando aquel sábado? Pues llamé al teléfono que me habían apuntado, pidiéndoles que pasaran pasado mañana y tuve la desagradable sorpresa de que me contestaran que no sabían si podrían hacerlo, que volviese a llamar. En último caso dejaré encomendado a Ilse Hempel, que se me ha ofrecido muy amable, que despache las cosas, si a mí se me hace tarde, pero ¡bueno fuera que llegase la dueña antes que el equipaje! Todo sea por Dios <*rex meus*>.

Dejo la carta para empezar a hacer las maletas. Me da «calor», como se dice en Buenos Aires, enterar a todo el mundo de mi idilio, y por eso explico sólo a las chicas de Ames la faz profesional del *affaire* californiano. Declaré a las amabilísimas magistradas del *Cliuus Murium* que me resultaba violento contarlo: espero que ellas no lo digan a voz en cuello. En cuanto a la guía de la Universidad de California, el azar hizo—lo juro—que la primera palabra que leyese fuera *Jacobus*, en la pág. 37, donde por casualidad se abrió. ¡Qué feliz me ha hecho esta guía! ¡Con qué intensidad pienso dedicarme a los deportes! Sobre todo al *squash* 'zapallo' (?) que siempre desdeño en el refectorio de Saint John's.

Un gran abrazo para tu madre. Hasta pronto, si Dios quiere.

MARÍA ROSA

XXXVIII

21 январь 1948 г.

Дорогая Марія Роза!

Tú no sabes con cuánta impaciencia te aguardamos aquí. La noticia de que cuentas con venir acá dentro de los próximos diez días nos encanta. No dejes de tenerme al corriente de todos tus... nuestros asuntos.

Lamento oír que te has visto obligada a recurrir al dermatólogo, pero es evidente que hay cierta antipatía, incompatibilidad entre la Widener y la joven porteña. Estoy de acuerdo con el doctor que el único remedio que vale es huir del clima boreal del noreste. Mientras yo escribo estas líneas, a las once de la mañana (no enseño los miércoles), brilla el sol en el cielo despejado, trasparente, tan azul que amedrentaría a Stéphane Mallarmé (a quien yo admiré mucho a los dieciocho); diviso algunas flores a diez metros de distancia de mi ventana, en un lindo jardín; en todas partes se ve el follaje lozano de los incomparables árboles del oeste. Muy esbeltos, *muito esguios* como diría Joaquín.

Y ahora permíteme darte alguno que otro consejo en lo que toca al viaje. Desde luego tú sabes que en un tren norteamericano hay un coche salón (*lounge-car*); allí los pasajeros pasan la mayor parte del tiempo, leyendo revistas (estilo *Caras y caretas*) y aún escribiendo cartas. Tú puedes pedir *train stationery*, muy elegante, que te darán gratuitamente; pero recomiendo que *no* entregues las cartas al conductor, sino que las eches al buzón en Chicago, Omaha o Berkeley. También puedes pedir que te den un pequeño escritorio (más cómodo, entre paréntesis, que el de Room 47 W. L.)

y—parece mentira—puedes añadir un capítulo al nuevo libro (no lo niegues; será un libro de cuatrocientas páginas, ya lo veo) acerca de las fuentes de *La Celestina*. Hay que decir al *porter* (eunuco negro quien es el personaje principal de todas las novelescas travesías ferroviarias): «*Please, install a desk for me*».

La comida cuesta relativamente mucho; hay que contar con un desayuno de $1.20, un almuerzo de $1.50, una comida de $1.80. Desde luego, puedes comer en un restaurant en Chicago, donde tendrás algunas horas a tu disposición entre dos trenes. No olvides que hay que ir a otra estación en Chicago (a la *Northwestern Railroad Station*), a la cual te transportará *gratuitamente* un pequeño ómnibus. Pide informes al conductor.

En cuanto al equipaje, ya sabrás que si tienes un baúl o una maleta grande, irá en el *baggage-car*; tú consignas el baúl en Boston y luego puedes descuidar; volverás a verlo en Berkeley. Claro que en el transcurso del viaje ya no puedes sacar nada de él ni meter nada en él. Por tanto, todos los objetos que pueden serte útiles en aquellos tres días hay que embalarlos cuidadosamente en una pequeña maleta que llevarás contigo al vagón.

Creo, distinguida profesora de idiomas clásicos, que éste es el abecedario de los viajeros transcontinentales.

No quiero terminar sin decirte que me *hace mucha gracia* el poema francés acerca de S. C. [no me refiero a South Carolina], que mucho me lisonjea la equiparación con *Pelaio*; que me *hace mucho tilín* la idea de cómo quedarán con la boca abierta los agudos y los *sonsos*, tan pronto como cunda la grata noticia, *¿no es cierto?*; que como «dote», me gustan mucho mis cuñados (¡qué fino Emilín y qué linda Rebeca!—sean lo que fueren sus méritos en el terreno filológico) y me encantan las sobrinitas (diles que yo soy ДЯДЯ

ЯША-[dyádya Yása]-tío Y.). Van subrayadas las voces (y el fonema) que tú me enseñaste.

Твой
ЯША

XXXIX

Cambridge, 22-1-1948

ЯША:

Dios mediante, ésta será la última carta cantabrigiense; y para acabar con algo dulce, te comunico que he recibido los bombones de tu Mamá—que no sólo tiene el talento de hacer las cosas, sino también el de presentarlas—, y que me han parecido tan tentadores, que muy egoísticamente, me los reservo para amenizar el viaje. Dale las gracias en mi nombre, por los bombones y sobre todo por el cariño, en tu ruso más elegante y con el mejor acento kiev-ense que puedas ponerle.

Estoy un poco cansada físicamente por las despedidas y sobre todo por los preparativos. He hecho el equipaje sola—ya que no está aquí ninguno de mis tutores naturales—: ¡Dios quiera que mis blusas y sweaters no queden jalonando el camino de Cambridge a Berkeley, como en una nueva versión de Hansel y Gretel! El Railway Express estuvo de huelga hasta ayer; ayer me anuncian que llegarán antes de las cinco y llegan a la una: yo estaba en el Banco, arreglando el asunto del dinero; prometieron volver hoy temprano, y aquí me tienes esperándoles o esperando a que llegue la criada de Ames House, y pueda ir a retirar el billete que ayer no había llegado todavía. Los preparativos están todos hechos (incluso la compra del teatro de Tchejov), pero aún no tengo respuesta de la Rockefeller. En consecuencia, emprendo la segunda jugada: comunicación del cambio de domicilio. Pero ¡cuán menos bella mi sintaxis diplomática!

Acabo de obtener el billete: total 171.48$. Salgo de Boston el sábado 24 a las 7:50 de la noche. La ruta es la que tú me aconsejaste: Chicago, Omaha, Ogden, S. Francisco, Berkeley. En Chicago, tomo el tren el 25 a las 7.30, car 1016 (dice *The Pullman Co.*, *Standard Car Ticket*, mientras el largo *Extra Fare Ticket* dice *On extra fare train No. 101*; la otra tira larga—donde dice (impreso) *Boston to Chicago, Transfer Chicago, Chicago to Council Bluffs, Council Bluffs to Ogden, Ogden to Berkeley, Cal.*—tiene el sello *First class*: nombre del tren, no lo veo en ninguna parte). Imagínate cómo me alegraría que me vinieras a buscar antes de llegar a Berkeley, pero si los datos son insuficientes, antes de sufrir tú un penoso desencuentro con pérdida de tiempo y dinero, quédate tranquilo en Wheeler Hall, que *fata uiam inuenient* o sea, en romance, «ya encontraré taxi para llegar a 2703 Stuart St».

Con el horror que te imaginas me entero, por medio de Ilse Hempel, que nuestra pequeña novedad es el último *potin* del Department of Romance Languages, Harvard University, Mass. Hoy voy a mi último concierto de la Boston Symphony Orchestra; mañana me aguarda la despedida de las amabilísimas niñas de Ames House—sin esperanza de zafarme—y pasado, creo, la despedida de las íntimas (1): Margarita, Mimí Estévez (cuyo dormitorio ocupé en Saint John's durante la histórica quincena) e Ilse Hempel, o sea, el pequeño círculo hispanoparlante. Éstas están enteradas de la verdad del caso; aquellas hacen como que no lo están.

Dale un gran abrazo a tu Madre por su gentileza, y deséame buena suerte, sobre todo *desde* Berkeley.

MARÍA R.

XL

UNIVERSITY OF CALIFORNIA
Department of Spanish and Portuguese
Berkeley 4, California

22 de enero de 1948

Mi querida María Rosa:

Ésta será la última carta—así lo espero—que te envío a Cambridge. Y, si por un lado estoy fuera de mí de alegría anticipando tu venida, lamento, por otro lado, el echar de menos, de aquí en adelante, tus obras epistolares, entes de tus *opera maiora*. Por lo demás, me parece que a veces tú escribes más de lo que dices. Si así es, nos escribiremos con frecuencia *through campus mail*.

Han llegado las cajas n.os 3 y 4 que despachó Schoenhof's. Ya tengo a tu disposición cinco estantes en mi oficina —«*five brand-new shelves*». El bueno del Sr. Morley por poco que se desmaya cuando le dije hace una hora que tú llegarías dentro de algunos días.

En la larga carta que te mandé ayer olvidé decirte algunos detalles. Como dirección, puedes dejar Miss M. R. L., c/o Prof. Y. M., 476 Wheeler Hall; más valen estas señas que las de mi casa particular—que es la tuya—porque nuestra dueña de casa (quien acaba de concertar el segundo matrimonio con un chico diez años más joven que ella) ya «sospecha» algo y es muy chismosa. Desde luego, yo no abriré tu correo, como no he abierto tus cajas; respeto la propiedad ajena.

Otra cosa: al salir del tren en Chicago, hay que dar una pequeña propina al *porter*; 50 centavos.

El ómnibus que te transportará a la Northwestern Station se llama *Parmelee Bus*.

Overland no es la «ruta»; es precisamente el nombre del tren. Es un tren muy satisfactorio, de primera clase. Al pasar por Wyoming, no dejes de echar una ojeada a la linda «villa» de Láramie (< La Ramie, nombre de un legendario cazador y explorador franco-americano, siglo dieciocho).

Si no sabes cómo matar ocho horas de espera en Chicago y no quieres ir al cinema, puedes tomar un taxi y pasearte por la bellísima *Michigan Avenue*, con el famoso Stevens Hotel, una verdadera ciudadela; o, mejor dicho, un hotel-república, al cual nada le falta; que ha conseguido una autonomía (autarquía) completa. *No vayas* a la Univ. de Chicago, porque dista demasiado de los centros ferroviarios; fácilmente te extraviarás y caerás en poder de los formidables *gangsters*.

A propósito de tu equipaje: lo mejor sería (si es que quieres ahorrar dinero) *no* entregarlo al *Railway Express*, dado que tienes derecho a llevarlo contigo en el *luggage-car*, según queda dicho en mi última carta. Hay que ir a la estación a tiempo y consignarlo. Claro que tú no debes ni levantar ni arrastrar los baúles; deja todo el trabajo físico al chófer y al mozo de andén (*redcap*; ¿es cierto que se llama *changador* en la Argentina?).

Al releer esta carta, descubro que mis «directivas» están redactadas como si tú fueses un viajante, galopín o mandadero y yo... un director de tres fábricas de corbatas (de color llamativo...). Pero tú sabes que ya no pienso en otra cosa sino en tu llegada, con la cual principiará un nuevo capítulo en mi vida. Y cuanto más pienso en lo que ha ocurrido, tanto más me convenzo de que tú eres una mujer muy valiente, pero mucho. *I must live up to your standard.*

Aguardo ansioso tu próxima carta para arreglar ese curioso encuentro en el tren. Creo que varios monarcas de antaño se encontraban en islotes situados en unos ríos o lagos que separaban sus respectivos reinos. Un gran presidente de este país y un dinámico primer ministro de Inglaterra se encontraron en un buque de guerra en pleno océano. Nosotros, más modestos, escogemos un método un tanto menos sensacional, pero de ningún modo menos cariñoso.

Espero que lleguen a tiempo los dulces que te despachó mamá hace diez días,

НенагДяДная* Моя

Твой
ЯША

XLI

Cambridge 23-1-1948,
víspera de la partida.

Φίλη χεφαλή:

Alvíçaras, capitam, meu capitam general
ja vejo terras de Berkeley, doces areas de Cal.

Te escribo en este elegante papel de esquela que me ha regalado hoy Mimí Estévez, mientras Margarita me ha regalado una bombonera y cenicero de cobre; almorzamos juntas y las tres brindamos con sendas copitas de Borgoña por el futuro. Dios dirá.

Estoy un poco nerviosa con estos preparativos hechos en soledad. Tú estás tan lejos que a veces me pregunto si todo no ha sido un sueño. Por eso te agradezco tu solícita carta del 21. ¡Cómo me gustaría que me acompañases un trecho en ese *medonho* viaje! Lo harás si es posible ¿verdad?

El asunto de la Rockefeller me tiene algo inquieta. Tuve

* Mi palabra predilecta, pron. *ñenaglládnaya* 'una a quien el hablante no se sacia de mirar'. ¡Qué condensación la del ruso!

un poco de mala suerte desde el momento en que el Dr. Alonso no pudo darme una «manito» (¿porteñismo?) personalmente, y luego esperando tantos días inútilmente. Ahora han escrito pidiendo informes sobre el cambio ¡a Mr. Berrien! El cual hablará conmigo mañana. Yo he vuelto a escribir a la Rockefeller Foundation por indicación del Dr. Alonso, quien me prometió hacerlo por su parte. Y otra vez: Dios dirá.

ЯША: me siento tan inquieta, sola y desamparada que duermo mal y tengo ganas de llorar. Y esto de la RF acaba de alterarme los nervios. ¡Ojalá nos reunamos pronto, para sosiego mío, y entonces diré como Heloísa a Abelardo: *Tibi nunc, domine, dum vivis, incumbit instituere de nobis quid in perpetuum tenendum sit nobis.*

Dale un gran abrazo a tu mamá por sus bombones: toda muestra de cariño me es preciosa en estos momentos, y piensa en mí, un poquito.

MARÍA ROSA

P. S. Si me vienes a buscar, tráete una maleta: no me sobrará.

Raimundo, María Rosa y Emilio Lida.

«CANTIGAS DE AMIGO» DE MARÍA ROSA LIDA

al cuidado de FRANCISCO RICO

Cuando ya estaban comprometidos, cuatro días después de su «aventura relámpago» en Cambridge (Mass.), en la Navidad de 1947, Yakov Malkiel envió a María Rosa una carta escrita en portugués en la que se presentaba a sí mismo como «Joaquim» y se dirigía a ella llamándola «*Minha prezada e cara Carolina*». Así proyectaba sobre ambos el modelo de la ilustre pareja de estudiosos formada por Carolina Michaëlis y Joaquim de Vasconcelos, también tras un famoso comercio epistolar. En la despedida decía: «*Penso em ti—saudoso, choroso, soluçando, gemendo e [...] sorríndo. Beijo-te ternamente*».

No era propenso el sesudo lingüista a semejantes expansiones afectuosas. Una vez formalizado el noviazgo, María Rosa, por el contrario, no temía desbordarse en cariños. Enamorada como una chiquilla en puertas de los cuarenta años (y tal vez por ello mismo), cada mañana amanecía con nueva ilusión, y no la perdería de por vida. La palpamos desde los mismos vocativos de salutación: «Yashunga» (tal como Malkiel explica otro momento, formado por su apodo, Yasha, y el sufijo quechua *-unga*), «Mi rico Yashungaanis», «Yashunguín», «María Rosa, *misella Yashungae viro, suavissimo ac optatissimo*», «Lindo rico, tesorito precioso, etc.», «Querido Gatazo», «Mi rico, mi único, mi precioso», «Rico de mi corazón» o «Querido Yíngele Yáshenka (= Y. Y.)», del *yiddish*.

Desde el compromiso navideño hasta el día de la boda, 2 de marzo de 1948, María Rosa dedicó al «Yashunga de

[sus] entrañas» toda una letanía de versos (en buena parte exhumada por Charles B. Faulhaber) que sin reparo podemos llamar *cantigas de amigo*. La exaltación que la posee se trasluce no ya en los diminutivos y apelativos de las cartas y en los textos de las poesías, sino en los primores caligráficos (en ella, que ya tenía una hermosa letra de humanista: «como fray Luis de León», la piropeó epistolarmente Martín de Riquer), en las firmas que unen las respectivas iniciales o enlazan los nombres de ЯШA y MR, en la buscada simetría entre los caracteres cirílicos y los latinos escritos de derecha a izquierda, en los anagramas y adornillos de aire poco menos que infantil.

Con esas travesuras gráficas, la hondura y la sinceridad de la pasión se revisten de alegría juguetona, mientras el recurso a estrofas tradicionales, pastiches y fórmulas tópicas imprime a los desahogos líricos una cierta distancia crítica. Hay en tal recurso la concreción espontánea, natural, de unos saberes literarios que lo modelan todo, y a la vez la deliberación de un gracejo que relativiza esa cultura de libro y le presta unos márgenes irónicos. Humor y filología.

El cancionerillo de María Rosa comienza con la tarjeta postal que el mismo 29 de diciembre mandaba a su futuro marido:

QUIA AMORE LANGUEO

Enferma de amor estoy:
váleme, Yasha, *my boy*.
California < Cefalonia,[1]
tentadora Babilonia,
y yo remota y *tristonha*
al viento mi queja doy.
    Enferma...
No fíes de pelirrojas;[2]
con que una morena escojas
el pecado de ti arrojas[3]
(y yo morenica soy).
    Enferma...
¡Tanta tierra nos separa!
Mas ¿qué importa que fue avara
la ocasión que nos juntara
si contigo do vas voy?[4]
    Enferma...
«Amor de tierra lejana...»[5]
bien pronto mía y cercana.
¿Pronto? ¡Ya fuese mañana!
¡Ya mañana fuese hoy!
Enferma de amor estoy:
váleme, ЯША, *my boy*.

NOTAS

[1] Si lo dijiés de mío, serié yo de rebtar:
dícelo Boissonade, lingüista de prestar.

[2] Me refiero a Miss Hayworth, ni siquiera genuina,
pelirroja de alheña, pelirroja cansina.

[3] Infiérese sin duda esta proposición
de la morena hermosa que amó el rey Salomón.

[4] *Mas* en lugar de *pero*, *do* y el pluscuamperfectro,
todo indica a las claras que se exalta mi plectro.*

[5] Verso que entre los versos de Occitania es joyel,
como entre los arcángeles, el arcángel Malkiel.

María Rosa

29-XII-1947
Cambridge

* Esto en cuanto a la forma, pero en cuanto a la idea
confer Aucto Primero, *Calisto y Melibea*.

La postal se encabeza con otro pareado que hubo de añadirse a última hora:

(Ruego al lector benévolo no fiar demasiado
en la llama que abrasa mi zéjel inflamado).

La sabia y gentil argentina no daba puntada sin hilo. A las acotaciones que ella misma incluía junto al zéjel podrían añadirse bastantes otras, del principio al final. El recto de la postal es un dibujo moderno (de gusto prerrafaelita) inspirado en la cubierta de la *Opera nobilissima d'Amore, la qual tratta de Uberto e Philomena ... e ancora tratta de una donna desperata per amore* (1492), rareza que a María Rosa debió interesarle para sus estudios sobre *La Celestina (*aunque nunca la alegó*)* y que ahora se acomodaba de perlas a su situación.

El título del poema es una cita del *Cantar de los cantares* («Yo os conjuro, oh hijas de Jerusalén, si encontráis a mi amado, ¿qué le habéis de decir? *Quia amore langueo*, que estoy enferma de amor»), de donde viene asimismo el motivo de la «morenica» que invita al amado, «el rey Salomón», a no reparar en que su piel está curtida por el sol. Motivo éste a su vez vivísimo en las canciones tradicionales del mundo hispánico, que a cada paso echan mano del diminutivo «morenica» y a menudo lo glosan en la estrofa usada por María Rosa. Incluso el «*Yasha, my boy*», que en su origen había dirigido S. G. Morley a su colega en Berkeley, suena aquí como las formas comunes en la canción tradicional, desde las jarchas, para designar al amigo. Todo casa con los horizontes personales e intelectuales de María Rosa.

Las notas al pie no son menos exactas que encantadoras. En su clásico libro sobre el *Roland* (pág. 162), Boissonnade, gran imaginador de étimos orientales para la onomástica de las gestas francesas, hacía derivar *California* de *Califerne* y no dejaba de tender puentes a Babilonia. Entendemos que la mención del historiador (que, por cierto, siempre callaba su propio antropónimo, Prosper) se escudara con un calco del Arcipreste de Hita: «Si lo dijiés de mío...».

Una punta de celos, que ya se había manifestado en sus cartas, asoma en la referencia a Margarita Cansino, *aka* Rita Hayworth, un año después del estreno de *Gilda*, cuando Malkiel acababa de redactar un artículo sobre el castellanísimo apellido de la actriz: «una daifa», según la estricta observanta de la moral hebrea, y para colmo pelirroja «de alheña», o séase de bote, teñida.

La nota * a la nota [4] remite en derechura a las palabras de Sempronio a Elicia en *La Celestina* primitiva: «¿Tú piensas que la distancia del lugar es poderosa de apartar el entrañable amor, el fuego que está en mi corazón? Do yo vo, conmigo vas, conmigo estás».

En fin, el último escolio tampoco carece de miga. En el zéjel del 29 de diciembre, María Rosa invoca a su «arcángel» (porque erróneamente había descifrado antes el apellido como «arcángel Dios-de-la-Reína o Reína-de-Dios») con uno de los versos más inmarcesibles de la lírica provenzal: el «Amors de terra lonhdana», de Jaufre Rudel. Buscando ponerse a la altura, Malkiel, el 7 de enero, ya de regreso en Berkeley, le respondió con una cita del mismo entorno: «Pienso continuamente en tu llegada. Aquí hay una lluvia torrencial, bastante fría. Pero... "*Anar posc ses vestidura | nutz en mi camisa | car fin amors m'asegura | de la freía bisa*", según dijo mi trovador predilecto, Bernart de Ventadour». ¿O es que sufrió el no raro error de atribuir el verso a Bernat? (¿O es—permítasenos la intrusión—que no conocía los versos de Arnaut Daniel: «*L'amors q'inz el cor mi plou | mi ten chaut on plus iverna*»).

Para Año Viejo, María Rosa toma otra postal (que seguramente había descartado utilizar para el zéjel) e inscribe una sola línea, con una recreación de la recreación que ofrece *La Celestina* de un hermoso cantarcillo:

El treinta y uno es pasado y no viene...

Fernando de Rojas lo completa así: «Sabed si hay otra amada | que lo detiene». Pero más intención lleva la imagen de la tarjeta: una celebérrima pintura de Rafael, «Los esponsales de la Virgen», con doble referencia al ritual del matrimonio judío y a la novia doncella.

Después de recibir carta el 29 de diciembre, María Rosa, otra vez en verso y otra vez reflejando la pareja Michaëlis-Vasconcelos, contesta el 4 de enero, con una *cantiga de amigo*, perfecta tanto en forma como en contenido. Nuestra moderna juglaresa la había rotulado primero

«Zéjel saudoso», pero reparando luego en que doña Carolina y otros especialistas habían generalizado la denominación de *cosante* para el clásico poema gallegoportugués con paralelismo y *leixapren*, lo reemplazó por el palabro de marras. (En realidad una mala lectura y peor interpretación de *cosaute*, según a no tardar mostraría Eugenio Asensio). El anverso de la postal se describe ahí como «Escena doméstica holandesa» y muestra a una mujer apaciblemente sentada, a un lado ya los zapatos de calle, leyendo un libro (así parece ser y así lo entendería la expedidora, diversamente de otras interpretaciones y otras atribuciones): toda una prefiguración del porvenir soñado para Berkeley.

COSANTE SAUDOSO
A la manera de Doña Carolina.

Solita en mi aposento de Casa Ames,
oigo a las *girls* que charlan con sus *boyfriends*.
¡Ay, mi Joaquín!
Estaba sola, en lóbrega meditación,
mientras los *boys* y *girls* charlan de amor.
¡Ay, mi Joaquín!
Charla de amores por doquiera escuché,
y no tengo carta ni la tendré.
¡Ay, mi Joaquín!
Por doquiera he escuchado charla de amor,
ni hubo ayer carta ni la habrá hoy.
¡Ay, mi Joaquín!
Que no tengo carta ni la tendré
y en el mar de la espera naufragaré.
¡Ay, mi Joaquín!
Que no hubo ayer carta ni la habrá hoy,
y en el mar de la espera naufrago yo.
¡Ay, mi Joaquín!

MR*
Cantabrigiae
super Carolum, 9-1-1948

*ЯШA X MR
*¡Azar maravilloso! ¡Predestinado lance!
¡Simétricas mayúsculas en ruso y en romance!

Es, en efecto un buen remedo de las cantigas galaicas, en particular de la espléndida de Mendiho, con el escorzo de la moza sentada «*na ermida de San Simión*» a la espera del amigo:

E cercaron-mi-as ondas que grandes son:
non ei i barqueiro nen remador.
Eu atendend' o meu amigu'!
E cercaron-mi-as ondas do alto mar:
non ei i barqueiro nen sei remar.
Eu atendend' o meu amigu'!
Non ei i barqueiro nen remador:
morrerei eu, fremosa, no mar maior.

Sazona la composición un estribillo de aire tradicional, del tipo de «¡Ay, mi Alhama!» y tantos más. En el elaborado anagrama a que remite el asterisco, la X se forma con dos flechas cruzadas. El «super Carolum» de la suscripción es el «río que llamaban Carlos» de Dámaso Alonso, distingue la ciudad americana de la inglesa y probablemente introduce un eco del Psalmo «Super flumina Babiloniae». (Nótese, como me sopla Carlos Faulhaber, que el nombre de la Casa *Ames*, la «ermita» o residencia de María Rosa, se pronuncia [eimz], con los valores españoles de la vocal, la semivocal, y una fricativa sonora al final). ¡Qué no mimaría una *doctissima puella* enamorada hasta los tuétanos!

El 9 de enero, Malkiel se encontraba ya de regreso en Berkeley, con «la algara navideña» perpetuamente en la cabeza. Desde entonces al 23, la víspera de tomar ella el tren para California, los prometidos se cruzaron otras veinte misivas y mil zalamerías. La pasión y la lírica seguían adueñadas de María Rosa, a todo propósito, y a tuerto y derecho. El 14 del mismo mes, agradeciendo una asistencia práctica, escribe a Yasha en el impreso de un telegrama de la Western Union, y por ende en mayúsculas, una correcta quintilla, ornada con un adelanto de lo que será uno de sus más deslumbrantes trabajos, «Arpadas lenguas» (en el *Homenaje* de 1951 a don Ramón y ahora en la reimpresión de su libro póstumo *La tradición clásica en España*), del que el destinatario debía tener ya noticia:

POR LA MUY AMABLE AYUDA
DE SU PLUMA BIEN TAJADA,
NO HAY AVE, PARLERA O MUDA,
CON LENGUA HARPADA O AGUDA,
QUE A YASHA NO ESTÉ OBLIGADA.

MARÍA [dibujo estilizado de una rosa]

El 16 se le dirige con el *senhal* utilizado para una dama por Ausiàs March, el gran poeta valenciano: «*Lir entre carts*» ('Lirio entre cardos'), perfil que a uno le cuesta asociar con el rollizo profesor Malkiel.

Unos días antes, el lunes, 12 de enero, éste le había recordado el modismo *coiffer sainte Catherine*, insinuando jocosamente si quería quedarse para vestir santos y no dedicarse más que al estudio. La respuesta de la interesada se redactó el sábado, 17, en una postal que trae a «*Santa Caterina portata al sepolcro*» según Bernardo Luini:

La austera Catalina, víctima de la ciencia,
en Widener Forty Seven fijó su residencia.
Pero murió Katiusha, por justa Providencia:
*requiescat in pace cum divina clementia.**

*(La fecha del deceso fue el día de Noel,
y agente del destino, el arcángel Malkiel).**

**Pero de sus cenizas nació ¿quién lo diría?
un ave que a Occidente tender el ala ansía.

1948-1-17, egdirbmaC

Si no nos engañamos, la sustancia prosaica es que María Rosa aterrizó en Estados Unidos resignada a encerrarse en su despachó de Harvard, concentrada en la investigación y en la enseñanza, y a quedarse mozuela. Pero el destino quiso despachar a mejor vida a esa *Catherine* o *Katiusha*. ¿Por qué *Katiusha*, como ya se había apodado en alguna epístola? Quizá porque en la órbita de Malkiel todo había de colorearse de ruso; quizá porque una canción con ese título que Yasha debió de conocer antes de salir de Europa (*Google adtestante*) dice proponerse volar «en dirección del luminoso Sol» con amorosos saludos de la heroína: en tenue coincidencia, pues, con los proyectos de María Rosa.

La última carta publicada en el presente libro es del 23 de enero. María Rosa dejó Boston el 24 y llegó a Berkeley el 27. Los esponsales se celebraron el 2 de marzo. Es probable pero no seguro que el 14 de febrero de ese año, y no de otro, la aún solterita diera en mano a Malkiel la felicitación que en el *Valentine's Day* suelen intercambiar las parejas de allende mar: llevaba una ilustración tan, tan cursi, y un pareado autógrafo tan, tan elemental,

¡Mil novecientos cuarenta y siete! fecha bonita,
pues halló en ella su galancete María Rosita!

que el conjunto sólo puede verse como una guasa, tan veraz como se quiera, pero guasa al cabo. Y sucede que la afectuosa porteña cogió tal aprecio al uso gringo que en 1960, ya confesadamente «por broma», mandó *valentines* a sus hermanos Emilio y Raimundo, y aún se acordó luego de su sobrina «Clarita, pobrecilla».

A las tres semanas en California ya lamentaba la novia que el tráfago epistolar tuviera que interrumpirse:

¡Qué crueldad más que civil
no escribir más a Malkiel,
cuando vale por cien mil,
y es más dulce que la miel!

Berkeley, 16-II-1948 a las 11:58

NB. El sobre ha sido escrito con la mano izquierda, que es la del corazón.

En esta ocasión, la referencia bibliográfica, obvia para los expertos, iba implícita: «*Civil* 'cruel'», *Nueva Revista de Filología Hispánica*, I (1947), pp. 80-85. Pero únicamente los implicados sabían entonces que era el día en qué él le entregó a ella el anillo que, según la única fotografía conocida que permite apreciarlo, en adelante luciría en el anular de la mano… derecha.

Ha quedado dicho en otro lugar que en aquellos tiempos a Yasha María Rosa se lo hubiera comido a versos. Versos de amor o comunicaciones de servicio, como ésta:

Misiva estrictamente
lingüística y profesional

¿Conque hay que decir «reló»,
«testo», «escursión» y «zodiaco»?
Conforme, si en vez de Yako(v)
permites decir «Jacó».

M. R. L. de M.

Berkeley, 25 - II - 1948
Purim.

O requiebros como éste:

Una dama, de Lvov
indirecta descendiente,
expresa su afecto ardiente
al ruso* ruso** Yakov.

Redondilla de MR con rimas de ЯША.

*Hispanice
**Argentine

Otra sobrina suya, Isabel Lida Niremberg, nos ha glosado las glosas de la autora: a su valor general en el mundo hispanohablante, la Argentina le añade *a ruso* el de 'judío'. La madre de los Lida procedía de Lvov, hoy Leópolis o Limburgo, en la antigua Galitzia y en la actual Ucrania, en aquel tiempo parte del Imperio austrohúngaro.

María Rosa se había servido del zéjel, el mal llamado «cosaute» o, aun peor, «cosante», la quintilla, el pareado, la cuarteta de cuadernavía y la redondilla. A esta altura de su cancionero de amigo, se resuelve a ensayar nuevas estrofas y exquisiteces métricas, por más que con una empecatada permisividad para con el ripio diáfano.

Así para entrar con medio pie perdido (que decía Nebrija), echando mano de la compensación o sinalefa entre dos versos, que marca expresamente:

> Toda la gente entendida
> (de la isla de Corfú‿a
> la península Florida)
> dice a Yasha complacida:
> «*Mel et lac sub lingua tua*»,
> y agrega una dama *lida*:
> «Amén, *mellita tapúa(j)*».

.Я.M.
Berkeley 7-IV-1948

La cita del *Cantar de los cantares* verosímilmente es reminiscencia de Rubén Darío:

> Mi gozo tu paladar
> rico panal conceptúa,
> como en el santo Cantar:
> *Mel et lac sub lingua tua*...

Pero el *conceptúa* del Vate es un niñería frente a la rima que elucubra la dama: *tapúa(j)*, es decir, 'manzana', en hebreo. En un par de cartas, Malkiel la había llamado *mellita puella*, tomando un giro de regusto plautino espigado Dios sabe dónde. Aquí, la manzana dulce como la miel, entre el latín y el hebreo, se diría que conjuga la pastoral clásica con la bíblica.

Los modos del más célebre madrigal del Parnaso castellano reaparecen para agradecer a su esposo el auxilio que le ha prestado en la prolongación o renovación de la *scholarship* de la Fundación Rockefeller:

Berkeley, 9 de abril de 1949.

Mi bien amado Yákov,
si a cuantos con la beca me ayudaron
dulces cartas mis manos enviaron,
¿por qué no he de escribirte
a ti que prodigaste más de un día
en mi bibliografía?
¿Por qué no he de decirte
y (aun siendo rima pobre) repetirte:
Mi bien amado Yákov:
es para mí tu amor paradisia'kov.

Con rima forzada y en la estrofa
de Gutierre de Cetina

asoR aíraM

En las *Prosas profanas*, Rubén había incluido una sección en la que hacía revivir géneros menores o mínimos propios de la veta cancioneril del Cuatrocientos y el Quinientos, como el *lay* o la *esparça*. En clara competencia con el nicaragüense, María Rosa resucita la *pregunta*:

¿Hay cosa más deliciosa,
hay gozo más infinito
que Я Ш A cuando es buenito
y tierno con ¿asoR aíraM

Aunque el tiempo corre aprisa
y da prisa *Celestina*,
pregunta tan indecisa

es justo que se defina.
Y a esa pregunta famosa
en respuesta aquí repito:
«¿Quién como ЯШA, buenito
y tierno con ¿asoR aíraM

14-V-1948
Berkeley

Si uno toma en cuenta el prurito de desplegar una variada gama de antiguas formas poéticas, es probable que a estas semanas quepa atribuir asimismo el remedo de la primera copla del *Laberinto de Fortuna*, seguramente en el curso de algún achaque:

Al muy prepotente don Diego [Malkiel]
al que es de etimólogos la nata [y ¿la? flor],
de mis pensamientos único señor,
de *Romance Philology* diestro ti[monel];
al que de mis penas es dulzor y [miel]
y de mi dolencia próvido guardiá[n]
—sin escatimar dinero ni afán—,
aquí me suscribo su sierva más f[iel].

María R
En el lecho [del dolor]
Berkeley, 20-[...]

Imposible ninguna certeza, no obstante, porque la guillotina ha perdonado la cabeza de los versos y de las líneas pero se ha ejercido en las extremidades.

Al mismo diseño de salutación responde un billete de agosto:

Al ilustre lingüista don Jacó,
prez de Kiev, América, Israel,
saluda quien el alma le entregó.
María Rosa Lida De Malkiel

17-VIII-1948
Berkeley

Un poco anterior debe de ser (aunque la fotografía está incompleta) un primer intento de extender la polimetría a la poliglotía, casi irremediablemente con una estrofa horaciana: no en balde Malkiel reconocía a su santa como «la mejor conocedora de aquel poeta entre los filólogos hispanos», no en balde él mismo lo había paladeado de mozo y no en balde ambos recitaban juntos el *Integer vitae scelerisque purus*.

Bērkelĕy, Britanno positum colono
sit meae sedes utinam iuuentas
sit modus lassae maris et uiarum
fēllŏws hĭpiāequĕ̄.

(Y dicho en vulgar romance:
Quiera Dios que con mi Yasha,
con paz, salú y en mi cas(h)a
tranquila vejez me alcance).

MR ЯШA
Sábado 19 de junio de [1948]

Según es de regla, María Rosa señala con marcas de larga y breve cómo deben medirse las voces bárbaras o los usos irregulares. Asaz significativo resulta el membrete de la *stationery*: «Mrs. Yavov Malkiel». Pero *hipia* me sume en la más negra oscuridad. ¿Será latinización de algún término inglés?

A la extensión del repertorio poético a otras lenguas obedece también la versión del *Companho, farai un vers qu'er covinen* del primero de los trovadores:

Al eminente provenzalista niugnuhsaY
en respetuoso homenaje
Guillermo IX de Aquitania
leiklaM ed adiL asoR aíraM

Compañeros, un cantar hacer querría
que tendrá menos buen seso que folía:
será todo juventud, todo amor, todo alegría.

Quien no lo ame, pecará de villanía
o aprendérselo ha de coro quien no ansía;
quien lo entienda, de amor nunca dejara la compañía.

Tengo al freno dos caballos de valía,
llenos ambos de coraje y valentía,
mas no puedo guardar ambos, porque se odian a porfía.

Si pudiese desbravarlos cual querría
por ninguna otra montura doy la mía:
sobre mil cabalgadores tendré yo la mejoría.

Uno fué potro montés que bien corría,
mas tiempo ha mostraba tal altanería,
tal fiereza y esquivez que la almohaza no sufría.

Tuvo el otro allende Cofolén su cría;
que yo sepa, nunca vi más lozanía;
ni por oro ni por plata tal caballo cambiaría.

Lo di al dueño como potro que pacía,
pero bien me reservé en la pleitesía
que si un año él lo tuviese, más de cien yo lo tendría.

Caballeros, en mi duda dadme guía;
nunca anduve tan confuso como hoy día,
que no sé con cuál quedarme, con Inés o con María.

Los Ángeles, Junio 25 de 1949.

No me atrevería a jurar que la traductora percibiera todos los sentidos del poema, pero sí más de uno: sospecho que año y medio de matrimonio la había abierto a pulsiones ignotas a la solterita mojigata que conocimos por la correspondencia de 1947. O cuando menos en la posterior leemos párrafos inimaginables en aquélla: «Vidita, mi vida: Te escribo con mucha más gana de verte, de tenerte al lado, de escucharte, de tener tu mano entre las mías, de andar contigo, *de estar contigo*, que de escribirte estas miserables líneas...» (desde Buenos Aires, otoño de 1961).

El último testimonio en verso de la devoción que María Rosa sentía por su macizo etimólogo está fechado en su duodécimo aniversario, cuando ella daba unas lecciones en Urbana de Illinois. Digo devoción y cabría culto de dulía, porque justamente se trata de una copia con mínimos retoques y un par de acotaciones marginales de una sabida secuencia de Adán de San Víctor en honor del arcángel San Miguel.

Para el 2 de Marzo de 1960:
Laus erumpat ex affectu!
Y ba de beras
YMR

MALKIELEM cuncti laudent
nec ab huius se defraudent
diei laetitia:
felix dies qua doctorum
*recensetur angelorum**
solemnis victoria.

Sub tutela MALKIELIS
pax in terris, pax in caelis,
laus et iubilatio:
cum sit potens hic virtute,
*pro communi*** *stans salute,*
triumphat in praelio.

Adam de Sancto Victore fecit
María Rosa uxor coaptavit

* Modestia aparte
** *Scil. philologorum*

Los cambios introducidos son casi inapreciables: *doctorum* por *sanctorum* y, claro, *Malkiel* por *Michael(is)*. Pero la razón de ser de la *coaptatio* es tanto la coincidencia onomástica como otra más honda. Desde los primeros escarceos epistolares, María Rosa, hurgando en una falsa etimología, había sospechado que su *pen pal* era de «naturaleza angélica o arcangélica, y para cerciorarme—dice—pregunté una vez al Dr. Alonso dónde U. llevaba las alas y la espada flamígera». Incluso la espada viene quizá al caso: Miguel, príncipe de los arcángeles, era el vencedor de Satanás. ¿Qué victoria celebraba aquí María Rosa, el 2 de marzo de su aniversario? Acaso más que las implicaciones de esa fecha, ¿algún logro universitario o en algún *praelium* erudito? Porque en ese entorno de tiempo Malkiel sostuvo más de una vigorosa batalla lingüística.

Unos meses después afloró el cáncer de cerebro que iba a llevarla a morir 26 de septiembre de 1962, en el mismo hospital de Oakland en que en 1998 fallecería también su marido. Ni Charles B. Faulhaber, quien ha sacado a la luz gran parte de las piezas aquí comentadas, ni yo, fisgando telemáticamente en la biblioteca Bancroft, hemos dado con más «cantigas de amigo».

María Rosa con Claire Saitzew, su suegra, de visita en casa de los Malkiel.

AVISO A LAS NOTAS Y COMENTARIOS

por JUAN MIGUEL VALERO

El propósito de estas notas y comentarios es acompañar al lector sin estorbarlo. Se ha decidido que el texto de las cartas entre María Rosa Lida y Yakov Malkiel aparezca limpio como es sin interrupciones impertinentes. En las notas y comentarios se da cuenta de las referencias que comparten María Rosa Lida y Yakov Malkiel en su coloquio. Éste era *comuniloquio* entre personas de su calidad y condición en la década de 1940. Su gracia, profundidad e interés invitan a restañar voces que, por efecto inevitable del tiempo y de las costumbres, se desvanecen.

El lector culto de hoy reconocerá, sin el báculo de las notas y comentarios, la mayor parte de los nombres que las cartas invocan y convocan, la mayor parte de las finas referencias literarias y culturales con que los escribientes tejen su relación, y la mayor parte de los hechos y *realia* que sirven de fondo a su amor y filología: en definitiva, a sus vidas.

Quien desee permanecer con el regusto único de la correspondencia podrá prescindir, sin molestias, de todo auxilio. El curioso, espero, encontrará material abundante donde saciar su sed. El lector más activo, por último, distinguirá en los comentarios, además de numerosos datos concretos, un diálogo con la tradición que significa ese mundo para nosotros, en cuanto sus herederos.

Los comentarios aspiran a sistematizar lo que las cartas dicen de por sí con sus contextos vitales e intelectuales. Para ello se trata de armonizar la bibliografía propia de María

Rosa Lida y Yakov Malkiel con aquella otra que trasciende de su obra, o porque resulta de una reacción contemporánea (próxima al menos) o como historiografía de la disciplina filológica y de dos de sus más destacadas figuras.

La deuda con el trabajo de Barbara De Marco debe ser reconocida en primera instancia. Su «"Romance ha de ser...". The Correspondence of Yakov Malkiel and María Rosa Lida (1943-1948)», *Romance Philology*, 59 (2005), pp. 1-101 no sólo ofrecía una transcripción de las cartas que ahora se recogen en esta edición, sino que también las acompañaba de un amplio repertorio de notas. La base de esa anotación, ya rigurosa, ha sido al mismo tiempo un apoyo y un estímulo para «acrecentar lo que de suyo ya estaba crecido». Y esto es porque, en uno de los sentidos antiguos de *auctor*, una de las funciones de éste era, precisamente, aumentar el conocimiento.

Se trata ésta de una aspiración siempre a medias, como ha de ser, en realidad, donde la voluntad de exhaustividad es al mismo tiempo un deber y una trampa. Por ello este anotador y comentador desea reconocer de entrada los límites de su labor, y la compañía de muchos otros estudiosos, de entonces y de ahora, que se verá reflejada en las referencias bibliográficas.

Sólo dos palabras más. Respecto al orden de las notas y los comentarios: siguen, como es natural, el de la cronología propia de las cartas. Se advertirá que en varios comentarios, sobre todo en los más extensos, aparece un primer párrafo, más sintético y con la información esencial, y luego otros más prolijos, donde se establece una interpretación propiamente dicha. Pese a que la bibliografía final pueda parecer muy crecida estoy en condiciones de asegurar que podría elevarse al doble. Asumo las exclusiones: en algún caso será por inadvertencia, en otros por contención. Es fácil imaginar la cantidad de necrológicas, notas de prensa, menciones y referencias pasajeras (o no) que en cientos de obras y por cientos de personas se hacen de María Rosa Lida y Yakov Malkiel. Se imponía aceptar un límite que, como todos, ha de ser convencional. Lo mismo vale decir para las traducciones de los textos que se mencionan en el epistolario y en las notas y comentarios. La correspondencia *savante* tiende al plurilingüismo, lo cual es uno de sus encantos. Entonces, ¿traducir todo, nada, parte? ¿No traducir los textos románicos y sí los pertenecientes a otras lenguas? No acababa de ver una total congruencia. ¿Sabrá el lector perdonar lo que sobra o lo que falta?

No queda todo dicho; ni siquiera se ha dicho la última palabra en no pocos detalles. El estudio detallado de las fuentes documentales que se encuentran en la Bancroft Library de la Universidad de California, en Berkeley, cuya *Guía* preparó Janice Otani en 2005, promete arrojar nueva y definitiva luz acerca de multitud de puntos. Allí, en decenas de cajas, se conserva correspondencia de la mayor parte de los implicados en este epistolario, pero también documentos de la vida práctica y administrativa, materiales de trabajo y recuerdos personales (entre los cuales abundantes fotografías).

Por fin, otros colegas e instituciones han recordado que en fechas todavía recientes, entre los años 2010 y 2012, se cumplía un aniversario casi secreto para la mayor parte de la humanidad, pero que era mucho más humano (por quien lo cumplía) que otros más públicos y notorios. Han aparecido notas, artículos y conferencias en este tiempo (Francisco Rico, Ángel Gómez Moreno, Charles Faulhaber...); en abril de 2012 se celebró un Symposium en la Universidad de Wisconsin (Madison) con el título *Two Spanish Masterpieces & La originalidad artística de La Celestina. An In-*

ternational Celebration of the 50th Anniversary of María Rosa Lida de Malkiel's Work.

Se conmemora una huella que, más allá de los avatares de nuestros homenajes, resulta, como la de todos los maestros que en el mundo han sido, imperecedera para la humanidad. Estas notas y comentarios, pues, no son más que el testimonio pasajero de aquello que va a permanecer, el magisterio y la *auctoritas* de quienes escribieron las cartas que usted, lector, entusiasta como es, ya ha leído.

NOTAS Y COMENTARIOS
por JUAN MIGUEL VALERO

CARTA I

Su libro

Véase MRL (*El cuento*, 1941; *Libro de buen amor*, 1941). La primera ocasión en que YM leyó un trabajo de MRL fue en 1940, a través de *RFH* y por mediación de Tomás Navarro Tomás, entonces en Columbia University. MRL 1941 *Lba* fue reeditado con un prefacio de YM y prólogo de Vàrvaro en 1973.

Con anterioridad a 1943 la mayor parte de los desvelos de MRL se dirigen a la literatura greco-latina (prefacios, traducciones y ediciones, notas *savantes*, reseñas de libros especializados). Véase YM *The Buenos Aires Years of MRLM* (1990). Otras reflexiones de YM sobre la labor científica de MRL en «Cómo trabajaba» (1996) o «MRL como investigadora» (1980). De este fondo formativo surge el trabajo que le granjearía la inmediata admiración de los hispanistas, «Transmisión y recreación de temas grecolatinos en la poesía lírica española» (1939). En este contexto resulta pertinente recordar un artículo posterior de notable eco, «Notas para la interpretación, influencia, fuentes y texto del *Libro de buen amor*» (1940). MRL revisaría más adelante algunas de sus interpretaciones y añadiría otras en «Nuevas notas para la interpretación del *Libro de buen amor*» (1959). En el momento de redactar sus primeras notas y la selección el bagaje crítico sobre el *Libro* de Juan Ruiz era, en verdad, escaso. El libro de referencia era entonces el del romanista Félix Lecoy, *Recherches sur le Libro de buen amor de Juan Ruiz, Archiprêtre de Hita* (1938); véase la reseña de Leo Spitzer (1939). Tras de la edición benemérita de Tomás Antonio

Sánchez (1779) y la más divulgada entonces de Pedro José Pidal y Florencio Janer pocos eran los avances que sobre el texto se habían efectuado. MRL preferirá la edición paleográfica de Jean Ducamin (1901) a la de Julio Cejador y Frauca (1913) todavía en la época de sus «Nuevas notas». Ha de recordarse, por su proximidad, la edición que preparó Alfonso Reyes (1917), de la que quizá exista una primera edición chilena de 1915. Las correspondencias con la cultura arabo-hebraica que estableció MRL (también Américo Castro) podían interesar particularmente a YM, que dedicó varios estudios lingüísticos al asunto, así como las referencias a uno de sus estudiosos queridos, el orientalista Ignacio González Llubera, que había sido miembro del Centro de Estudios Históricos.

Defensa de Dido

Véase MRL, «Dido y su defensa en la literatura española» (1942) y «La defensa de Dido» (1943). También MRL, «Dido en la poesía de Chaucer» (1944).

Los textos de MRL publicados sobre Dido y los materiales que recopiló a lo largo del tiempo fueron publicados, tras su muerte, con un extenso prólogo sobre su génesis y la biografía intelectual de la autora, por YM, *Dido en la literatura española. Su retrato y defensa* (1974). En el prólogo YM sitúa la composición de estos trabajos en el que describe como «tercer período» de la vida académica de MRL (1940-1943): «tras el primer triunfo personal para la joven autora, éxito que coincide con un breve florecimiento local de toda clase de actividades artísticas, literarias y científicas, a la zaga de los trágicos acontecimientos en Europa. María Rosa Lida publica dos artículos de extraordinaria penetración y solidez, que le granjean reconocimiento inmediato entre los peritos: "Transmisión y recreación de temas grecolatinos en la poesía lírica española" y "Dido y su defensa en la literatura española". Además, salen en sucesión rápida dos libros de carácter menos técnico, pero—a pesar de su amenidad—de rigor irreprochable: *El cuen-*

to popular hispanoamericano y la literatura; y una selección, con estudio y notas didácticas del *Libro de buen amor* (ciertas notas de índole menos elemental se publican aparte, formando otro artículo de revista). Mientras tanto, la autora, con la concentración tan típica de su modo de trabajar, pero sin el menor apresuramiento, dedica cada momento libre a una monografía de gran envergadura, sin sospechar que nunca la llevará a cabo: *Josefo y su influencia sobre la literatura española*. Nos han quedado unas mil páginas manuscritas de esa primera tentativa de un *magnum opus*, quizá excesivamente ambicioso» (1974, x; véase 1972, 1973).

Novicio

Frente a la natural modestia de YM, véase Rico-Malkiel, «Semblanza y Breve autobiografía-analítica» (1969-1971); YM, «A Tentative Autobibliography»; Jerry Craddock, «A Supplement to A Tentative Autobibliography» (1995). Por ejemplo, Rico-Malkiel n.os 3, 10, 42, 43, 44, 47, 48, etcétera.

Verismo

En el modo de razonar la representación de la realidad en la literatura española MRL entronca con Menéndez Pidal e incluso con Menéndez Pelayo, pese a notables diferencias de criterio con los maestros españoles. Compárese con Auerbach, *Mimesis* (1946).

La nueva Carolina Michaëlis

Carolina Michaëlis de Vasconcelos (1851-1925). Sobre CMV véase YM (1988; 1993); recientemente, Rubio Tovar (2005). La comparación se extenderá luego a la relación epistolar y posterior matrimonio entre Carolina Michaëlis y el musicólogo portugués Joaquim de Vasconcelos (véanse cartas XX, XXIV y XXXVIII). El juego sigue vivo en una risueña composición que MRL envía a YM en una postal fechada el 9 de enero de 1948 bajo el título de *Cosante saudoso*, «A la manera de Doña Carolina», donde Yakov es sustituido por Joaquín. Véase la edición en el apartado *Cantigas de amigo* y las explicaciones que allí se dan.

Varios artículos [...] *tan pronto como se publiquen*

Véanse entradas bibliográficas referidas arriba.

CARTA II

Río Bamba

Véase Lida, *Años dorados* (2014, p. 149): «María Rosa vivió con sus padres de niña y adolescente, y ya más grande, con su hermano mayor. Y cuando éste se casó siguió viviendo en familia; ocupó una habitación en la casa de Riobamba 118, donde Emilio viviría con su esposa Rebeca y sus dos hijas». Esta dirección aparece en las cartas II, III, VI y VII.

Algunos trabajos

Véase carta I.

Fray Antonio de Guevara

MRL, «Fray Antonio de Guevara. Edad Media y Siglo de Oro español» (1945); «Fray Antonio de Guevara (1481-1545). Edad Media y Siglo de Oro español» (1946). El despego intelectual que siente MRL hacia Guevara no es compartido en la actualidad por la mayoría de los estudiosos, que han destacado su dimensión europea. Véase, por ejemplo, Vosters, *Antonio de Guevara y Europa* (2010).

Polémica con Menéndez Pidal

Véase Menéndez Pidal, *El lenguaje del siglo XVI* (1933) y *La lengua de Cristóbal Colón, el estilo de santa Teresa y otros estudios sobre el siglo XVI* (1942).

Menéndez Pidal y MRL *(Excursus: interpreta de forma global materiales presentes en las primeras cartas).*

Ramón Menéndez Pidal (1869-1968). La aparición fulgurante de Menéndez Pidal en el inicio propio (febrero de 1947) del epistolario entre YM y MRL obedece a las intenciones de un no menos *foudroyant* cortejo. En efecto, desde un punto de vista egocéntrico («*my narrowly egocentric standpoint*», según palabras del propio YM), la llegada de un grupo de intelectuales argentinos, emigrados a Estados Unidos como consecuencia del gobierno del teniente general Juan Domingo Perón, añadió a su vida «*several and new dimensions and responsibilities*». Entre las cuales figura, qué duda cabe, la de su noviazgo epistolar con María Rosa Lida, «*whom I lost no time in marrying*».

En ese período cuajó para YM un doble connubio, con MRL y con *Romance Philology*, revista fundada en 1947, para cuyo primer número solicitó YM la aquiescencia del «insigne maestro» de la forma más «eficaz» posible, «el envío de un artículo o de una nota», que serviría de publicidad y de respaldo incontestable a la empresa (véase *Memorial Issue*, «Era omne esencial...», 1970). Meses antes de la misiva oficial a Pidal (noviembre de 1947), YM había participado la noticia a MRL, junto con la invitación, como aquí se lee (carta XI), a contribuir con un «artículo o una nota». Para atraer la voluntad de MRL, YM menciona las promesas de participación de Tomás Navarro y Amado Alonso, su más querido maestro.

La red tejida por YM se revelaría extremadamente eficaz, pues no sólo contrajo matrimonio con mujer de tan elevadas prendas en pocos meses, sino que aseguró la colaboración activa de su futura esposa en el proyecto, a la larga de gran envergadura, que supuso la dirección de *Romance Philology*.

El primer acercamiento de YM a MRL (septiembre de 1943) fue discreto: MRL envió a YM su selección del *Libro de buen amor* (1941) como contrapartida de media docena de opúsculos que YM le había enviado unos cinco meses antes (no se conserva, que sepa, carta de envío o tarjeta en uno u otro sentido). En esta primera toma de contacto YM subraya su devoción y admiración de profano por MRL, declara haber leído con «interés y provecho» sus artículos sobre Dido y la encumbra, al refugio de la voz pública, como la nueva Carolina Michaëlis de Vasconcelos.

Ya en esa carta YM se refiere a una categoría que él mismo considerará característica de la escuela pidaliana, el «verismo en las letras españolas» al que Lida alude en su *Dido*. YM apostilló en *Dido en la literatura española* (1974, xii): «El influjo de la escuela de Madrid prorrumpe en muchos rasgos de la presente investigación. Al propio Menéndez Pidal debe la autora la formulación del *verismo* como ingrediente esencial de la cultura española, así como su constante atención al aspecto *moralizador*, y no puramente estético, aun de las obras más exquisitas de la literatura amena. Otra coincidencia con el modo de pensar del maestro (tradicional a este respecto) es la predisposición de la autora a considerar a Séneca y Lucano como escritores *españoles* en vez de hispanorromanos. También la alusión a la lírica arábigo-provenzal evoca recuerdos de ciertas predilecciones de D. Ramón».

Pero si el reflejo en la carta de 1943 (n.º 1) es indirecto, en la epístola a la que me he referido en el inicio es tácito: el elogio se encuentra implícito en la discordancia de la joven investigadora (cuenta entonces treinta y cinco años) con el maestro de maestros, don Ramón Menéndez Pidal (setenta y seis años a la sazón). El asunto versa sobre determinadas posturas antagónicas (matices, en realidad) que MRL había publicado a propósito del estilo de fray Antonio de Guevara, contenidas en un artículo (1945) que MRL había enviado a YM. Para una caracterización crítica y con ribetes polémicos de la relación de MRL con Menéndez Pidal y algunos miembros de la Escuela de Filología española, en especial con Dámaso Alonso, véase ahora Hermida-Ruiz (2013).

La discrepancia con Pidal no podía ser más que menor (en términos absolutos), pero identificaba bien la elegante beligerancia cuya fama, en cierta medida justificada, debió asumir MRL (véase la diatriba contra Adolfo de Castro, *ibid.*). La admiración, no obstante, fue mutua: no podía ser de otra forma.

Por un lado, MRL fue discípula intangible, se diría que por poderes, de Pidal, al que le unía un hilo de diamante que atravesaba el Atlántico (véase la delicada reseña a dos conjuntos del maestro, 1941). Este cordón ligaba al Centro de Estudios Históricos madrileño, gobernado por Pidal, con su correspondiente ultramarino, el Instituto de Filología de Buenos Aires, que desde 1927 dirigió Amado Alonso. Por el Instituto y por su órgano de difusión, la *Revista de Filología Hispánica*, desfilaron gran parte de los referentes vitales e intelectuales de MRL. Y, sin embargo, al contrario que otros miembros del Instituto, como Alfonso Reyes o Américo Castro, MRL no tuvo la ocasión de ser ahormada al contacto directo con el «gran señor de la filología» (Amado Alonso *dixit*). De hecho, la presentación *inter vivos* que había de darse en Oxford, en 1962, no llegó a realizarse, por causa de la enfermedad de MRL.

Es la ocasión que lamenta un impresionado Pidal en el «Prólogo» que redactó en conmemoración de MRL (*Romance Philology*, 1963: 5-8). En este prólogo se contiene el facsímil de una carta de despedida que MRL envió a don Ramón en septiembre de 1962, donde le informaba de sus aspiraciones frustradas (sus últimos trabajos ya inviables) y de la profesión de admiración y cariño desde los nueve años (simbólica edad cidiana) en los que MRL (parafraseo) se asomó a los *Prosistas castellanos* (*i.e.*, *Antología de prosistas españoles*).

En la ocasión de la despedida cierra Pidal sus palabras con una alusión al conflicto cuyo significado aquí se persigue, el *caso Guevara*. Dice, a propósito de las obras en prospectiva por MRL: «*Guevara y el Policraticus de Juan de Salisbury* será, según presumo, el trabajo que ofrezca más inmediato interés, como renovador del antiguo estudio de MRL, donde tanto recalca el medievalismo de Guevara, cuyo extraordinario éxito considera como uno de los que yo llamo frutos tardíos medievales, madurados en la España del Renacimiento» (*ibid.*, 7-8). Expresión gustosa a MRL, por cierto, la de «frutos tardíos» (véase *La originalidad artística de La Celestina*, p. 50).

La interpretación que YM hizo de este pasaje muestra una

pizca de suspicacia. Primero se refiere a la cortés polémica que él mismo subrayó: «Seguramente le causó pena tener que hacer constar su desacuerdo casi total con un consumado maestro a quien admiraba tanto—nada menos que Ramón Menéndez Pidal, con motivo de *su interpretación poco feliz* de fray Antonio de Guevara» (*Estudios*, pp. 2-3; cursiva mía). Luego expresa la posibilidad (creo que inexistente) de un póstumo rencorcito: «inclusive Menéndez Pidal, en su ensayo necrológico, le reprochó, aunque en tono amistoso, un ocasional exceso de severidad y una exagerada propensión a la polémica» (*Estudios*, pp. 5-6).

En realidad, la menuda discrepancia no creo que molestara especialmente a don Ramón, que se había ocupado de Guevara de forma lateral a sus estudios más asentados y característicos, pero este rincón quedó iluminado por YM a mayor gloria de MRL.

Sin embargo tampoco, en propiedad, Guevara constituyó un foco de atención privilegiado en las indagaciones de MRL. Todas sus publicaciones al respecto se relacionan (raro en ella) con el hecho puntual de una efemérides, la del mismo Guevara (1481-1545). Con motivo de su aniversario aparecen el artículo mencionado y una nota divulgativa en *La Nación* (1946). En 1945 apareció también un artículo de Américo Castro que puede considerarse correlativo al de MRL, «Antonio de Guevara. Un hombre y un estilo del siglo XVI».

Las opiniones de Pidal databan de 1933 y se encontraban recogidas en su *El lenguaje del siglo XVI*. Lida pudo leerlas también en *La lengua de Cristóbal Colón, el estilo de Santa Teresa y otros estudios sobre el siglo XVI*, 1942, ambos mencionados en la nota al texto.

Fuera de este encuentro guevariano las coincidencias en los temas de estudio entre Pidal y MRL fueron tangenciales (cuando en *La idea de la Fama* se trata del *Cantar de Mío Cid* o del *Fernán González*; el interés de Pidal por Juan Rodríguez del Padrón a través del *Cancionero de romances de Amberes*; observaciones sobre el uso de la lengua en Jorge Manrique o en *La Celestina*...); o, en todo caso, motivadas por el amplio aliento de sus respectivas investigaciones. Así, por ejemplo, los trabajos de Lida sobre don Juan Manuel, el singular estudio (por su subterránea y poderosa influencia) sobre la *Garcineida* de García de Toledo o aquellos en los que comparece la *General estoria* como punto de partida. Este último texto lo había labrado con entusiasmo Antonio García Solalinde, un hombre del Centro en Estados Unidos al que MRL mostró sus respetos en el homenaje de *Romance Philology* (1951-1952) en su memoria, donde participaron también personalidades de la talla del propio Pidal, Marcel Bataillon y, desde luego, YM (pp. v-vi). Se publicó en consonancia cronológica con el artículo «Arpadas lenguas» que Lida entregó para el segundo volumen de *Estudios dedicados a Menéndez Pidal* (1951).

Cierto espíritu de emulación, más que defensa, late en las «Nuevas notas para la interpretación del *Libro de buen amor*» (1959), de las que asegura: «Las expongo aquí, por más que al hacerlo me vea a veces en la dolorosa precisión de expresar mi desacuerdo con don Ramón Menéndez Pidal y con don Américo Castro, prohombres de la filología hispánica, por quienes profeso la mayor reverencia y con cuya amistad me honro» (p. 17). En numerosos lugares de esta pequeña monografía MRL mantiene un enriquecedor diálogo con el Pidal de *Poesía juglaresca* o *Poesía árabe y poesía europea* y el Castro de *La realidad histórica de España* (véase YM, 1950), e incluso cuando disiente (no siempre) incorpora y redimensiona los materiales de sus maestros. Sin embargo, en dos de sus más grandes libros, Pidal apenas comparece en calidad de editor de fuentes (*Juan de Mena*) o para aderezar, muy de cuando en cuando, algunos puntos (más por simpatía que por necesidad) de *La originalidad artística de La Celestina*.

Este episodio, anecdótico si se quiere, refleja la voluntad de MRL por la forja de una voz propia, una originalidad *artística*, precisamente, que alentó y custodió con celo YM como su «albacea intelectual».

Una amena biografía sobre Pidal, con bibliografía abundante (aunque sin índices), en Pérez Pascual, *Ramón Menéndez Pidal. Ciencia y pasión* (1998).

Vel(l)ido y melindre

YM, «The Etymology of Hispanic *vel(l)ido* and *melindre*» (1946); «From Latin *Mellītus* to Old Spanish *v-*, *b-ellido* (with attention newly drawn to the role played by *bar-va*, *-ba*)» (1988).

Romance Philology

La revista publicó su primer número en 1947. Referencias detalladas a la fundación de esta y otras revistas en el ámbito de Berkeley se encuentran en los retazos autobiográficos de YM. De Marco referencia la carta que YM envía a Menéndez Pidal el primero de noviembre de 1947 con la intención de adherirlo a la causa.

Extracto de la carta de YM a Menéndez Pidal (1-11-1947): «Varias veces estaba para escribirle participándole la grata noticia de la fundación de una nueva revista filológica en California, de orientación hasta cierto punto europea. Esta revista tratará de reanudar las tradiciones de la *Zeitschrift*, del *Archivum Romanicum* y de los inolvidables veinticuatro tomos de la *R[evista] de F[ilología] E[española]* que fueron dirigidos por usted y que consultamos todos los días. Ya se ha publicado el primer número de nuestra revista, con contribuciones del Sr. Morley y de mi talentoso colega D. Juan Corominas. En los próximos números se publicarán artículos de muchos eruditos europeos y americanos: Bertoldi, Barbier, Orr, Spitzer, Entwistle, Pop, Gougenheim, Charlier, Nitze, Mrs. Grace Frank y la simpática argentina María Rosa Lida, que se ha trasladado a Harvard; va incluido un trabajo póstumo de Georg Sachs acerca de la Biblia medieval romanceada, el que según me consta mi malogrado colega preparó en Madrid y Nueva York bajo la dirección personal de usted... Aun siéndole muy fácil hallar un pretexto para negarnos este favor, espero que usted sabrá apreciar el trabajo que cuesta a los jóvenes mantener una revista en un nivel estrictamente científico dentro de un ambiente espiritual de caos, decadencia e indiferencia a la filología. No puede un insigne maestro manifestar su simpatía de modo más eficaz que por el envío de un artículo o de una nota a los que tratan de llevar adelante los estudios brillantemente iniciados por él».

Pidal publicaría en *RPh* dos artículos y el prólogo al *Memorial issue* por MRL.

J. Corominas

Juan Corominas, «Problemas del diccionario etimológico» (1947). Publicó otros dos artículos en la revista, *Romance Philology*, «*Sacar*» (1952) y «Sobre el origen de *alrededor*» (1954). En la misma publicó una extensa necrológica Duarte i Montserrat, «Joan Coromines (1905-1997): l'obra gigantina d'un home apassionat» (1998). Según Barbara De Marco la relación entre YM y Corominas se deterioró en los años siguientes, pero no consta en su nota la documentación de este aserto.

Tomás Navarro

En 1939 Navarro Tomás dejó España para ocupar un puesto en Columbia University (Nueva York). Véase YM, «A Hispanist Confined to His 'Inner Castle': Tomás Navarro Tomás (1884-1979)» (1981). Navarro Tomás publicó tres artículos en *Romance Philology*: «El endecasílabo en la Tercera Égloga de Garcilaso» (1952); «Los versos de sor Juana» (1953), y «Geografía peninsular de la palabra *aguja*» (1963). Navarro Tomás fue uno de los principales apoyos de YM en Nueva York.

En Rico-Malkiel (1969-1972), YM esboza así el encuentro con Navarro Tomás: «Entre los pocos profesores que trataban de animarme a continuar mis pesquisas conviene señalar a don Tomás Navarro, que fue el primero en llamar mi atención sobre el Instituto de Filología de Buenos Aires y sobre la *Revista de Filología Hispánica*. Fue en el gabinete de Tomás Navarro, en Columbia University, allá por el mes de marzo de 1940, donde vi por primera vez un trabajo de María Rosa Lida».

Amado Alonso

Amado Alonso (1896-1952) fue el director del Instituto de Filología de Buenos Aires durante los años 1927-1946, así como fundador de *Revista de Filología Hispánica*. Es la personalidad más relevante en el epistolario de MRL, para la que fue maestro y guía en todo momento. Cuando, debido a las circunstancias políticas en Argentina, Amado Alonso acepte un cargo de profesor en Harvard, MRL le seguirá, subvencionada por una beca de la Rockefeller Foundation, a la que se hará referencia en numerosas ocasiones en este epistolario.

Sobre la figura de Amado Alonso y su relación con el Instituto de Filología véase Weber de Kurlat, «Para la historia del Instituto de Filología y Literaturas Hispánicas 'Dr. Amado Alonso'» (1975). En esta publicación se encuentra una relación completa de los nombres más relevantes que formaron el Instituto en tiempos de MRL, así como algunos otros más jóvenes pero que pueden considerarse formantes de la misma escuela. Sobre A. Alonso y el Instituto son valiosos también algunos de los estudios publicados en el monográfico de *Cauce* (1995-1996). Para la vida académica de MRL en Estados Unidos resulta útil la síntesis de Gómez-Bravo (2005). Véase MRL, carta XVI.

Amado Alonso no llegó a publicar ningún artículo en *Romance Philology*. YM escribió una breve necrológica en esta publicación (1952) y reseñó la revisión de Lapesa del libro de Amado Alonso, *De la pronunciación moderna en español*, también en *Romance Philology* (1955). Luego apareció en la misma revista una reseña algo tardía de la *Miscelánea filológica en memoria de Amado Alonso*, publicada en *Archivum* (1954), por Elcock (1960).

De Marco recoge varios de los textos en memoria de A. Alonso que aparecieron en 1952, entre ellos los publicados por Ramón Menéndez Pidal y Dámaso Alonso, *Ínsula* (1952). Véanse, también, Raimundo Lida, *Nueva Revista de Filología Hispánica* (1952); Dámaso Alonso, *Revista de Filología Española* (1952); Marcel Bataillon, *Bulletin Hispanique* (1952); Rafael Lapesa, *Hispania* (1953); *Nueva Revista de Filología Hispánica* (1953), publicada como *Homenaje a Amado Alonso*, con una nota cronológica de Alfonso Reyes y una bibliografía.

CARTA III

Nietos o biznietos espirituales

Compárese la sentencia atribuida a Bernardo de Chartres, según la cual él y sus contemporáneos eran «enanos a hombros de gigantes» y, por otro lado, la verdad por encima de todo, *Fedón*, 91c.

El elogio de YM a propósito de su artículo sobre Guevara, en el que disentía de Pidal, da pie a MRL a exponer su canon moral: la verdad por encima de todo, tan similar al célebre *moto* de Unamuno: «antes la verdad que la paz». Se inscribe también el linaje del saber al que se remonta MRL en la sentencia atribuida por Juan de Salisbury (*Metalogicon*) a Bernardo de Chartres, reformulada luego por Petrarca y tantos, que bien podría haber merecido uno de los ilustres artículos de MRL. Sobre este asunto el artículo clásico es el de Jeauneau (1967). Si en buena medida Amado Alonso y el Instituto eran hijos espirituales de Ramón Menéndez Pidal y del Centro de Estudios Históricos, MRL puede considerarse a sí misma como nieta de este origen común. La frase referida más adelante, «estamos en mejores condiciones para amar a Sócrates, amar a Platón y a don Ramón, pero más a la verdad», recuerda un pasaje del *Fedón* platónico que, en un sentido muy similar, repetirá MRL en el arranque de sus «Nuevas notas para la interpretación del *Libro de buen amor*»: «Las expongo aquí [estas observaciones y reflexiones], por más que al hacerlo me vea a veces en la dolorosa precisión de expresar mi desacuerdo con don Ramón Menéndez Pidal y con don Américo Castro, prohombres de la filología hispánica, por quienes profeso la mayor reverencia y con cuya amistad me honro. Mi decisión se funda en el deseo de contribuir a la mejor comprensión del *Libro* y en mi convicción sobre los derechos impostergables de la búsqueda de la verdad. Perdónese, pues, si al resolverme a publicar entre estas notas algunos reparos a los dos estudiosos citados, me autorizo—al modo medieval—con el ejemplo del sabio que puso en boca de su maestro las palabras: «Pensad poco en Sócrates y mucho más en la verdad» (*Fedón*, 91c), y con el ejemplo de su discípulo, que le refutó partiendo cabalmente de esas mismas palabras (*Moral a Nicómaco*, 1096a): «Quizá es mejor que examinemos el bien universal y ventilemos nuestras dudas sobre su sentido, aunque esta investigación no es violenta, por sernos caros los hombres que introdujeron la teoría de las ideas. Por otra parte, quizá parecerá mejor y aun es fuerza—máxime para un filósofo—sacrificar hasta los respetos personales para salvaguardar la verdad: porque siéndonos caros los dos, es sagrado deber preferir la verdad» (*Estudios de literatura española y comparada*, pp. 25-26).

A sus discípulos y amigos personales

Algo forzado es aquí el apoyo de MRL pues es sabido que, en general, los discípulos de Ramón Menéndez Pidal no se caracterizaron por cerrar filas en torno al maestro de forma acrítica, al menos no en la manera en que sucedió en el caso de Américo Castro. Se trata más bien de una reflexión genérica que de una acusación particular, pues gran parte de esta carta es una miniatura de su idea de la ciencia filológica.

Pidal sobre la epopeya [...] *mester de juglaría y mester de clerecía*

Los aspectos viejos a los que se refiere MRL a propósito de la epopeya son las ideas de Pidal acerca de los orígenes y difusión de la épica románica, vertebrados en el llamado neotradicionalismo (al tradicionalismo corresponderían los «viejos restos» de la «crítica (?) romántica»).

Las teorías mantenidas por Pidal al respecto son ponderadas y buscan el compromiso con dos posturas que fueron en principio irreconciliables. La crítica de MRL es algo injusta, aunque natural en una correspondencia epistolar que desea ser franca en lo intelectual, para luego serlo en lo personal. MRL, que ama la «obra de arte» y la «originalidad artística» no podía compartir sin recelo un modelo teórico en el que la independencia y la consistencia de la obra literaria queda en, hasta cierto punto, entredicho. De otro lado, el libro de RMP que más leyó y citó MRL es, justamente, *Poesía juglaresca y juglares*, donde se trata de los conceptos «mester de juglaría» y «mester de clerecía». MRL se interesó profundamente en las obras del segundo mester, sobre todo el *Libro de buen amor*, pero también el *Poema de Santa Oria* de Berceo, al que dedicó un importante artículo (1956).

Propter Sion non tacebo

Isaías 62, 1-5. Véase capítulo IV «Et Sion angitur», en MRL, *Jerusalén. El tema literario de su cerco y destrucción por los romanos* (1972). Compárese Gautier de Châtillon: «*Propter Sion non tacebo,* | *sed ruinam Romae flebo,* | *quousque iustitia* | *rursus nobis oriatur* | *et ut lampas accendatur* | *iustus in ecclesia*». Doy el texto de Raby (*A History of Christian-Latin Poetry*, 1927; cit. 2.ª ed. 1953: 294), que difiere del que sirve a la traducción de Lluís Moles (*Carmina burana*, 1978: 78-79): «No he de callar a causa de Sión, | antes lloraré la ruina de Roma, | hasta que la justicia | surja de nuevo entre nosotros | y como una lámpara brille | el justo en la iglesia». El texto de Gautier lo recupera Raby de nuevo en su *A History of Secular Latin Poetry in the Middle Ages* (1934: II, 201), donde también figura un texto de Hugo, Primado de Orléans, en el que se hace referencia a Sócrates y Platón en un contexto de sentido similar al que alude MRL: «*sed doctrina veritatis.* | *ibi nomen non Socratis,* |

sed eternae trinitatis. | non hic Plato vel Thimeus, | hic auditor unus Deus» (II, 178). Aunque la más divulgada antología de poesía latina medieval es posterior a estas cartas (1959), los libros del estudioso británico se encontraban entre las lecturas de cabecera de MRL, que también manejó el anterior *Oxford Book of Medieval Latin Verse* de Stephen Gaselee (1928). Véase la penetrante reseña de MRL a la antología de Raby de 1959 publicada en *Romance Philology* (1962).

Nuestra querida RFH

En 1939 comenzó la andadura de *Revista de Filología Hispánica*, dirigida e inspirada por Amado Alonso y editada por el Instituto de Filología de Buenos Aires y el Instituto de las Españas de Columbia University. Cerró su primer ciclo en 1946.

El Comité de la Revista en el Año I, número I, enero-marzo de 1939, tenía como redactores a las siguientes personas: Ángel J. Battistessa (Instituto de Filología), Américo Castro (Universidad de Wisconsin), Pedro Henríquez Ureña (Instituto de Filología), Hayward Keniston (Universidad de Chicago), Marcos A. Morínigo (Universidad de Tucumán), Tomás Navarro Tomás (Universidad de Columbia), Federico de Onís (Universidad de Columbia), José A. Oría (Universidad de Buenos Aires), Ricardo Rojas (Universidad de Buenos Aires), Ángel Rosenblat (Universidad de Quito), Rudolph Schevill (Universidad de California), Eleuterio F. Tiscornia (Instituto de Filología). Como redactor bibliográfico figuraba Sidonia C. Rosenbaum (Universidad de Columbia), y como Secretarios, Raimundo Lida y María Rosa Lida (Instituto de Filología).

Por motivos políticos la revista cierra su ciclo en 1946, con la marcha del maestro y varios de sus discípulos, pero será refundada, cual nueva Troya, en América del Norte, bautizada como *Nueva Revista de Filología Hispánica*, editada desde 1947, impresa en México y publicada por el Colegio de México, desde 1949 con la colaboración de Harvard University. En esta nueva empresa colaborará de manera destacada Raimundo Lida. Para la historia de la *NRFH* véase la «Presentación» de Antonio Alatorre del Índice de los Tomos I-XLIV (1947-1996) en Rivas Velázquez y Rodríguez González (1997).

Como señala Barbara De Marco, el Instituto seguiría abierto bajo la dirección de Alonso Zamora Vicente, que en 1949 constituye una nueva revista, *Filología* (responsable en 1962 de un homenaje a MRL). En su primer número de mayo-agosto se especifica: «*Filología*, digámoslo de una vez, no pretende continuar revista alguna anterior, ni muchísimo menos, suplantarla. No. Su afán es la comunidad del esfuerzo generoso por un laborar común, en este caso el idioma, y la carga, la maravillosa carga espiritual de que es portador».

Varias notas de léxico

Las prometidas por MRL para *Romance Philology*; véase carta IV.

Su artículo sobre «recudir»

«The World Family of Old Spanish *recudir*» (1946).

Hispanic Review era la revista editada en Philadelpia, señalada aglutinante del hispanismo. En *HR* publicó MRL «Para la toponimia argentina: Patagonia» (1952); «De Centurio al Mariscal de Turena: fortuna de una frase de *La Celestina*» (1959), volumen en memoria de Joseph E. Gillet, y algunas reseñas, «El moro en las letras castellanas» (1960); (1962), sobre el libro de Gillet, *Torres Naharro and the Drama of the Renaissance*, 1961. Póstumos: «Sobre la prioridad de ¿Tan largo me lo fiáis? Notas al *Isidro* y a *El Burlador de Sevilla*» (1962); «Una anécdota de Facundo Quiroga» (1963); «Las sectas judías y los 'procuradores' romanos; en torno a Josefo y a su influjo sobre la literatura española» (1971).

Juan de Mena, *La Coronacion, compuesta y glosada por el famoso poeta Iuan de Mena, dirigida al illustre cauallero don Yñigo Lopez de Mendoça*, Amberes, en casa de Juan Steelsio, 1557, con Privilegio Imperial. Glosa a la copla 34 (no 33): «fuese al su espejo, [...] el qual le demostro fermosa ymagen, recodida del habito de la su hermosura [...] [h. 711] como los rayos del Sol reflectan y se quiebran en bien terso y polido spejo, e recuden contra otras. [h. 712]».

CARTA IV

Nota sobre saber

MRL, «*Saber* 'soler' en las lenguas romances y sus antecedentes grecolatinos» (1949).

Cancionero de Baena

MRL extrae el texto de *El Cancionero de Juan Alfonso de Baena (siglo XV). Ahora por primera vez dado a luz con notas y comentarios* (1851), con prólogo de Eugenio de Ochoa y edición e introducción de Pedro José Pidal. Se trata del extenso *dezir* (n.º 288) con que abre la sección dedicada a Ruy Páez de Ribera. El texto es idéntico al que cita MRL salvo en la *a* inicial del segundo verso, en mayúscula en la edición de 1851 (copla 32, p. 300). Compárese la lección alternativa ofrecida por Michel (1860: vol. 1, p. 289): «ca esta cobdiçia que saben en | lasar, | á todos aýna tienen convertidos:».

Ambrosio de Salazar

Véase Ambrosio de Salazar, *Thesoro de diversa lición* (1636). La procedencia más probable de la cita es *Aforismos [sacados de la historia de Publio Cornelio Tácito para la conservación y aumento de la monarquía]: Benito Arias Montano. Tesoro de diversa lección: Ambrosio de Salazar* (1943). En aquellos momentos el estudio de referencia sobre la obra gramatical de Salazar era el de Morel-Fatio, *Ambrosio de Salazar et l'étude de l'espagnol en France sous Louis XIII* (1900), aunque no menciona este pasaje.

CARTA V

Será la primera

La mayor parte de las publicaciones en revistas de MRL aparecieron en *Revista de Filología Hispánica* y *Romance Philology*. Véase la bibliografía compilada en el Homenaje de *Romance Philology*, la bibliografía final de *Herodes* y Mark G. Littlefield, *A Bibliographic Index to Romance Philology. Volumes* X-XXV, con un preliminar de YM (1974).

Literatura del siglo XV

El interés de YM por esta materia queda perfectamente descrito en el extenso prólogo al volumen recopilatorio *Estudios sobre la literatura española del siglo* XV (1978), si bien no aparecen aquí los estudios mencionados en la carta.

Abolengo de Juan de Mena

MRL, «Para la biografía de Juan de Mena» (1941).

Baena

Véase Avalle Arce, «Sobre Juan Alfonso de Baena» (1946).

Avalle Arce (1927-2009) nació en Buenos Aires, de familia noble de origen navarro, emigrada durante la primera guerra carlista. Estudió con Raimundo Lida y Amado Alonso, con el que viajó a Estados Unidos y con el que se doctoró en Harvard en 1955 con la tesis que proporcionaría sustancia a uno de sus libros de referencia, *La novela pastoril española*. Uno de los vínculos principales entre la bibliografía de MRL y Avalle Arce será *Amadís*.

Aurora

MRL, «El amanecer mitológico en la poesía narrativa española» (1946).

Castellanos

MRL, «Huella de la tradición grecolatina en el poema de Juan de Castellanos» (1946).

Henríquez Ureña

Pedro Henríquez Ureña (1884-1946). De origen dominicano, se desplaza a Argentina en 1924 para entrar a formar parte del Insituto de Filología (fundado en 1923). Fue uno de los editores de *Revista de Filología Hispánica.*

Véase Weber de Kurlat, «Pedro Henríquez Ureña en el Instituto de Filología de Buenos Aires» (1984). Y, sobre todo, MRL, «Una conversación con Pedro Henríquez Ureña» (1956). En 1938 MRL colaboró con Henríquez Ureña en la traducción e interpretación de unos pasajes de Pedro Mártir que este estudioso incorporó en su *Para la historia de los indigenismos.*

Three Hispanic Words

Se trata, en realidad, de un extenso artículo, «Three Hispanic Word Studies: Latin MACULA in Ibero-Romance; Old Portuguese *trigar*; Hispanic *lo(u)cano*» (1947).

El artículo

YM, «A Latin-Hebrew Blend: Hispanic *desmazalado*» (1947).

CARTA VI

Su nota acerca de saber

Véase carta IV.

O tempora, o mores!

Es la archiconocida exclamación que se encuentra en Marco Tulio Cicerón, *Catilinam orationes* I, 2 y *Orationes* in Verrem II, IV, 55.

Comentario al «Libro de buen amor»

MRL, «Notas para la interpretación, influencia, fuentes y textos del *Libro de buen amor*» (1940). Para la *Selección* publicada en Losada, véase carta I.

Curso de antiguo español

No llegó a publicarse, véase carta XVI.

Varios trabajos

YM, «The Etymology of Hispanic *vel(l)ido* and *melindre*» (1946); «The Etymology of Spanish *lerdo*», *Philological Quarterly* (1946); así como «Three Hispanic Word Studies», ya mencionado.

CARTA VII

Profesor Morley

Sylvanus Griswold Morley (1878-1970), hispanista, profesor en la Universidad de Berkeley. Ofreció a YM su primer trabajo en Berkeley y fue su mentor.

Aparece mencionado en numerosas ocasiones en el espistolario [refs. 10, 11, 16, 18, 19, 21, 23, 27, 28, 30, 32, 34, 40]. En cierto sentido, Morley hizo las veces de Amado Alonso para Yakov Malkiel, y fue uno de los primeros impulsores y apoyos de *Romance Philology*. Enseñó en Berkeley desde 1914 hasta su jubilación en 1948. Necrológica de YM en *Romance Philology* (1972). Dedicados en su honor los volúmenes VI.4 y VII.1 de mayo y agosto de 1953. El volumen de mayo contiene una bibliografía analítica a cargo de Benjamin M. Woodbridge Jr. (pp. 215-230). De Marco recuerda también un ensayo *In Memoriam* compuesto por Edwin S. Morby, Luis A. Murillo y Dorothy C. Shadi, colegas suyos en el Department of Spanish and Portuguese.

Harvard

Entre 1947 y 1948 MRL fue Research Fellow in Medieval Spanish Literature de la Rockefeller Foundation. Residió en Cambridge, Mass., entre septiembre y febrero, y luego en Berkeley, como muestra el proceso del espistolario y las gestiones que en él se detallan.

En los treinta y tres años

Véase YM, «Autobiographic Sketch: Early Years in America», donde se deslindan las etapas de su trashumancia vital e intelectual, así como Rico-Malkiel (1969-1972).

CARTA VIII

Dios de la Reina

La etimología propuesta por MRL, como se verá más adelante, carta IX, es incorrecta. Malkiel significa 'Dios es mi rey'.

Esta aproximación etimológica, aunque desnortada, es el primer paso claro de MRL hacia una mayor intimidad con YM, alentada por los deseos de YM de conocerla en persona y por la sensación de que una vez en Estados Unidos la relación sentimental, improbable desde Argentina, puede ahora cuajar, como parece advertir el propio YM al ofrecerse de inmediato a ser su guía incluso en la distancia de Berkeley, así como su paño de lágrimas. En cualquier caso se trata del inicio de las «confidencias» entre ambos, sobre todo por parte de MRL. Son cruciales, por ejemplo, la mención a sus pánicos y a una cierta neurastenia o al menos tensión nerviosa, propiciada por el cambio radical, pero también muestra de su carácter introspectivo y de un suave romanticismo. Los autoanálisis psicológicos de MRL son importantes también porque enlazan con el modo en que ella misma se aproximó a las grandes obras literarias y profundizó en la descripción de sus personajes con tan rara finura y habilidad.

La fémina menos andariega

MRL fue persona de contados desplazamientos. Cabe remarcar que nunca viajara a Europa. La posibilidad de ir a Oxford para participar en un congreso se vio truncada por la enfermedad. Hacia 1578, el nuncio papal en España se refirió a santa Teresa como «fémina andariega, e inquieta». Véase Fray Diego de Yepes, *Virtudes y milagros* (1614: 609).

La notita

Véase carta IV.

Immanuel Romano

Immanuel Romano (Immanuel ben Solomon o Manoello Giudeo) (Roma, *c.* 1270–*c.* 1330). Escribió tratados gramaticales y poesía. Se expresó en lengua hebrea, latina y *volgare*. Su *Mahbaroth* comprende veintiocho composiciones, en prosa y verso a la manera de los del *dolce stil novo* (amigos suyos fueron Cino da Pistoia y Bosone da Gubbio).

La referencia de MRL es relevante, pues *Mahbaroth* significa lo mismo que *maqamat*, el género literario árabe con el que Lida comparó la estructura del *Libro de buen amor*. Véase Modona, *Vita e opere di Immanuele Romano* (1904). El texto corresponde literalmente con el que recoge Marti, *Poeti giocosi del tempo di Dante* (1956: 313), según el códice 433 de la Biblioteca Casanatense. El juramento por Mahoma que añade Lida resulta jocoso, pero sutil, tras la referencia al texto de un judío (buen conocedor de la cultura árabe). En cuanto a lo del amigo judío de Dante quizá recuerda la última composición de su *Mahbaroth*, que imita la descripción del infierno en la *Commedia*.

CARTA IX

Américo Castro

Américo Castro (1885-1972), filólogo e historiador español.

Aunque en 1931 había desempeñado función docente en Columbia University, no es hasta 1938 que Castro se exilia a Estados Unidos donde, en el período que ahora interesa, enseñó en Wisconsin (1937-1939), Texas (1939-1940) y Princeton (1940-1953). Anteriormente, durante la estancia de Castro en Argentina como director e impulsor del Instituto de Filología (véase Degiovanni y Toscano, 2010), ambos se habían conocido. La obra suya que más admiraba MRL era *El pensamiento de Cervantes* (1925), en sintonía con sus propias grandes monografías. Un año después de la llegada de MRL a Estados Unidos Castro publicaría su obra más conocida y de mayor impacto, *España en su historia* (1948). Discípulo de Castro en Princeton fue Stephen Gilman, autor de dos importantes monografías sobre *La Celestina* con las que MRL se mostró mayoritariamente en desacuerdo. El excitante estudio de Castro *La Celestina como contienda literaria* (1965), aunque de corte diferenciado, queda en deuda con el *opus magnum* de MRL, *La originalidad artística* (1962). Un compendio de la bibliografía relativa a Américo Castro se halla en Valero Moreno, «Américo Castro: la invención de la tolerancia» (2010).

Congreso filológico anual (Detroit)

El Congreso anual de la Modern Language Association, que ese año se celebró en Detroit (Michigan).

La MLA es la Asociación más poderosa en Estados Unidos en relación con la Filología en general y la enseñanza de las lenguas en particular. De ahí que YM aunque lo tache de «aburridísimo» lo considere al mismo tiempo como necesario. No me consta que MRL, y ello sería significativo, llegara a ser miembro de la MLA. YM formó en 1946 un «Discussion Group Comparative Romance Linguistics» en colaboración con Giuliano Bonfante. Uno de sus objetivos era el apoyo de *Romance Philology*.

Etimología de «marrano»

YM, «Hispano-Arabic 'marrano' and its Hispano-Latin Homophone», *Journal of the American Oriental Society* (1948).

Este artículo es en parte una refutación de la monografía de Farinelli, *Marrano: storia di un vituperio* (1925). Para una definitiva refutación histórica de Farinelli véase Cantera Burgos y Carrete Parrondo, *Las juderías medievales en la provincia de Guadalajara* (1975). Véase también Netanyahu, *Los marranos españoles según las fuentes hebreas de la época (siglos XIV-XVI)* (1994, orig. 1973).

No hay que vacilar en usar el español

Se diría que YM sugiere que MRL no domina el inglés hablado, caso que la propia MRL no menciona. Desde muy pronto tradujo en Argentina textos ingleses. Quizá su traducción más representativa sea la de Emily Brontë, *Cumbres borrascosas* (1938), que se sigue reeditando con gran aplauso de los lectores. En la tercera edición (1940) se le añadió un prefacio de Victoria Ocampo.

Somos un poco como los griegos en Roma

Las palabras de ánimo que emplea YM tienen un trasfondo cultural. Entre otros textos podrían aducirse las reflexiones en torno a este asunto de Cicerón en *De finibus bonorum et malorum*, especialmente en el último libro.

Horacio

MRL había colaborado con Henríquez Ureña en *Las cien obras maestras de la literatura y del pensamiento universal*, para la que preparó la edición de las *Odas y épodos* (1939), así como de las *Sátiras y epístolas* de Horacio (1940). Véase además su reseña al libro de E. Castle *et alii*, *Orazio nella letteratura mondiale* (1936); esto es, MRL, «Horacio en la literatura mundial» (1940).

Los años que pasé en Nueva York (1940-1941)

Las difíciles experiencias de YM en Nueva York y su posterior peregrinaje académico se narran con detalle en «Early Years in America», en *First Person Singular* (1980: 77-95).

Las expresiones con que YM alude a su situación precaria de estos años son muy significativas; una se emplea normalmente en un contexto deshumanizado (en las ciencias físicas): «*beyond the saturation point*», lo que aplicado a un judío en Estados Unidos es, ciertamente, siniestro. La otra hace referencia al tan conocido título *Une saison en enfer*, el poema en prosa del poeta francés Arthur Rimbaud.

Dios es mi rey

Compárese cartas VIII y XII. Génesis 46, 17-18.

Nací en Kiev

Véase Rico-Malkiel (1969-1972: 609-610).

YM: «Nací en Kiev, el 22 de julio de 1914, es decir, una semana antes de estallar la Primera Guerra Mundial. Mis recuerdos de infancia incluyen viajes a la Crimea y al Cáucaso, de modo que ya de niño conocí el lado *mediterráneo* de la vida en Rusia. Mis padres pertenecían a familias cultas y activas intelectual y comercialmente. Mi padre, abogado por formación universitaria (en San Petersburgo), se dedicaba con mucho éxito y talento a la industria, y varios primos míos del costado paterno—que me llevaban unos veinte años—comenzaban a brillar entonces en el movimiento que precedió al *formalismo* (Victor Žirmunskij y Yurij Tynjanov, entre otros). Primo de mi madre era el conocido novelista y ensayista Mark Aldanov, que murió hace unos diez años en el sur de Francia.

»Por desgracia, Kiev fue el foco de la guerra civil, que arruinó por completo a nuestra familia. En 1921, mis padres se decidieron a trasladarse a Berlín, donde yo comencé—por primera vez—una vida nueva.

Hysteron proteron Homerikos

Para este sintagma, que se refiere a una estructura circular característica de la épica homérica, véase el estudio clásico de Bassett, «Hysteron Proteron Homerikos (Cic. Att. 1, 16, 1)» (1920).

Mea maxima culpa

Fórmula del *Confiteor*.

La fórmula del *Confiteor* es sin duda trivial, pero no deja de ser significativo que se mencione en un contexto de alusiones claras a la religión hebraica y a esa especie de tripartición espiritual en la que vivió MRL, la tradición clásica, la tradición hebraica (cuya lengua desconocía), y la tradición cristiana, que tan enjundiosamente estudió, y que era la religión de la mayor parte de sus maestros. Como se verá, Atenas y Jerusalén es una constante, un *bivio*, en sus estudios y en su mentalidad. Aquí se menciona en un momento en que las confidencias entre YM y MRL empiezan a transparentar una clara atracción. Es muy probable que MRL, a pesar de que conocemos poco acerca de sus prácticas religiosas, nunca pensara en casarse con un gentil, con lo que YM le pareció, a varios respectos, la persona más adecuada para su nueva vida.

Mezuza

La *mezuzá* es un pequeño pergamino que contiene los primeros párrafos del *Shemá*, oración del judaísmo que se reza al iniciar el día: «Escucha, Israel» (Deuteronomio 6, 4).

Mezuzá significa 'marco' o 'jamba', pues es este el lugar tradicional donde se coloca dicho pergamino, protegido por alguna suerte de cápsula. Debe ser copiado el texto por un escriba profesional (*sofer*) y sin ninguna falta (*Keseherá*). La *mezuzá* es una especie de amuleto protector. Es llamativo que MRL llevara la *mezuzá* al cuello, lo que quiere decir que consideraba su cuerpo como su casa, máxime encontrándose, en ese momento, en una teórica diáspora personal.

Sefardí-Ashkenazi

Para el profano resulta extraño el despego de MRL con respecto a la cultura sefardí (la propia de la diáspora de origen ibérico). Pero los judíos conservan una fuerte conciencia de pertenencia a su grupo genético: en el caso de los askenazíes se trata, genéricamente, de los judíos de la Europa central y oriental (Alemania, Polonia, Rusia, Ucrania y otras zonas eslavas). Recuérdese que YM había nacido en Kiev, y los orígenes de la familia de MRL. La lengua propia de Ashkenaz (nombre del territorio habitado por estos judíos) es el conocido como yídish. Es el grupo judío más amplio de la diáspora. Sobre este asunto delicado véase Lida, *Años dorados* (2014: 182).

Mi épica

Un proyecto inconcluso sobre la épica medieval.

De Marco entiende a la luz de posteriores cartas que MRL se refiere a los inicios de la elaboración de *La originalidad*. Me parece, sin embargo, discutible. MRL hace mención a la necesidad de leer «tantas cosas farragosas e inútiles»: la bibliografía sobre *La Celestina* era, en aquel momento, exigua, al menos para referirse a ella de forma categórica. Más bien creo que se trata de uno de los tantos proyectos que acarició MRL a lo largo de su vida. Aquellas «cosas» que consumían el tiempo y la paciencia de MRL sí podían ser, sin embargo, los muchos y voluminosos estudios sobre los orígenes de la épica medieval, que levantaban desde finales del XIX auténticas polvaredas críticas en torno a asuntos de carácter circular, caso de las teorías de Menéndez Pidal. Es cierto que no se puede seguir en la bibliografía de MRL este proyecto. 1948 es un año vacío para la bibliografía publicada (coincide con su matrimonio y asentamiento en California). Pero el año siguiente se percibe, por la redacción de tres reseñas, un llamativo interés a propósito del *Poema de Fernán González*. Las reseñas, que aparecen todas en la *Nueva Revista de Filología Hispánica* (1959: 179-182; 182-185; 186-189), repasan, respectivamente, las ediciones de Serrano (1943); Zamora Vicente (1946); Correa Calderón (1946). En 1954 publica la reseña del libro de Erich von Richthofen, *Studien zur romanischen Heldensage des Mittelalters* (1944), en *Romance Philology* (1954). Su artículo (1953; reed. 1978) que remeda paródicamente el título de la *Eneida*, poco o nada tiene que ver, pese a la inicial apariencia, con la sátira latina medieval que tituló *Garcineida*. Ha de tenerse en cuenta, al menos, su traducción e introducción, junto con YM, de «El *Cantar de la Hueste de Igor*» (1949). Si se tratara de la elaboración de una de sus obras monumentales la más cercana es la revisión del *Juan de Mena*, que se publicó en 1950.

Biblioteca monstruosamente enorme

La(s) de Harvard, que tanto admiró también a Dámaso Alonso.

This evil of solitude

En el mundo anglosajón es relativamente conocida la expresión «*the evil of solitude*», tal como comparece en *Mansfield Park* de Jane Austen (1814), cap. XLV, obra que sin duda MRL conoció.

Américo Castro y su encantadora esposa

Carmen Medinaveitia.

El azar mueve el sol y las estrellas

Dante Alighieri, *Paradiso* 33, 145: «*L'amor che muove il sole e l'altre stelle*». Es el último verso del *Paradiso*. Nótese la pudorosa paliación de MRL: *azar/amor*. Véase «enmienda» en carta XIV.

Gillet

Joseph E. Gillet (1888-1958). Profesor en Bryn Mawr College y en la University of Pennsylvania, co-editor de *Hispanic Review*, profesor visitante en Berkeley en 1949 y editor asociado de *Romance Philology*.

Véase Green, «Joseph Eugene Gillet: The Scholarly Record» (1959). Necrológica de YM (1958). Véase MRL, «Del Renacimiento español: Bartolomé de Torres Naharro» (1952), reseña del tomo tres *Propalladia and Other Works*, ed. Gillet (1951). En el primer número de *Romance Philology* apareció una reseña a Gillet, a la que se alude un poco más adelante.

Journal of the American Oriental Society

El artículo al que se alude en la carta IX. Se reimprimió en *Theory and Practice of Romance Etymology: Studies in Language, Culture, and History (1947-1987)* (1989: 175-184).

Romance Philology

Referencia a la salida del primer número, con «más material francés que hispano».

Juan Corominas

Véase carta II.

Morley

Véase carta VII.

Entwistle

Véase carta XXIV.

La épica medieval española

Véase arriba carta X. Dice YM que «se trata evidentemente de la preparación de un libro». De tal libro no queda constancia: quizá una buena inmersión en los archivos podría deparar una grata sorpresa.

Poema de Alfonso XI

Véase carta XIII. La edición definitiva por parte de la hispanista holandesa fue *El poema de Alfonso XI* (1956).

Véase reseña de Armistead, *Romance Philology* (1959). Con conocimiento de la misma publicó Diego Catalán una reseña demoledora en *Nueva Revista de Filología Hispánica* (1952). En la fecha a la que se refiere YM se publicó *Poema de Alfonso XI, I: estudio preliminar y vocabulario* (1942), tesis revisada de la autora, que MRL no llegó a reseñar (véase, en comparación, la benévola reseña de Cirot en *Bulletin Hispanique*, 1944, por la que quizá se guió YM). Es claro que YM desconocía el valor del libro que pretendía que reseñara MRL. Sí se ocupó MRL de la reseña de Diego Catalán Menéndez-Pidal, *Poema de Alfonso XI. Fuentes, dialecto, estilo* (1953), en *Romance Philology* (1955), adicionada por YM con notas lingüísticas (pp. 306-311).

Cantar de Mio Cid

Menéndez Pidal, *Cantar de mío Cid: texto, gramática y vocabulario*, en *Obras de Ramón Menéndez Pidal*, III-V (1944-1946). MRL no publicó una reseña de esta reedición.

Pen-friendship

Amistad epistolar, literalmente 'de pluma'.

Atenas y Jerusalén

Nueva insistencia sobre el origen judío y el concepto de «marrano». Véase arriba, carta IX.

Revolución de marzo de 1933

Véase YM, «A Candid Retrospect», en su *Tentative Autobibliography* (pp. 145-146).

El 5 de marzo fue elegido Adolf Hitler para el Reichstag. El partido Nazi ganó las elecciones con un 44 % de los votos.

Rilke, Valéry, Catulo, Horacio.

La tesis de Bachillerato de YM en el Berlin-Schöneberg Realgymnasium se tituló *Paul Valéry; l'homme et son œuvre.*

Algunos de los grandes romanistas, como Curtius, se dedicaron a la obra de Valéry y, entre los españoles, fue Jorge Guillén un decidido admirador. Menos conocido en el mundo hispánico fue Rilke. Horacio, como es sabido, era el poeta latino preferido de MRL, que también conocía muy bien la obra de Catulo. El giro lingüístico de YM poco tendrá que ver en adelante con la poesía moderna o la clásica. Dice YM que no deseaba ser lingüista, «de esos que no saben más que analizar», seguramente refiriéndose a la cohorte menos creativa de los llamados neogramáticos.

Liturgia hebrea

Salmos 118, 17. YM duda; véase identificación en MRL, más adelante, carta XII.

Mi padre murió en Berkeley

Véanse los escritos autobiográficos de YM ya citados.

CARTA XII

Marrano

Véase arriba, carta IX; estudio de *marrano.*

Diccionarios de argentinismos

Granada, *Vocabulario rioplatense razonado* (1889); Garzón,

Diccionario argentino ilustrado con numerosos textos (1910); Díaz Salazar, *Vocabulario argentino* (1911); Segovia, *Diccionario de argentinismos* (1911).

En general véase Barcia, *Los diccionarios del español de la Argentina* (2004).

Daniel Granada, *Vocabulario rioplatense razonado* (1889). Hay edición crítica de Kühl de Mones (1998). De Marco se refiere a la 2.ª ed., corregida y aumentada, Montevideo, Imprenta Rural, 1890. La primera edición iba adornada con un juicio crítico de Alejandro Magariños Cervantes (Miembro Correspondiente de la Academia Española), a la segunda se le añadió un nuevo juicio crítico (en realidad dos cartas) del académico y escritor español Juan Valera. Daniel Granada, jurista, escritor y lexicógrafo, nació en Vigo (España) en 1847, aunque desde su niñez hasta 1904, cuando regresa a España, vivió en Montevideo (Uruguay). Murió en Madrid en 1929. Magariños resume así el currículo de Granada, que cito aquí para resaltar las relaciones de dependencia entre los eruditos «americanos» y la metrópoli: «El Dr. D. Daniel Granada, socio corresponsal de la *Sociedad Geográfica Argentina* (de Buenos Aires) y honorario de la *Asociación de Escritores y Artistas* (de Madrid), ha sido inteligente secretario de la Universidad de Montevideo, ilustrado y gratuito catedrático de literatura en el *Ateneo del Uruguay*, íntegro magistrado y fiel ejecutor de la ley como juez de primera instancia en lo comercial» (p. v).

Tobías Garzón, *Diccionario argentino ilustrado con numerosos textos* (1910), publicado bajo los auspicios de la comisión nacional del centenario de la revolución de mayo y de la Universidad Nacional de Córdoba, República Argentina. La introducción de Garzón está firmada en Barcelona, 20 de abril de 1910. Para algunos datos sobre Garzón (1849-1914) y el contexto de la composición de su *Diccionario* puede leerse en línea el texto de Lauria, «Lengua y nación. El *Diccionario Argentino* de Tobías Garzón (1910)» (2007).

Diego Díaz Salazar, *Vocabulario argentino: neologismos, refranes, frases familiares y usadas en la Argentina* (1911).

Lisandro Segovia, *Diccionario de argentinismos, neologismos y barbarismos, con un apéndice sobre voces extranjeras interesantes* (1911), obra publicada bajo los auspicios de la comisión nacional de centenarios. Aunque publicado en 1911, el *Diccionario* obtuvo el Primer Premio de la Academia Española en los Juegos Florales de 1904, lo que explica algunas de las expresiones del propio Segovia en el prólogo acerca del carácter pionero de su obra. Segovia destacó como jurista en derecho civil e internacional, siendo Académico honorario, por ejemplo, de la Facultad de Derecho de la Universidad de Córdoba o de la Academia de Jurisprudencia y Legislación de Madrid.

La RFH *que se está resucitando en México*

Véase arriba, carta III.

Spitzer

Leo Spitzer (1887-1960), filólogo. Para el artículo sobre *lerdo* de YM, véase carta VI. La reseña de Spitzer apareció en *Nueva Revista de Filología Hispánica* (1947).

Spitzer fue uno de los grandes colaboradores de *Revista de Filología Española* y sus estudios hispánicos, tanto literarios como lingüísticos, fueron muy seguidos. Fue acogido en su colección por Amado Alonso como maestro de la estilística, en un volumen junto a Karl Vossler y Helmut Hatzfeld, que tradujeron y anotaron el propio Amado y Raimundo Lida, *Introducción a la estilística romance* (1932). Apareció más tarde su *La enumeración caótica en la poesía moderna*, traducido por Raimundo Lida (1945). El filólogo nacido en Viena y que finalizó su carrera en Baltimore (John Hopkins University) fue uno de los más célebres y temidos de su tiempo, dado su talante polémico. Para la bibliografía de este prolífico romanista, véase Baer y Shenholm, *Leo Spitzer on Language and Literature. A*

Descriptive Bibliography (1991). Sptizer trató con detalle algunos de los temas favoritos de MRL, en especial Lope y Juan Ruiz, por lo que aparece citado profusamente en la obra de la argentina. YM dedicó a Spitzer una necrológica en *Romance Philology* (1958). Véase Wellek, «Leo Spitzer (1887-1960)», *Comparative Literature* (1960), donde establece el cuarteto de grandes romanistas germanos: Vossler, Auerbach, Curtius y Sptizer.

Let's stop talking shop

Es un refuerzo de *fago punto*, esto es, 'me callo', 'me dejo de cháchara' o 'me dejo de discusiones', significado aproximado, aquí, de esta expresión idiomática.

Decía Américo Castro en Nueva York

Donde enseñó, en Columbia University. Véase arriba, carta IX.

Alalma, alatma

MRL escribe de memoria; el título correcto del artículo al que se refiere es «Antiguo judeo-aragonés, *aladma*, *alalma* 'excomunión'» (1946).

Las mujeres, raza aporreada

Desde el punto de vista científico al menos MRL fue pionera en la equiparación de hombres y mujeres, pues respecto a la disciplina no importa el sexo sino el conocimiento y la verdad. Pese a todo, las instituciones de su época, todavía a mediados del siglo XX, continuaban con tradiciones excluyentes, como la referida a la entrada principal por la puerta del Faculty Club o el veto a la enseñanza en Harvard, efectivo, justamente, hasta 1947, en que inició con mucha timidez la presencia femenina.

Otras convenciones mantendrían a MRL alejada de la continuidad en las aulas. En Berkley, por ejemplo, marido y mujer no podían trabajar en el mismo Departamento, de modo que MRL sólo se ocupó de algunos cursos de verano. Esta situación contrasta con el reconocimiento científico del que por entonces gozaba MRL.

Testament of youth

Es probable que MRL se refiera a la autobiografía, del mismo título, de Vera Brittain (1893-1970), centrada en su vida durante 1900-1925 y publicada en 1933.

Es uno de los textos que se suelen citar para contextualizar los problemas de las mujeres y de la población civil durante la Primera Guerra Mundial. La referencia sería muy apropiada en tanto que Vera Brittain abogó por un papel destacado de la mujer cultivada e independiente en la sociedad. Es claro que MRL jugaría con el contenido del texto de Brittain al trasladarlo al panorama de la Segunda Guerra Mundial y sus propios problemas y conflictos, que ha declarado a YM. Para MRL y su lugar en el panorama femenino véase Gómez-Bravo, «María Rosa Lida de Malkiel (1910-1962) and Medieval Spanish Literary Historiography», en *Women Medievalists and the Academy* (2005: 723-732).

El Dió proveerá

Citado así, a la usanza sefardí, MRL equipara sus dudas y sufrimientos con los de Abrahám (Génesis 22, 7-8).

Widener Library

En la elegante y emblemática Widener Library pasó MRL, según confiesa, sus mejores horas en Harvard. Fue fundada como regalo de Eleanor Elkins Widener en conmemoración de su hijo Harry, joven bibliófilo que pereció en el hundimiento del *Titanic*. La biblioteca abrió sus puertas al público en 1915, con capacidad para más de tres millones de volúmenes.

No es extraño que MRL diga perderse en sus pasillos exagerando un poco el tono, pero lo justo si se compara con la precaria situación de las bibliotecas argentinas en las que trabajó. Para la historia de la Widener véase Battles, *Widener: Biography of a Library* (2004). Véase carta XIII: «la magnífica Widener Library», en opinión de YM.

Juan de Mena

MRL publicó tres años más tarde la que fue su tesis doctoral, sugerida por Amado Alonso, al que se la dedicó como «mi maestro» (y «A la memoria de Pedro Henríquez Ureña»): *Juan de Mena, poeta del prerrenacimiento español* (1950; 2.ª ed. 1984).

La tesis se defendió en la Universidad de Buenos Aires (Facultad de Filosofía y Letras, Instituto de Filología, Departamento de Filología Románica), el 17 de junio de 1947, poco antes del viaje de MRL a Estados Unidos. La segunda edición es fundamental, pues recoge en apéndice el carteo de la autora en torno al libro entre 1947-1952 y las anotaciones y fichas de la misma incluidas en su ejemplar de trabajo entre 1950-1962, material que compiló y ordenó YM. Según la descripción de YM, la labor que precedió a la tesis se decanta cuando Amado Alonso propone a MRL la reseña de la edición del *Laberinto de Fortuna* por José Manuel Blecua (1943). La reseña resultó tan amplia y desbordante que se canalizó hacia la redacción de un trabajo de envergadura. A ello alude MRL en una carta a Amado Alonso (Apéndice, p. 571) escrita probablemente hacia finales de 1950. El análisis de la relación epistolar entre maestro y discípula que hace YM (pp. 572-574) *pro domo sua* revela mucho más de sí mismo que de los enjuiciados. La dureza con que alude al talante de Alonso para ensalzar la inteligencia no bien entendida de la alumna es más apropiada para la conversación íntima entre los esposos que para exponerla públicamente. Al menos ello nos permite calibrar el clima psicológico de estos grandes hombres. El texto mecanografiado de la tesis se revisó profundamente para su publicación, incluyendo numerosas notas y agregados en 1948-1949, como informa YM (p. 576).

El libro de MRL, con todos los reparos que se quiera, intimida por su profundidad y por el desenvuelto atrevimiento con que la autora encara a un destacado autor con una bibliografía precaria cuando no inexistente. Las páginas precedentes de Puymaigre o Menéndez Pelayo, o algún artículo de Inez McDonald y Morel-Fatio no colmaban, ni de lejos, la gran laguna. MRL supo encontrar los arrestos suficientes para levantar ella sola toda una tradición crítica a partir de textos defectuosos (precisamente la faceta en la que realmente ha habido avances significativos respecto a Mena). Como libro integral sobre Mena el de MRL no sólo es un clásico sino que, en muchos aspectos, sigue siendo el estudio de referencia en su campo. Supuso, además, el centro privilegiado desde el que afrontar el difícil terreno de la literatura castellana del siglo XV, del que MRL llegó a disponer de unos conocimientos excepcionales (véase el volumen *Estudios sobre la literatura española del siglo* XV), conocimientos que le servían de cimiento para pensar hacia adelante, gracias a los cuales construyó *La originalidad artística de La Celestina*, y gracias a los cuales proyectaba consagrarse al estudio de Fray Luis de León (al que no llegó a alcanzar). Esta orientación, que viene del impulso de Juan Ruiz, iba en cierto sentido a contrapelo de la de Rafael Lapesa, que publicó primero su delicioso libro *La trayectoria poética de Garcilaso* (1948), reseñado por MRL, «Un nuevo estudio sobre el Marqués de Santillana», *Romance Philology* (1950) y luego, hacia atrás, *La obra literaria del marqués de Santillana* (1957)—reseña de MRL en *Romance Philology* (1960)—, estupendo trabajo pero, como el anterior, de dimensiones remotas a la monumentalidad de MRL.

Otras publicaciones de MRL sobre Juan de Mena: «Para la biografía de Juan de Mena» (1941); «La prosa de Juan de Mena» (1949).

Heródoto

MRL, trad., *Los nueve libros de la historia* (1949). Incluye un amplio estudio preliminar.

Sobre MRL y Heródoto véase Reichenberger, «Herodotus in Spain. Comments on a neglected essay (1949) by María Rosa Lida de Malkiel» (1965). MRL nunca abandonó su devoción por los clásicos grecolatinos (conocida era su debilidad por Tucídides y por Horacio, finísima su *Introducción al teatro de Sófocles*, asombrosa su penetración de Josefo, etcétera), así como por la literatura latina medieval.

Civil-cruel

MRL, «*Civil* 'cruel'» (1947).

De Marco indica una referencia errónea y traslada la nota a 1954.

Francisco Imperial

MRL, «Un decir más de Francisco Imperial: respuesta a Fernán Pérez de Guzmán» (1947).

Unas observaciones sobre «La Celestina»

Es probable que se recojan estas observaciones en un articulito aparecido bajo el título «Originalidad de *La Celestina*», *La Nación* (Buenos Aires), 16 de enero de 1949, pp. 3-4.

Para los orígenes del tema celestinesco en MRL véase YM, «A Brief History of M. R. Lida Malkiel's *Celestina* Studies» (1982); YM, «M. R. Lida de Malkiel's *Ur-Celestina*» (1984). También Fraker, «María Rosa Lida de Malkiel on the *Celestina*» (1967).

Es notable cómo, contra la costumbre de construir la investigación a base de publicaciones preliminares y parciales, MRL reservó todas sus fuerzas para la concreción de la grandiosa *La originalidad artística de La Celestina* (1962), sólo precedida por las páginas breves pero sustanciosas de *Two Spanish Masterpieces: The Book of Good Love and The Celestina* (1961); véase también: «De Centurio al Mariscal de Turena: Fortuna de una frase de *La Celestina*» (1959). Parte de los materiales celestinescos de MRL se publicaron póstumos, como «El ambiente concreto en *La Celestina*» (1966); «Elementos técnicos del teatro romano desechados en *La Celestina*» (1973); «La técnica dramática de *La Celestina*» (1984). Véanse también las reseñas a Lazo Palacios, *El laboratorio de Celestina* (1958), en *Romance Philology* (1963); Deyermond, *The Petrarchan Sources of* La Celestina (1961), en *Romance Philology* (1963).

MRL era gran conocedora del teatro antiguo—*Introducción al teatro de Sófocles* (1944)—, latino medieval y románico—véase la reseña a Richard Donovan, *The Liturgical Drama in Medieval Spain* (1958), en *Romance Philology* (1961)—, así como de la escena del Siglo de Oro. Sin embargo, más allá de Torres Naharro, a través de Gillet—véase la reseña a *Torres Naharro and the Drama of the Renaissance* (1959), en *Hispanic Review* (1961)—, no parece que dedicara especiales esfuerzos al teatro peninsular de la Edad Media, lo que resulta significativo para la concepción y carácter de su interpretación de *La Celestina*—véase «Para la fecha de la *Comedia Thebayda*» (1952); «Del Renacimiento español: Bartolomé de Torres Naharro» (1952); «Para la génesis del *Auto de la Sibila Casandra*» (1959)—.

Vida de Homero, atribuida a Heródoto

Véase arriba. De Marco dice no encontrar trazas de esta traducción.

La idea de la fama

MRL, *La idea de la fama en la Edad Media castellana* (1952).

MRL, dedicó este estudio, emparentado temáticamente con su *Juan de Mena*, a su madre. Es un trabajo de *topica* y tradición, tan del gusto de la autora, y en el que mide fuerzas con figuras como la de Curtius. Se trata de un libro en ocasiones abrupto. Es sabido que MRL no era amiga de excursos ni preámbulos teóricos (la introducción o «propósito» ocupa apenas una página): la documentación, por contra, se vuelca con exuberancia y criterio, a través del cual se dirimen las ideas latentes. Existe una traducción francesa de este libro, *L'idée de la gloire dans la tradition occidentale. Antiquité, moyen âge occidental, Castille*, trad. Roubaud (1968).

Seguiré con la épica

Véase arriba, cartas X y XI.

Tucídides

Véase MRL, «Oración fúnebre de los atenienses» (1939), traducción de Diego Gracián retocada por MRL; «El diálogo de Melos» (1944).

Es curioso que en la sección dedicada a Grecia en *La idea de la fama* no se mencione a Tucídides, pero sí a Heródoto.

Génesis

Génesis 46, 17 y 30, 9-13. Zilpa es la sierva de Lea, esposa de Jacob, a quien fue entregada para procrear.

CARTA XIII

Cuentos de hadas

La faceta folklorista de MRL puede auscultarse en su *El cuento popular hispano-americano y la literatura* (1941), así como en su metodología de trabajo.

Un artículo de veinte páginas

Se diría que es el referido más abajo sobre la etimología de *cansino*: «La etimología de *cansino*» (1948).

Drang nach Osten

'Pulsión del Este', 'Necesidad de ir hacia el Este'. La expresión procede del historiador Heinrich von Sybel (1817-1895).

Ironía política de YM, según De Marco, a propósito de Goebbels. Relacionado con el nazismo y su política expansionista y anexionista hacia el Este como espacio vital, *Lebensraum*. Sin duda el eco trágico es síntoma de un sano humor negro y de una relación ya de clara complicidad entre dos «judíos».

Congreso de la MLA

Congreso MLA en Detroit, 1947.

Congreso LSA

Congreso LSA, New Haven (Yale).

Abreviaturas

ASNSL: *Archiv für das Studium der neueren Sprachen und Literaturen*; ZRPh: *Zeitschrift für romanische Philologie*; VKR: *Volkstum und Kultur der Romanen*; ZFSL: *Zeitschrift für französische Sprache und Literatur*; RF: *Romanische Forschungen*; LGRPh: *Literaturblatt für germanische und romanische Philologie*; St. Neoph: *Studia Neophilologica*; DLZ: *Deutsche Literaturzeitung*; Neophil.: *Neophilologus*; Rev. Belge de phil. et d'hist.: *Revue Belge de Philosophie et d'Histoire*; Le franç. mod.: *Le Français Moderne*.

Cuesta creer que ninguna de estas revistas se encontraba actualizada en Berkley, aunque el tráfico de ideas no se normalizó hasta unos años después de la Segunda Guerra Mundial. El alarde de YM resulta un tanto forzado y MRL lo recibirá con humor.

Spitzer

Agosto de 1947 en Chicago, Baltimore (Spitzer, como se ha indicado, ejercía su docencia en la Universidad Johns Hopkins), Washington, Nueva York.

Alfonso XI

Véase arriba, carta XI.

Tentatively

De Marco señala cómo *tentative* se convirtió, en efecto, en una «palabra mágica» para YM, que la utilizó en los títulos de varias publicaciones suyas.

Salterio

Se refiere al descubrimiento en 1947 de los rollos del mar Muerto.

Es por estas fechas, también, cuando se descubren y difunden las jarchas. Como señala De Marco, el sintagma «salmos paganos» no es claro y quizá se refiere a sólo a su carácter no canónico. En todo caso, el descubrimiento fue muy polémico en sus primeros años, hasta que las aguas volvieron a su cauce y los textos se integraron en los estudios bíblicos, tanto hebraicos como cristianos.

Mikhail Mikailovich Karpovich

Mijaíl Mijáilovich Karpovich (1888-1959), historiador ruso-judío.

Tras la Revolución rusa de 1905 emigró a París: en la Sorbona estudió historia medieval de Europa así como historia de Bizancio. En 1908 regresó a Rusia, donde profundizó en la historia medieval rusa en la Universidad de Moscú. En 1917 Karpovich se integró en el Gobierno Provisional y viajó a Estados Unidos como secretario personal del futuro embajador Boris A. Bakhmeteff. Enseñó historia en Harvard entre 1927 y 1959. Fue uno de los fundadores, en 1951, del Bakhmeteff Archive (Butler Library, Columbia University), especializado en papeles relacionados con la inmigración rusa. Fue uno de los fundadores y máximos colaboradores de *The Russian Review*, una influyente publicación en cuyo número 1 de 1960 se encontrarán dos importantes semblanzas necrológicas: Mosely, «Michael Karpovich, 1888-1959» (1960); Malia, «Michael Karpovich, 1888-1959» (1960). En vida se publicó el siguiente volumen de homenaje: McLean, Malia y Fischer (eds.), *Russian Thought and Politics* (1957).

Juan de Mena y Antonio de Guevara

Véase carta II.

Cita de carta en alemán

Traducción: «Finalmente he encontrado en el garaje, el lugar donde van a parar todas nuestras cosas valiosas por la carencia de espacio, una copia del trabajo sobre los *marranos*, que deseaba leer. Guarde el trabajo hasta que encuentre tiempo para leerlo y reenvíemelo de nuevo otra vez, por favor.

»Los Ángeles es muy llevadero ahora, como en aquellas semanas estivales que pasé aquí trabajando. Entonces hacía un calor terrible, pero ahora se está muy bien.

»Hojeé las revistas en la UCLA y mi mirada quedó prendada en un artículo de María Rosa Lida.

»Con cordiales saludos, suya...

Pequeña fotografía

De Marco indica que todas las fotografías mencionadas fueron separadas de la correspondencia, sin que se hayan podido hallar. En la carta XIV MRL menciona esta fotografía como de YM junto a su madre.

CARTA XIV

Azar que mueve

Véase carta X. *Paradiso* 33, 145.

Emilio Lida

Emilio Lida (1903-1994), médico argentino, hermano mayor de MRL.

Escribe Miranda Lida: «Médico hematólogo, fue el mayor

de los hermanos de María Rosa y además el primer universitario de una familia de clase trabajadora que logró ascender socialmente en la Argentina de comienzos de siglo XX. Su figura fue de gran ejemplo para su hermana por la dedicación al estudio, a la lectura y, también, a la investigación científica. Emilio, además, la alentó para que hiciera sus estudios universitarios, aún cuando no contaba plenamente con el aval de sus padres».

Alonso-«cansino»

Véase carta XIII.

Imperial

«Un decir más de Francisco Imperial: respuesta a Fernán Pérez de Guzmán» (1947).

Diffugere nives

Horacio, *Odas*, IV, VII: «*Diffugere nives, redeunt iam gramina campis | arboribusque comae; mutat terra vices et descrescentia ripas | flumina praetereunt*» (vv. 1-4). «Se fueron las nieves, ya vuelve la yerba a los campos y al árbol | su cabellera; cambia | de modos la tierra y los ríos decrecen corriendo de nuevo | por los cauces de siempre» (ed. y trad. Fernández-Galiano y Cristóbal, 1990). La oda de Horacio la toma MRL para su edición (1940: 149-151; con retoques) de las Horacianas de Bartolomé Mitre (1895: 378-381): «Fuese la nieve, torna el verde al campo, | su cabellera al árbol; | muda de suerte [aspecto: BM] el suelo, y en sus lechos | corren mansos los ríos».

Más blancas

Estrofa 33, según el texto de Uría Maqua, *Poema de Santa Oria*, citado por De Marco: «Estas tres sanctas vírgines [Agatha, Elulalia, Cecilia] en Çielo coronadas, | tenién sendas palombas en sus manos alçadas, | más blancas que las nieves que non son coçeadas, | paresçié que non fueran en palombar criadas».

En otras ediciones, como la de Janer, es la estrofa 30. Entre las versiones que pudo manejar MRL las más probables son la de Tomás Antonio Sánchez, *Colección de Poesías Castellanas anteriores al siglo* XV (1779-1790, 4 vols.; t. 2, 1780, pp. 435-461); reimpreso en Eugenio de Ochoa, *Colección de los mejores autores españoles antiguos y modernos* (1842); Florencio Janer, *Poetas castellanos anteriores al siglo* XV (1864); Marden, *Cuatro poemas de Berceo (Milagros de la Iglesia robada y de Teófilo, y Vidas de Santa Oria y de San Millán)* (1928); *Vida de Sancto Domingo de Silos y Vida de Sancta Oria, Virgen* (1943), que reproduce el texto de Janer.

El texto seguiría interesando en adelante a MRL; véanse sus «Notas para el texto de la *Vida de Santa Oria*» (1956). Este interés lo compartía MRL con su maestro Pedro Henríquez Ureña, del cual, véanse «La cuaderna vía» (1945), o «Sobre la historia del alejandrino» (1946).

Ma douce contrée | *la doucer argentine*

Desde el punto de vista literario la expresión «ma douce contrée» procede de un célebre poema de Guiot de Provins, juglar de agitada vida y autor de la célebre *Bible Guiot* (finales del siglo XII, principios del XIII).

Se diría que la relación con el tema de la nieve es definitiva para la atribución de este pensamiento poético, por no mencionar el sintagma «bone amor». La *chanson* en su conjunto puede leerse como una sutil declaración en clave. Esta interpretación, un tanto arriesgada, se apoya en el juego de aliento y reticencia de la propia MRL que, probablemente, YM, «hombre prosaico», no llegara a captar. Un magnífico ejemplo del juego se encuentra en esta misma carta, con el doblete «hermano en la sangre», «hermano en la Filología», cuando MRL muestra y esconde el naipe al mismo tiempo: «Me precipité hacia ella [la carta] con toda avidez, porque creí que era de Emilio: tan parecida es la letra [...]. Por cierto que el texto no me hizo arrepentir de mi avidez». Es de subrayar, además, cómo

MRL filtra su experiencia de emigrada en la tradición literaria, proponiendo aquí una antología mínima. Refiero el texto completo por la edición de quien fue discípulo de legendarios romanistas, en primer lugar Mario Roques, pero también Joseph Bédier, Antoine Thomas o Alfred Jeanroy (Orr, ed., *Les Œuvres de Guiot de Provins, poète lyrique et satirique* (1915); Chanson III, pp. 5-6): «*Molt avrai lone tans demoré | fors de ma douce contree | et maint grant enui enduré | en terre malëuree. | Por ceu, n'ai je pas obliïé | lo douz mal que si m'agree, | don ja ne quier avoir santé | tant ai la dolor amee. || Lonc tens ai en dolor esté | et mainte larme ploree: | li plus bels jors qui est d'esté | me semble nois et jalee | quant el païs que je plus he | m'estuet faire demoree: | n'avrai mais joie en mon aé | s'en France ne m'est donnee. || Si me doint Deus joie et santé, | la plus bele qui soit nee | me conforte de sa biauté. | S'amors m'est el cuer entrée; | et se je muir en cest pansé | bien cuit m'erme avoir salvée. | Car m'ëust or son leu presté | Deus! Cil qui l'a esposee. || Douce dame, ne m'oblïez | ne soiez cruëls ne fiere | vers moi, qui plus vos aim k'asez | de bone amor droituriere. | Et se vos ensi m'oeïez, | Las! Trop l'acheterai chiere | l'amor don si me sui grevez, | mais or m'est bone et entiere. || He, las! Con sui desëurez | se cele n'ot ma proiiere | a cui je me sui si donez | que ne m'en puis traire arriere. | Trop longuement me sui celez: | ceu font la genz malparliere | don ja nus ne sera lassez | de dire mal par darriere*».

Du Bellay, *Les Regrets, suivis des Antiquités de Rome*, ed. Grimal (1949, soneto XXXI, p. 79): «*Heureux qui, comme Ulysse, a fait un beau voyage, | ou comme cestuy là qui conquit la toison, | et puis est retournée, plein d'usage et raison, | vivre entre ses parents le reste de son aage! || Quand revoiray-je, hélas, de mon petit village | fumer la cheminée, et en quelle saison | revoiray-je le clos de ma pauvre maison, | qui m'est une province, et beaucoup d'avantage? || Plus me plaist le séjour qu'ont basty mes ayeux, | que des palais Romains le front audacieux: | plus que le marbre dur me plaît l'ardoise fine, | plus mon Loyre Gau-*

lois, que le Tybre Latin, | Plus mon petit Lyré, que le mont Palatin, | et plus que l'air marin la douceur Angevine».

Mis infidelidades

En 1947 sólo constan dos artículos para *Nueva Revista de Filología Hispánica*, ya mencionados, y la amplia reseña a Paul Bénichou, «Romances judeo-españoles de Marruecos» (1946), aparecida en *Davar* (1947).

En esta reseña destaca el interés de MRL por los asuntos épicos vertidos en los romances recopilados por Bénichou pues, como se ha visto, MRL pergeñaba por entonces una posible monografía sobre épica. 1948, año de su boda con YM, quedó desierto de publicaciones; será a 1949 cuando se desplacen varios de los trabajos a los que parece aquí aludir, tanto la breve nota a *La Celestina*, aparecida en *La Nación*, como un buen puñado de reseñas, entre ellas tres sobre el *Fernán González* (véase arriba, carta X).

Gusto doblado

Me ha sugestionado esta expresión poco común al paralelo con un poema amoroso de lejanías, de Hernando de Acuña, «Quejas de ausencia enviadas a su mujer», donde se lee: «Amo ya seguramente | sin duda de ser pagado, | imagino el mal pasado, | considero el bien presente, | y así el *gusto es doblado*: | con aquél sentí tormento, | con éste, en contentamiento | me voy siempre mejorado; | del uno quedo burlado, | y del otro, más contento» (ed. Díaz Larios, 1982: XVII, vv. 111-120, p. 211). Por otro lado, el curioso sintagma «contemplar en la carne» parece remitir por *contrafactum* al «verbum caro factum» (Juan 1, 1-18) y a la tarea meditativa y contemplativa acerca de este hecho trascendental, vuelta aquí a lo profano por sublimación.

Dr. Alonso, su esposa

Joan Evans.

Joan Evans era novia de Amado Alonso desde su período español, tal y como comparece en *La arboleda perdida*, de Rafael Alberti, con motivo de un recital poético en el que el gaditano se esforzó por hacer castellana su pronunciación: «Alguien, muerto de risa, me abrazó fuertemente. Era Amado Alonso, joven filólogo, navarro, encantador, franco y alegre, con algo de pelotari. Me presentó a su novia, una inglesa espigada, la alumna más bella de aquel curso. Nos hicimos amigos, pero pronto dejé de verlo». Se cuenta que la joven esposa fue desheredada por su familia, a disgusto porque matrimoniara con un español (véase Belausteguigoitia, «La Universidad de Sevilla rinde tributo al filólogo y crítico Amado Alonso», *El País* (01/02/1999). Sus cuatro hijos varones («retoños») fueron: Ramón, doctor en Matemáticas Aplicadas; William, director del Instituto de Demografía de la Universidad de Harvard; Juan Manuel, profesor de Literatura en la Tufts University (Massachusetts); y Fernando, artesano y empresario. Amado Alonso vivió en la casa de Arlington hasta su muerte.

La guerra española

Informa MRL del inicio de sus actividades en 1939 (el final de la guerra civil fue declarado el primero de abril). Lo cierto es que las primeras publicaciones de MRL datan de 1934. Y, aunque es cierto que ninguna de sus publicaciones famosas es anterior a esta fecha, la pericia de MRL como clasicista la amerita como colaboradora habitual de la revista española *Emerita*, para la que realiza varias reseñas. Se dedica entonces, fundamentalmente, a los estudios clásicos.

Los bosques de Rivadeneyra

Entiéndase por Manuel Rivadeneyra (Barcelona, 1805–Madrid, 1872), el editor de la célebre Biblioteca de Autores Españoles, refugio de MRL frente al antisemitismo.

Esta Biblioteca no destaca por el cuidado de sus textos, pero fue el gran reservorio de la literatura española anterior al inicio de los *Clásicos Castellanos* de La Lectura y otras colecciones de mérito científico que se iniciaron por entonces. Conviene recordar que Rivadeneyra viajó en dos ocasiones a América, donde hizo amistad con Andrés Bello. La Biblioteca de Autores Españoles se inició en 1846 y cumplió su primera etapa en 1888. En 1905 Menéndez Pelayo continuó la labor con la Nueva Biblioteca de Autores Españoles (dirigida por él hasta el vol. 20), Bailly-Baillière, Madrid, 1905-1918 (veintiséis vols.). A partir de 1954 se hizo cargo de la colección la Editorial Atlas, alcanzándose un total de más de trescientos volúmenes.

Dido y Sófocles

Véanse cartas I y XII.

Momentos tan angustiosos

Aparte de los prejuicios antisemíticos que MRL debió de vivir con dolor, han de entenderse las circunstancias que llevaron a la disolución del compenetrado grupo de trabajo del Insituto de Filología. El propio Amado Alonso llegó a sufrir prisión, que piadosamente llamaremos preventiva. Motivos ideológicos y políticos provocaron la dispersión del destacadísimo grupo de intelectuales del Instituto.

Todo libro encierra una biografía

En el sentido de la frase paralela «el hombre es el estilo» (Buffon), no porque un libro sea una biografía como género, sino porque de su escritura y en sus entresijos se transfiere el estado psicológico y vital de quien lo escribe, idea muy acepta a MRL y que convoca en no pocas ocasiones.

Por ejemplo, con respecto al antisemitismo que se acaba de comentar, se sitúa la reseña a Bénichou, donde MRL escribe: «El profesor Bénichou no aporta solamente los requisitos externos del método filológico, sino, lo que es más raro, su esencia espiritual: el situarse psicológicamente en el proceso de la creación poética, además del comentario de la obra creada, y el asir lo irracional de la poesía con la simpatía no frecuente en los hispanistas franceses» (*Estudios*, p. 358). De ahí que pueda afirmar, con su hermano Emilio, que su *Sófocles* quedó impregnado de experiencia vital, como parece recoger Raimundo Lida en la introducción a este libro (p. 8): «Había una tensa, alarmada protesta contra las seducciones—tan del siglo XX—del irracionalismo fácil, de la pereza mental (y las inmoralidades y crueldades que suelen acompañarla), del arte confuso e informe».

Coplas

Las *Coplas contra los pecados mortales* como desengaño frente a la grandilocuencia del *Laberinto*. Véase *Juan de Mena*, pp. 109-124: «El *Razonamiento que faze Johán de Mena con la Muerte* comienza como diálogo en que el poeta interroga a la Muerte, huéspeda de todos, y ella le da cuenta de sus amargos agasajos, para acabar señalando la inutilidad de todo, salvo el bien obrar».

Para MRL, las inconclusas *Coplas*, a doce años del *Laberinto*, muestran el terrible golpe dado a la «visión juvenil del poeta», visión de una patria poderosa y unida, cuyo adalid sería el luego desastrado Álvaro de Luna. La reflexión de MRL no puede ser más contemporánea a su propio sentir: «La muerte del único hombre capaz de articular a Castilla como nación moderna, del hombre que había hecho a los conversos *los mayores bienes que en sus días otro hombre les fizo en este reyno* (en palabras de su Cronista, cap. CXX), importaba para Mena, cristiano nuevo, la ruina de su noble ambición patriótica y reducía a sueño inútil todos los propósitos y actividades» (p. 111). Y un par de líneas más abajo cita el trabajo de Américo Castro, «Lo hispánico y el erasmismo» (1942). Véase abajo la referencia a Castro en tono irónico.

πάθει μάθος

Atribuido a Esquilo, *Agamenón*, v. 177: «por el sufrimiento a la sabiduría». También en carta XXIII.

Tertio capitulo

La cita de la conocida *Confesión* del Archipoeta, «*tertio capitulo memoro tabernam*» (véase Raby, 1943: II, 184) es una broma más de MRL en el estilo compuesto característico de estas cartas, donde se subraya de manera más o menos consciente la articulación y estructura de esta larga e importante epístola.

La verdad amarga y duele

Es refrancito como de colegio de monjas, muy usado en la enseñanza, de ahí la referencia a haberlo aprendido a los seis años.

Veritas

Lema de la Universidad de Harvard (véase Juan 8, 32), al parecer un reflejo dominico.

Más piadoso de lo que fue Jehová

Es sabido que en ciertos libros bíblicos la consideración de la mujer es muy severa (Levítico, por ejemplo).

Libro de Alexandre y Buen Amor

Esto es, una descripción retórica y moral, *fermosa e sin pecado*, calcada sobre la «dueña chica» del *Libro de buen amor*, cc. 1606-1617 («De las propiedades que las dueñas chicas han»). Según el Arcipreste éstas son las mejores para casar, y las más de fiar en todo.

Véase luego 432-433: «Busca mujer de talla, de cabeza pequeña | cabellos amarillos, no sean de alheña, | las cejas apartadas, luengas, altas en peña, | ancheta de caderas: ésta es talla de dueña. || Ojos grandes, fermosos, pintados, relucientes, | y de luengas pestañas, bien claros e rientes, | las orejas pequeñas, delgadas; paral' mientes, | si ha el cuello alto, atal quieren las gentes».

Mino da Fiésole

Escultor florentino (1429-1484). Son características sus frentes despejadas. La *Madonna col bambino* del Louvre guarda cierto parecido con MRL, que quizá se refiera por picardía a ella.

Los ojos marchitos

Procede de un romance de mujer casada. Véase en Menéndez Pelayo, *Antología de poetas líricos castellanos* (1900, X, p. 346 n.º 41).

Se trata del n.º 41 de los romances tradicionales entre los judíos de Levante: «Quien se casa con amores, siempre vive con dolores. | Ella una mujer pomposa; él, un hombre gastador. | Gastí mi hacienda y la suya y la que su padre le dió. | Ahora, por mis pecados, vine a ser un cardador. | Yo cardo mi oquita; mi mujer, hiladla vos. | Hiladla muy bien delgada, que así quijo el patrón. | Tengo los ojos marchitos, de meldar la ley de Dios. | Más y más yo los tenía de labrar en el bastidor. | Traedme seda de Brusa, clavedón de Stambul. | Os labraré el sol y la luna, y las estrellas cuantas son. | Que se lo mandéis donde mi padre que sepa de mi dolor. | Si preguntan mis hermanos, les decís que no lo hice yo. | Si pregunta la mi madre, le decís que lo abrí yo, | [...] que llore ella y lloro yo». *Meldar* figura en el *DRAE* como procedente del bajo latín.

Lecturas non sanctae

Lecturas de ficción y amores, que fueron favoritas de MRL. Todas las mencionadas son muy conocidas, salvo quizá el *Pervigilium Veneris* (o *Vísperas de Venus*), breve poema latino (prenupcial podría decirse) de datación y autoría dudosa, pero quizá fechable entre los siglos II-III.

Vives

Juan Luis Vives (1492-1540), humanista español. Su *De institutione feminae Christianae* (1523) recoge el tipo de prevenciones que avisa MRL. Véase carta XVII. «*In perpetuam gehennam ignis*»: 'en el fuego perpetuo del infierno'. De Marco subraya la posible descendencia de conversos de Vives, y remite para ello a Gillet y Castro.

Miguel Ángel

Esta observación sobre Miguel Ángel Buonarroti (1475-1564) puede ser interesante porque quizá descubra el hilo de lecturas por las que aparecen aquí Fiésole como escultor y las dos menciones latinas al término *pictura*.

Juan Ruiz 433a

Selección (1973: 56): «Ojos grandes, hermosos, pintados, relucientes», esto es, «brillantes, vivaces», según explica la nota de MRL, que ahora sustituiría por «ojos con pintas». Los labios «angostillos» que menciona más adelante aparecen en la siguiente cuaderna, 434: «los labios de la boca, bermejos, angostillos».

Promesa bíblica

Salmos 126, 2: «Entonces nuestra boca se llenará de risa, y nuestra lengua de alabanza»; compárese Job 8, 21: «Aún llenará tu boca de risa y tus labios de júbilo».

Hactenus de pictura

'Hasta aquí sobre la fotografía'.

«Sabio, solo y solícito y secreto»

Las cuatro eses del amante que menciona Leonela en el *Quijote* I, XXXIV.

Así en Luis Barahona de Soto, *Las lágrimas de Angélica*, IV, XIV: «Ciego ha de ser el fiel enamorado, | no se dice en su ley que sea discreto, | de cuatro eses dicen que está armado: | sabio, solo, solícito, y secreto; | sabio en servir y nunca descuidado, | solo en amar y a otra alma no sujeto, | solícito en buscar sus desengaños, | secreto en sus favores y en sus daños» (ed. Lara Garrido, 1981: 221). Más prolijo resulta el Rugero de *Lances de Amor y Fortuna*, de Pedro Calderón de la Barca, jornada III: «Sabio ha de ser amor, viendo la fama | del sujeto que estima hermoso y grave, | porque no sabe amar quien solo ama | el cuerpo, si es que el alma amar no sabe. | Solo ha de ser amor, sola una dama | ha de estimar en su prisión suave | que un esclavo no sirve a dos señores | ni caben en un alma dos amores. | Solícito ha de ser, no procurando | ocasiones al gusto solamente, | sino las del pesar también, mostrando | que el gusto estima | y los pesares siente. | Secreto en fin, pues ha de callar, cuando | algún favor o alguna acción intente. | Y así será el amor, siendo perfecto, | sabio, solo, solícito y secreto» (ed. Iglesias Feijoo, 2006: 739-740).

Sophronia Sphynx

Véase Dickens, *Works of Charles Dickens: Old Curiosity Shop* (1870, vol. 2, p. 204): «*After casting about for some time for a name which should be worthy of her, [Mr. Swiveller] decided in favour of Sophronia Sphynx, as being euphonious and genteel, and furthermore indicative of mystery*» (1.ª ed. como libro separado, 1841). Sophronia Sphynx es el apodo con que se rebautiza a una criada, conocida también como «La Marquesa», retintín de MRL que se extiende por todo el párrafo, donde también bromea con la seriedad científica de YM.

O quam mirabilis!

'¡Qué admirable!'. Es probable que MRL juegue aquí con la célebre antífona de Hildegard von Bingen (1098-1179): «*O quam mirabilis est praescientia | divini pectoris, | quae prescivit omnem creaturam. | Nam cum Deus insprexit faciem | hominis, | quem formavit, | omnia opera sua | in eadem forma hominis integra aspexit. | O quam mirabilis est inspiratio, | quae hominem sic suscitavit*».

62 Brattle Street

En las proximidades de esta dirección se encuentra el Radcliffe Institute for Advanced Study y la Harvard Summer School.

CARTA XV

Paraíso terrenal

Es decir, California. Esta broma procede de las *Sergas de Esplandián*, cap. 157, de Garci Rodríguez de Montalvo (*c.* 1440-1504), continuación del *Amadís de Gaula*. En la postal fechada el 31 de diciembre de 1947 y que incluye el poema y glosa titulado *Quia amore langueo*, se hace referencia explícita a «Califo(r)nia > Cefalonia», con envío bibliográfico a Boissonade, como se verá en el lugar oportuno. Véase también Riquer (1989).

En el capítulo 157, que trata «Del espantoso y no pensado socorro que la reina Calafia, en favor de los Turcos, al puerto de Constantinopla llegó», se lee: «Sabed que a la diestra mano de las Indias ovo una isla llamada California mucho llegada a la parte del Paraíso Terrenal...». Véanse los siguientes trabajos de MRL sobre esta materia: «Dos huellas del *Esplandián* en el *Quijote* y en el *Persiles*» (1955); «El desenlace del *Amadís* primitivo» (1952-1953); «Fantasía y realidad en la conquista de América» (1975).

San Jerónimo

MRL se toma la libertad de pasar a san Jerónimo de patrón de los traductores a patrón de los filólogos, que muy bien puede ser por su profunda labor exegética.

También porque acomodan sus ligeros vicios de juventud «algo tentado de bailarinas él también» por el risueño reproche que hace a YM por haber insertado en su artículo sobre *cansino* el nombre de Rita Hayworth, apodo artístico de «Margarita Cansino», como recuerda YM y es sabido. *Cliéntulo* es servidor del diablo, como «cliéntula» es Celestina del mismo en la obra de Fernando de Rojas (Auto III, Cena III) en el célebre conjuro a Plutón. Aun para broma el calificativo de *daifa*, 'concubina, o huésped a la que se trata con regalo' quizá sea un poco excesivo y encubre una sobria moralidad entre los donaires de la pluma. Cierto que la fama de la Hayworth, sobre todo después de *Gilda* (Charles Vidor, 1946) fue para la Iglesia católica casi de discípula del diablo, a lo que acompañaba su famosa melena pelirroja.

En cuanto al «O género másculo, descogido e frágile!» muestra la afición de MRL, desde niña, a imitar la lengua antigua para bromear con ella. El adjetivo *descogido*, que se suele emplear por *desplegar*, y muy frecuente entre modistas, es algo raro en este contexto, donde por *hendíadis* debe entenderse *deshecho*, quizá a la manera en que pueda traerse el sentido de este vocablo poco usual en el Marqués de Santillana, cuando trata de Álvaro de Luna: «¡O alta genealogía! | ¡O lynaje descogido | sobre quantos he leýdo | en toda la vida mía!» (*Coplas contra don Álvaro de Luna*). Aunque me da que se trata de un remedo de *La Celestina*, donde Melibea exclama: «¡Oh género femíneo, encogido y frágile! ¿Por qué no fue también a las hembras concedido poder descobrir su congojoso y ardiente amor, como a los varones? Que ni Calisto viviera quejoso ni yo penada». Seguiría así el juego de mostración y ocultación en el evidente flirteo que mantiene con YM. «Donna Filologia» puede ser la Filología propiamente dicha, por cierto, pero, ¿por qué no?, la señal que se atribuye la misma MRL, inspirada en la Filosofía que Boecio presenta encarnada en una dama.

Many happy returns

Expresión de felicitación que se emplea, por lo común, para cumpleaños.

Todavía estaba sin empleo

Véase Rico-Malkiel (1967-1972: 610-611).

«Por último, ya casi abandonada la esperanza de salvarme después de declarada la guerra, logré inmigrar a los Estados Unidos con mis padres ancianos, cruzando Holanda y atravesando el Atlántico en el mes de febrero de 1940. | Los dos años que pasé luego en Nueva York pertenecen a los más tristes de mi vida, ya que no llegaba a obtener ningún empleo fijo. Las condiciones económicas del país eran todavía catastróficas, como resultado de la *depresión* (que había estallado allá por 1930). [...] [En 1942] el Dr. Morley me ofreció un puesto—por cierto, modesto—en su Departamento. Acepté muy agradecido y sin vacilar un minuto. A partir de este momento (es decir del mes de junio de 1942) nunca he abandonado la Universidad de California [...]».

When Uncle Sam frowned on those refugees

«Cuando el Tío Sam (USA) miró con desaprobación a aquellos refugiados». Ingenioso y siniestro, el juego de palabras, habitual en aquellos tiempos (*refugees*: *refujews* (*jews* = judíos). Otros inmigrantes, incluso de origen anglosajón, como los australianos, recibieron también apodos despectivos: *reffo*.

Un libro de doscientas páginas

Es el manual de antiguo español mencionado en la carta VI. El mecanoscrito existe todavía, pero el libro nunca se publicó.

La editorial D. C. Heath & Co. (Boston) estaba especializada en libros de texto para la escuela (manuales de español como lengua extranjera y lecturas comentadas y con ejercicios, por ejemplo). Entre sus colaboradores figuraron algunos conocidos filólogos, como Charles E. Kany, William E. Wilson o Hayward Kenyston. Kenyston, por ejemplo, publicó en esta editorial *A Standard List of Spanish Words and Idioms* (1941).

Por aquellos años aparecerán títulos como *El mundo del español*, ed. revisada por Lilia Mary Casis y Rebecca Shinn Switzer (1942); Laurel Herbert Turk, *Spanish Review: Grammar and Composition* (1943); Henry Grattan Doyle, *A Handbook on the Teaching of Spanish and Portuguese: With Special Reference to Latin America* (1945); S. N. Treviño, *Spoken Spanish* (1945), etcétera. Es probable que el libro de YM no se adaptara a la línea pedagógica de Heath & Co.

Karpovich

Véase carta XIII.

Morley

Véase carta VII.

M. L. Assn.

Modern Language Association. Fundada en 1883, la MLA es la Asociación dominante y omnipresente en la humanidades en Estados Unidos, especialmente en los campos de lengua y literatura. La mención un tanto desabrida de YM es significativa. Para más detalles sobre la ML puede accederse a su sitio web: http://www.mla.org

Yasha

«Yasha, hijo mío, vienes a mí desde otro mundo. Traes California contigo».

Desañar

*¿Desañar?, quizá aquí en el sentido de *desdeñar*.

Cinco libros y veinte artículos

Véase bibliografía MRL.

Traducción de Brontë

Emily Brontë, *Cumbres borrascosas*, véase carta IX. Sigue siendo, junto a la versión de Carmen Martín Gaite, de referencia. Se encuentra ahora en Edhasa. Ocampo, que colaboró en la segunda edición, fue la fundadora de la revista *Sur* y mantuvo estrecho contacto con el grupo del Instituto de Filología.

Paz y Meliá

Antonio Paz y Meliá (1842-1927), erudito y bibliotecario español.

El erudito bibliotecario, jefe de la sección de manuscritos de la Biblioteca Nacional de Madrid, Antonio Paz y Meliá, sirve a YM para armar la broma a MRL. La fotografía debía de ser en color, por lo que dice. Todo el juego lleva a la galantería por la que YM comunica a su amiga que la lleva sobre el corazón: *je l'ai sur moi*. Era expresión usual en la época romántica para las cartas de amor, así por ejemplo en Victor Hugo y muchos otros.

Eugen Mittwoch

Eugen Mittwoch (1876-1942), profesor especialista en lenguas y culturas orientales.

Mittwoch llegó a ser el director del prestigioso «Seminar für Orientalische Sprachen» de la Universidad de Berlín desde 1920 hasta 1933, en que fue expulsado de la misma por los nazis. Se exilia a Inglaterra en 1939. De Marco propone dos referencias bibliográficas, Hagen, «German Heralds of Holy War: Orientalists and Applied Oriental Studies» (2004) y el *Festschrift zu Eugen Mittwochs 60. Geburtstag (Ihrem verdienten Vorsitzenden, Prof. Dr. Eugen Mittwoch)* (1937). La «barba de un rey asirio» de Mittwoch se acerca más a la realidad que a la broma, pues, con las mejillas rasuradas, lucía una barba cuadrada en ese estilo que impresionaba tanto como su mirada penetrante. La generosidad de Mittwoch, a la que se refiere YM con tanto entusiasmo, fue proverbial, como mostraba incluso el epitafio de su tumba. El afecto y agradecimiento que muestra YM por Mittwoch es, de alguna manera, la contramedida al de MRL por Amado Alonso. Véase Rico-Malkiel (1969-1972: 610): «Entre mis profesores [en Berlín] descollaban Eugen Mittwoch, Max Vasmer, Ernst Gamillscheg, Eduard Wechssler, Karl Strecker, Edward Norden; pero sólo de Mittwoch guardo recuerdos cariñosos».

Doctorado en 1938

Véase Rico-Malkiel (1969-1972: 610): «Terminé mis estudios en 1938 con un *magna cum laude*»: *Das substantivierte Adjektiv im Französischen*, Friedrich-Wilhelms Universität Berlin, Speer und Schmidt und Buchverlag Joseph Jastrow, Berlín, 1938; viii, 142 pp.

Ernst Gamillscheg

Ernst Gamillscheg (1887-1971), lingüista.

Discípulo de Meyer-Lübke, fue el director de tesis de YM en la Friedrich-Wilhelms Universität de Berlín. Entre sus obras figuran *Etymologisches Wörterbuch der französischen Sprache* (1928); *Romania germanica: Sprach- und Siedlungsgeschichte der Germanen auf dem Boden des alten Römerreichs* (1934-1936). Véase YM, «Ernst Gamillscheg (1887-1971) and the Berlin School of Romance Linguistics» (1973). Véase, entre otros homenajes, *Verba et vocabula. Ernst Gamillscheg zum 80. Geburtstag* (1968), que contiene el artículo de Kuen, «Ernst Gamillscheg: Lebenswerk eines Romanisten» (pp. 15-25) y una recopilación bibliográfica de Ullmann y otros, «Schriftenverzeichnis Ernst Gamillscheg» (pp. 649-670).

Bellísimo ensayo

MRL, en *Bibliografía de Amado Alonso: homenaje de sus discípulos* (1946: 13-20).

Véase ahora Palomo Olmos, *Bibliografía de Amado Alonso* (2004).

Maraña

YM, «The Etymology of Spanish *maraña*» (1948).

Bataillon, como es sabido, fue durante una época director del *Bulletin Hispanique*. Mantuvo, como ya se ha visto, una relación de interés científico y afecto con YM y MRL.

Spitzer

Véase carta XXXVII.

Descort

El *descort* era un género de la poesía trovadoresca occitana en el que cada estrofa dialogaba con la siguiente o con el resto, formal o temáticamente. El más famoso es el escrito en varias lenguas por Raimbaut de Vaqueiras.

Kurt Lewent

Kurt Lewent (1880-1965), occitanista y experto en francés antiguo.

Estudió junto a Adolf Tobler. Su tesis fue publicada con el título *Das altoprovenzalische Kreuzlied* (1905). Fue profesor de francés antiguo y provenzal en la Universidad de Berlín desde 1932 hasta 1936. Obtuvo un puesto de profesor de provenzal en la Universidad de Columbia (Nueva York) en 1950. Véase YM, *Romance Philology* (1960) y el texto publicado en el volumen en homenaje a Kurt Lewent, *Romance Philology* (1967). Allí, Woodbridge, Jr., «An analytical bibliography of the writings of Kurt Lewent» (pp. 391-403).

La loba de Juan Ruiz

Libro de buen amor, cuaderna 337. No la recoge MRL en su *Selección*.

Véase Cejador y Frauca (ed. 1931): «Otrosi le opongo que es descumulgado | De mayor descomunión por custituçión de legado, | Porque tiene barragana pública e es casado | Con su muger doña loba, que mora en vil forado». Sería de interés conocer a qué se refiere exactamente YM al considerarse «gato escaldado»; hemos de imaginar que se trate de algún fuerte desengaño amoroso. MRL, con buen criterio, menciona en la siguiente carta el «escaldamiento», pero no inquiere sobre las razones de YM.

Bailarina

Zorina (nacida en 1917 con el nombre de Eva Brigitta Hartwig) y Tamara Tumánova (nacida en 1919 con el nombre de Tamara Tumanishvili) fueron bailarinas del Ballet Ruso de Montecarlo con George Balanchine.

Stefan Zweig

Stefan Zweig (1881-1942). Escritor, ensayista y traductor austríaco de familia judía (no practicante). Se refiere a *La curación por el espíritu. (Mesmer, Baker-Eddy, Freud)* (2006), esto es, el ensayo de triple biografía titulado originalmente *Die Heilung durch den Geist. Mesmer. Mary Baker-Eddy. Freud* (1931).

Zweig había viajado a Argentina, donde era relativamente conocido, y donde impartió algunas conferencias. Véase el breve ensayo del judío argentino Verbitsky, *Significación de Stefan Zweig* (1942).

RMP

Ramón Menéndez Pidal y el 98. Para evaluar esta aspecto, un tanto controvertido, véanse los testimonios de Dámaso Alonso tras el fallecimiento de Pidal, sobre todo *Menéndez Pidal y la generación del* 98 (1969), recogido luego en *Obras completas* IV (1975: 99-123).

Véanse, además, *Menéndez Pidal en la* RFE (1968); *Menéndez Pidal y la cultura española* (1969); *Juventud, madurez y ancianidad en la obra de Menéndez Pidal* (1969). A propósito del concepto de historia e intrahistoria, en relación con Unamuno, puede leerse el artículo de Santano Moreno, «Menéndez Pidal y la filología del 98. Estado latente e intrahistoria» (2003). Sobre el contexto general véase Portolés, *Medio siglo de filología española (1896-1952)* (1986).

Alguien

YM, «Hispanic *algu(i)en* and Relate Formations: A Study of Stratification of the Romance Lexicon in the Iberian Peninsula» (1948).

Historia Troyana Polimétrica

Nota 377 del artículo mencionado: «Ella, de triste, sera tornada alegre por onbre que nunca vio desque nasçio nin el a ella»; *Historia troyana en prosa y verso texto de hacia 1270*, ed. Menéndez Pidal, con la cooperación de Varón Vallejo (1934), líneas 8-10.

La carta XXXIII se refiere a las líneas 5-10. Las tres anteriores dicen: «E si la donzella era ahora triste e sañosa, ayna sera muy alegre e muy pagada e sera todo su duelo olvidado e mudado el su coraçón, e seran olvidados todos los sus amigos e quantos en Troya dexo. E ella, de triste…».

CARTA XVII

Álora

La expresión «romance ha de ser» sirvió de título a la edición del epistolario publicado por Barbara De Marco. Valen tres sentidos: el de romance como género poético, el que expresa MRL, en relación con YM, fundador de *Romance Philology*, y el de «romance» como amorío, entre los dos correspondientes (ya claramente iniciado: «*Yasha, my boy*»).

El juego con los distintos nombres de YM hace pareja con la idea del *descort* comentada en la carta anterior. El romance, que es de los llamados fronterizos, fue publicado por Menéndez Pidal, y trata de la suerte del Adelantado de Andalucía en 1434. Véase *Flor nueva de romances viejos* (1928): «—¡Tregua, tregua, Adelantado, | por tuyo se da el castillo! | Alza la visera arriba, | por ver el que tal le dijo: | asestarale a la frente, | salido le ha al colodrillo. | Sacóle Pablo de rienda, | y de mano Jacobillo, | estos dos que había criado | en su casa desde chicos. | Lleváronle a los maestros | por ver si será guarido: | a las primeras palabras | el testamento les dijo».

Con el alma de rodillas

Es variación del tópico del «*flecto genu cordis mei*» de origen bíblico. Sobre el mismo, desde la *Oratio Manassae* de la Vulgata, véase Alcina-Rico (2014: 114).

Talmud

Aquí una de las declaraciones más fuertes del amor y sentimiento filial de MRL con respecto a su maestro Alonso. Véase Génesis 18, 20. El episodio completo, como subraya De Marco (Génesis 18, 20-33), trata de la destrucción de Sodoma y Gomorra, no del mundo, pero vale la licencia tomada por MRL.

Filosemitismo

Rafael Cansinos-Assens (1883-1964), literato español.

Véase del mismo *Los judíos en la literatura española* (1937; reeditado 2001). La acusación de «filosemitismo sentimental» a Cansinos-Assens es un tanto injusta con la figura de este monumental trabajador de la cultura, que el propio Borges asumió como maestro. Véase Borges, *Definición de Cansinos Assens* (1924). Sobre esta relación, Chiappini, *Borges y Cansinos-Assens*, Rosario (1995). Cansinos asumió con coherencia la tradición judía de su familia y se vio depurado por ella tras la guerra civil. De ello queda testimonio en varias de sus obras, empezando por las más tempranas, como *El candelabro de los siete brazos (psalmos)* (1914), *Bellezas del Talmud* (1919), *España y los judíos españoles* (1920), *Salomé en la literatura* (1920), *Los judíos de Sefarad* (1950), etcétera. Fue colaborador, como MRL, de la revista judaica argentina *Davar*. Cansinos-Assens fue, de hecho, bien conocido por los intelectuales argentinos, en especial por aquellos con querencias o creencias hebraicas. Sobre su obra véase Fuentes Florido, *Rafael Cansinos Assens novelista, poeta, crítico, ensayista y traductor* (1979).

No se olvide, además, el trabajo de YM sobre la etimología de «cansino», y la mención a Rita Hayworth como procedente de la familia «Cansino».

Es hombre esencial

Hernando del Pulgar (1430-1493?), *Claros varones de Castilla*, sobre Garcilaso de la Vega: «Este cavallero era omne callado, sufrido, esencial, amigo de efetos y enemigo de palabras, e tovo tal gracia, que todos los cavalleros de su tienpo desearon remidar [*sic*] sus costumbres».

Compárese el sintagma que ilustra el homenaje de *Romance Philology* a Menéndez Pidal (véase carta II). Señala De Marco que MRL llama a Pulgar «nuestro pariente» porque fue converso, tal y como defiende Américo Castro en *España en su historia* (véase carta XIV). La edición que se manejaba por entonces era la de Domínguez Bordona (1923).

Kaplan

No he llegado a realizar con claridad esta identificación: ¿Samuel Kaplan?; Seymour O. Simches; Hans Kohn.

Fuerte la fijación y el orgullo de MRL por los judíos argentinos de Amado Alonso y su «repudio» o celos de los nuevos nombres, que no llegaron a ser sustitutorios: Kaplan, Simches, Kohn... Simches podría ser Seymour O. Simches (véase Golden y Simches, *Modern Iberian Language and Literature: A Bibliography of Homage Studies*, 1958). Simches, nacido en

1919, hijo de inmigrantes judíos lituanos, fue profesor en el Department of Romance Languages, como especialista en literatura francesa, de la Tufts University (Massachusetts) entre 1954 y 1990, así como fundador del Tufts European Center. Kohn pudiera ser Hans Kohn (1891-1971), un historiador y filósofo judío nacido en Praga y emigrado a Estados Unidos en 1934. Enseñó en el Smith College (Northampton, Massachusetts). A partir de 1948 se traslada al City College de Nueva York. Fue especialista en temas como el nacionalismo, que interesaban a Amado Alonso. Véase *The Idea of Nationalism: A Study in Its Origins and Background* (1944).

Rosenblat

Ángel Rosenblat (1902-1984), filólogo de origen polaco.

Nacido en Polonia, su familia pasó a Argentina en 1908. Rosenblat fue miembro del Instituto de Filología entre 1927-1930. Allí consiguió una beca de estudios con la que viajó a Alemania, donde estudió en el Romanische Seminar de la Universidad de Berlín, dirigido entonces por Ernst Gamillscheg (véase arriba carta XVI) al que admiraba. De allí se trasladó durante el período 1933-1937 a Madrid, donde formó parte del Centro de Estudios Históricos. En 1945 se doctoró en la Facultad de Filosofía y Letras de Buenos Aires, y en 1947 se trasladó a Caracas, donde se nacionalizó venezolano y trabajó a partir de entonces en la Universidad Central. Allí se inició en la cátedra de Fonética del Instituto Pedagógico Nacional. Desempeñaría luego la cátedra de Gramática Histórica. Recibió numerosos reconocimientos a lo largo de su vida académica y algunas de sus obras han quedado como clásicos de la lingüística hispanoamericana y de la crítica literaria. En Argentina publicó una edición del *Amadís*, tema del interés de MRL (1950; reed. 1987, con notas adicionales de Redondo Goicoechea).

Weber

Frida Weber de Kurlat (1914-1981), filóloga.

Discípula de Amado Alonso y Directora del Instituto entre 1968-1973. Véase YM, «The End of an Era: Raimundo Lida (1908-1979) and Frida Weber de Kurlat (1914-1981)» (1982). De Marco recomienda Zulueta, «El hispanismo de Hispanoamérica» (1992); en especial pp. 955-957, «Un núcleo de irradiación: el Instituto de Filología».

Unos Lida

Naturalmente, MRL y Raimundo Lida.

Zacarías

Zacarías 8, 23.

Las doncellas

Véase fray Luis de León, traducción del *Cantar de los Cantares*, en octava rima: «Béseme con su boca a mí el mi amado. | Son mas dulces, que el vino tus amores; | tu nombre es suave olor bien derramado, | y no hay olor, que iguale tus olores; | por eso las doncellas te han amado, | conociendo tus gracias y dulzores. | Llévame en pos de ti, y correremos; | no temas, que jamás nos cansaremos» (ed. Ramajo Caño, 2012: 414).

Nótese la relación del nombre Amado con el Esposo del *Cantar*. Para el análisis de este pasaje véase Morreale, «La *Exposición del Cantar de los Cantares* y *De los Nombres de Cristo* como lectura previa a la de las *Odas* 19(18) *En la Ascensión* y 18(13) *De la vida del cielo*» (2007), en especial p. 633. Véase también la edición de Guillén (1947).

Hamaca paraguaya

En Argentina se llama así a la hamaca (sin más).

Justo de Israel

El incensamiento de MRL recuerda los versos del poema navideño, Nochebuena, del mexicano Amado Nervo: «Resuenan voces puras | que cantan en tropel: | ¡Hosanna en las alturas | al Justo de Israel!» (en *Cantos escolares*, ed. Méndez Plancarte, 1962: II, vv. 17-20, p. 1456). Sobre los justos de Israel podrían traerse varios pasajes bíblicos.

Mi tesis

Véase arriba carta XII.

Cisma en la Sinagoga

Graciosa expresión para manifestar las diferencias entre dos judíos, Spitzer y el propio YM.

Mi crítico

De Marco considera que MRL se refiere al libro de Dámaso Alonso, *La poesía de San Juan de la Cruz* (1942), que MRL reseñó en *Revista de Filología Hispánica* (1943). De Marco cita las referencias a MRL por extenso que, la verdad, no son para tanto y van entreveradas casi siempre de elogios.

Entre la bibliografía sobre Dámaso Alonso que se incluye figuran: Huarte Morton y Ramírez Ovelar, eds., *Bibliografía de Dámaso Alonso* (1998); Vázquez Fernández, ed., *El humanismo religioso de Dámaso Alonso: ensayos concéntricos* (1999); *Studia Philologica: homenaje ofrecido a Dámaso Alonso por sus amigos y discípulos con ocasión de su 60 aniversario* (1960-1963); *Homenaje universitario a Dámaso Alonso reunido por los estudiantes de filología románica, curso 1968-1969* (1970).

Dios hay en el cielo

Expresión de Deuteronomio 3, 24. Pero muy vulgata, aunque la idea de «proeza» y la de «triunfo» permiten aventurar una estrecha conexión mental. Por otro lado, más abajo se menciona Deuteronomio 22, 13.

Amare, pergraecari

'Amar, darse a malas costumbres'. En traje plautino, porque tal expresión aparece en la *Mostellaria*, I, 1, v. 64.

Deuteronomio

Deuteronomio 22, 13 y ss. Contra la infidelidad y en defensa de la virginidad y el pudor.

Fray Íñigo

Fray Íñigo de Mendoza (*c.* 1424-*c.* 1508), *Coplas de Vita Christi*, estrofa 292: el profeta Simeón se dirige a la Virgen, «¡Oh pureza sin historia!».

Es probable que MRL manejara el texto de la *Vita Christi* impreso por Foulché Delbosc, *Cancionero castellano del siglo* XV (1912: vol. 1, p. 39). Bajo el epígrafe «Prophetiza Symeon a Nuestra Señora el cuchillo de dolor que ha de sentir en la Passyon de su hijo», da el siguiente texto: «O pureza syn estoria!».

Raimundo

La anécdota sobre su hermano y su deseo de convertirse en hombre la conduce al terreno de la virago literaria.

Bienaventurados

Es la referencia archiconocida a Mateo 5, 3-10.

Príncipe de la Paz

Fray Luis de León, *Los nombres de Cristo*, libro 2, ed. De Onís (1914-1921).

Recuérdese el proyecto de MRL de un estudio en profundidad sobre la figura de fray Luis de León. Habría sido interesante su opinión sobre los trabajos de Bell o Vossler. La cita que extrae de allí sobre los labios delgados la acompaña de una bien conocida de Juan Ruiz donde ironiza sobre la autoridad de Aristóteles (*Libro de buen amor*, cuaderna 72ab). En poco coincide con la lectura de Cejador: «Sy lo dexies' de mío, sería de culpar; | Dízelo grand filósofo: non so yo de reptar». No lo incluye MRL en su *Selección*. Cejador explica en nota: «*Rebtar* en *S*, y en *G reptar*, de *rep(u)tar(e)*, y de aquí *retar*, imputarle á uno una culpa, echarle en cara, después desafiarle, echándole en cara cosa que le agravie». Además, sobre el «hilo de carmesí tus labios», *Cantar de los Cantares* 4, 3 (vv. 201, 209-210), junto al comentario a propósito. La cita de MRL coincide en puntuación y el uso del plural en «hombres discretos y bien hablados» con fray Luis de León, *El Cantar de los cantares*, ed. Sopena, Buenos Aires, 1942, p. 63. Para un atisbo de fisionomía en Aristóteles el pasaje clásico es *Analíticos primeros*, II 70b, pero en realidad ha de remitirse a la fisiognomía del Pseudo Aristóteles 811a (si bien no se encontrará en ella una coincidencia literal con lo expuesto por fray Luis).

Zeus

En realidad no se trata de un ruego a Zeus sino a Isis. Véase la transformación de Ifis de mujer en hombre, Ovidio, *Metamorfosis* IX, 666-797.

Don de soledad y don de lágrimas

Compárese Teresa de Jesús, *Libro de la vida*, IV, 7: «Y como ya el Señor me había dado don de lágrimas y gustaba de leer, comencé a tener ratos de soledad...» (ed. Mediavilla, 2014: 22).

Nequitiarum parens

Era el calificativo que aplicaba Luis Vives a Celestina en su *De institutione feminae christianae* (1524), libro I, cap. V.

Texto de Vives: «*Hoc ergo curare leges congruit. Tum et de pestiferis libris, cuiusmodi sunt in Hispania Amadisus, Florisandus, Tirantus, Tristanus Lugdunensis: Celestina lena,* nequitiarum parens. *In Gallia Lancilotus a lacu, Paris et Vien-*

na, Ponthus et Sidonia, Petrus Provincialis et Magalona, Melusina. In hac Belgica Florius et Albus flos, Leonella et Canamorus, Turias et Floreta, Piramus et Thisbe. Sunt in vernaculas linguas transfusi ex Latino quidam, velut infacetissimae Facetiae Poggii, Aeneae Silvii Euryalus et Lucretia. Quos omnes libros conscripserunt homines otiosi, male feriati, imperiti, vitiis ac spurcitiae dediti, in queis miror quid delectet nisi tam nobis flagitia blandirentur. [...] Profecto ridenda est maritorum dementia qui permittunt suis uxoribus ut eiusmodi legendis libris astutius sint sceleratae. [...] Feminae igitur hi omnes libri non secus quam vipera vel scorpius vitandi»; «Todo esto deberían curar las leyes y fueros si quieren los administradores de las tierras que las conciencias estén sanas. Lo mismo deberían hacer de estos otros libros vanos, como son en España Amadís, Florisandro, Tirante, Tristán de Leonís, Celestina alcahueta, madre de maldades. En Francia Lanzarote del Lago, París y Viana, Ponto y Sidonia, Pedro Povenzal, Magalona y Melvusina, y en Flandes, Flores y Blancaflor, Leonela y Canamoro, Curial y Floreta, Píramo y Tisbe. Otros hay sacados de latín en romance, como son las infamosísimas Facecias y, gracias desgraciadas, de Pogio Florentín, los cuales libros todos fueron escritos por hombres ociosos y desocupados, sin letras, llenos de vicios y suciedad en los cuales yo me maravillo cómo puede haber cosa que delite a nadie [...]. Por cierto que es de chiflar la locura de los maridos que permiten a sus mujeres leer en tales libros con los cuales aprenden ser más maliciosamente perversas. [...] Por tanto huya la nuestra virgen de los libros sospechosos y dañosos, como de una víbora o escorpión» (trad. Justiniano, 1995: 63-65). Este capítulo, citado por la edición de las *Opera* de Vives impresas en Basilea (1555), lo refiere MRL en *La originalidad artística* (1962: 33).

Calisto

Respectivamente, Auto 5, escena 3 y Auto 14 (MRL moderniza «me acorre»). El diacitrón que se menciona luego hace acto de aparición en el Auto 8, escena 4.

A propósito de la *Fiammeta* como antecedente de *La Celestina* y, en particular, del monólogo de Calisto en el Auto 13, escena 1, véase MRL, *La originalidad* (1962: 391-392). Hay acuerdo general sobre esta relación literaria. Véase Sanhueza, «Fiammetta, Calisto y Melibea: el concepto de amante genérico en *La Celestina*» (1994).

Hackett

Lewis W. Hackett, Director Asociado de la International Health Division (Rockefeller Foundation).

De acuerdo con el *Annual Report* de la misma (1949: 69), el Dr. Hackett comenzó su trabajo en la Fundación en abril de 1914, poco antes de un año de su creación, y mantuvo en ella su labor hasta el 31 de diciembre de 1949. Su primer destino fue América Central, pasó luego siete años en Brasil, donde investigó la fiebre amarilla, y unos quince en Europa, donde llevó a cabo sus más conocidos estudios acerca de la malaria en Italia y Europa meridional. En 1940 pasó a Sudamérica, donde dirigió la sede de la Fundación en Buenos Aires. Para la confusión con el Dr. Morley véase lo que dice YM en la carta XVIII.

CARTA XVIII

Vieux jeu

'Anticuado, pasado de moda'.

Ureña

Henríquez Ureña, conferencia en Nueva York (1941), Instituto de las Españas, sobre Rubén Darío.

Como muestra de lo que dice YM acerca de su obra de lexicógrafo, puede verse *Observaciones sobre el español en América y otros estudios filológicos* (1977). Ureña murió el 11 de mayo de 1946, con lo que, en efecto, YM ya no pudo saber nada de lo que pensaba a propósito de las separatas que le envió en 1945 o acerca de sus métodos.

Lo que escribí antes

Según De Marco, que reenvía al repertorio bibliográfico de YM, éste se referiría, además de a sus *iuvenilia* [TA 817-822], también a su traducción de Valéry [TA 802] (véase abajo), su tesis defendida en Berlín [TA1], una extensa reseña a J. H. D. Allen's, *Portuguese Word-Formation* [TA 319], varias notas y artículos de periódico [TA 355-357] [TA 123-127] y un puñado de reseñas y noticias de libros [TA 589-592, 651a].

Sus primeros trabajos

De Marco piensa en «Transmisión y recreación de temas grecolatinos en la poesía lírica española» (1939) y «Notas para la interpretación, influencia, fuentes y texto del *Libro de buen amor*» (1940). Véase, además, carta VI.

Leopardi y Carducci

Giacomo Leopardi (1798-1837) y Giosuè Carducci (1835-1907). Ambos conjugaron una memorable obra literaria con multitud de estudios críticos, eruditos y filológicos sobre la gran tradición literaria, en especial de la Antigüedad al Renacimiento: destacan los dedicados a Dante, Petrarca, Boccaccio o Ariosto, entre muchos otros. Esta vertiente es especialmente notable en Carducci.

Kantorowicz

Ernst Hartwig Kantorowicz (1895-1963), historiador de origen polaco y judío.

Aunque no estuvo ligado ni religiosa ni emocionalmente al judaísmo, los orígenes judíos y «polacos» de Kantorowizc determinaron en gran medida su vida. En 1939 se establece en la

Universidad de Berkeley, que abandonará en 1939 para ocupar un puesto en el Institute for Advanced Studies de Princeton en 1951, donde permanecerá hasta su muerte. Allí publicará su libro más célebre, *The King's Two Bodies. A Study in Medieval Political Theology*, expresión definitiva de los estudios reflejados en *Laudes regiae. A Study in Liturgical Acclamations and Medieval Ruler Worship* (1946), publicado, pues, el año anterior de la carta de YM a MRL. Sin embargo, YM se refiere en ella a la que entonces era su obra más famosa, un libro cuya forma estética y mensaje mistificador cundió con fuerza entre los ideólogos de la Alemania nazi, *Kaiser Friedrich der Zweite* (1927). El libro, por su estilo literario y efectista, vinculado al poeta Stefan George y el movimiento estético e ideológico generado en torno a su figura, fue recibido con reproches en el mundo académico al poco de su publicación, siendo celebrado, sin embargo, de forma general por los círculos cultivados de su tiempo. Como respuesta a las críticas especializadas, Kantorowizc publicó un apéndice de carácter documental, *Ergänzungsband: Quellen und Nachweise* (1931); véase Delle Donne, «*Historisches Bild* e signoria de presente. Il *Federico II imperatore* di Ernst Kantorowicz» (2003).

YM escribió dos textos a propósito del historiador que contó entre sus amigos, en *On Four Modern Humanists: Hofmannsthal, Gundolf, Curtius, Kantorowicz*, ed. Evans (1970), y una necrológica en *Romance Philology* (1964).

Ich war doch wie vor den Kopf geschlagen

Es frase idiomática que significa algo así como 'estoy asombrado o estupefacto'.

Paul Valéry

Paul Valéry (1871-1945), poeta y ensayista francés. Véase carta XI. En 1933 YM escribió una tesis sobre Valéry. Aquí cita el poema «Aurore», dedicado a Paul Poujaud, del poemario *Charmes* (1922), donde sirve de apertura.

Ésta es la primera de sus nueve estrofas: «*La confusion morose | qui me servait de sommeil | se dissipe dès la rose | apparence du soleil. | Dans mon âme je m'avance, | Tout ailé de confience: | c'est la première oraison! | À peine sorti des sables, | Je fais des pas admirables | dans les pas de ma raison*». Valéry se significó por su rechazo a formar parte del gobierno nazi de ocupación en Francia.

Estación en el infierno

La contigüidad entre Valéry (cuyo maestro declarado era Mallarmé) y Arthur Rimbaud es lógica desde el punto de vista de la historia literaria. YM alude al conocidísimo poemario *Une saison en enfer* (1873), tomando el título en forma y sentido libre para aplicarla a un contexto bien diverso.

Raïssa Bloch de Gorlín

Raïsa Bloch (1899-1943), estudiosa de la literatura latina medieval, rusa de familia judía.

Nacida en San Petersburgo-Leningrado, de familia judía, se vio obligada a abandonar su patria tras la Revolución rusa; más tarde tuvo que escapar de Alemania a causa de las primeras persecuciones nazis y se instaló en París; durante la ocupación alemana de Francia se ocultó bajo el pseudónimo de Michèle Miraille. Fue una conocida especialista en literatura latina medieval: colaboró en Berlín con el equipo de los *Monumenta Germaniæ historica* y en París con Ferdinand Lot para la nueva edición del *Glossarium* de Du Cange. En 1942, después de rodar de pueblo en pueblo huyendo de la persecución nazi, trató de pasar a Suiza junto a un grupo de judíos polacos. La expedición fue descubierta y Raïsa deportada a Auswichtz, donde desapareció su rastro. Sobre Raïsa Bloch véase Guitard, «In memoriam», *Revue d'Histoire de la Pharmacie* (1957). Véase ahora el capítulo dedicado a la misma en Lapidus, *Jewish Women Writers in the Soviet Unions* (2011).

Victor Zhirmunski

Víktor Zhirmunski (1891-1971), crítico literario ruso.

Véase YM, «Viktor M. Zirmunskij (1891-1971)», *Romance Philology* (1974). Fue uno de los grandes críticos literarios soviéticos, especialista también en temas lingüísticos. Sus estudios sobre métrica, por ejemplo, se consideraron fundamentales.

Europa

En estas líneas en las que YM reclama la herencia espiritual de Europa probablemente late el clima de un libro como el de Stefan Zweig, *Die Welt von Gestern* (1942).

En España se tituló *El mundo de ayer. Memorias de un europeo* (2002). Piénsese también en el significado de la recopilación de ensayos que se llamó *El legado de Europa* (2003). Cabe pensar también en otros libros crepusculares, como el de Johan Huizinga, *In de schaduwen van morgen* (1935, trad. 1951).

Tomás Navarro Tomás

Tomás Navarro Tomás (1884-1979), filólogo español. Véase carta II.

Navarro Tomás fue uno de los representantes más característicos de la trayectoria de los intelectuales vinculados a la República y formados en el Centro de Estudios Históricos. En él preparó su tesis sobre el texto aragonés del *Libro de los emperadores de Oriente* de Juan Fernández de Heredia. Se benefició de las Becas de la Junta para la Ampliación de Estudios (París, Montpellier, Hamburgo, Leipzig, Marburgo, Zúrich), que le permitieron ponerse al día en los métodos más avanzados de la fonética experimental, de la que sería el más destacado representante español: creó en el Centro un Laboratorio de Fonética, publicó en 1918 el primer *Manual de pronunciación española*. Colaboró de forma muy activa, desde su fundación, con la *Revista de Filología Española*, en las primeras ediciones de los Clásicos de La Lectura (se ocupó de *Las Moradas* de Teresa de Jesús y de la poesía de Garcilaso), y dirigió el *Atlas Lingüístico de la Península Ibérica (ALPI)*, obra de enorme importancia cuyo primer volumen sólo se publicaría muchos años más tarde. Fue nombrado académico de la RAE en 1934 y entre 1936-1939 ejerció de director de la Biblioteca Nacional de España (Madrid) y como vicepresidente de la Junta de Protección del Patrimonio Artístico, labores a las cuales se debe la salvación de un incalculable patrimonio bibliográfico y artístico. En 1939, ante el avance ineluctable del ejército franquista, él y otros intelectuales, entre ellos su amigo Antonio Machado, se ven obligados a cruzar la frontera con Francia. Navarro Tomás, que ya había viajado a Iberoamérica y Estados Unidos con anterioridad, se trasladará a Nueva York, donde le fue ofrecida la cátedra de Filología Hispánica en la Universidad de Columbia. En esta Universidad dirigirá hasta su jubilación en 1957 la *Revista Hispánica Moderna*. Además de sus estudios lingüísticos, Navarro Tomás tuvo una especial sensibilidad literaria (entre sus amigos figuran algunos de los más importantes poetas españoles del siglo XX), de la que procede un libro de éxito rotundo como *Métrica española. Reseña histórica y descriptiva* (1956) y la recopilación *Los poetas en sus versos: desde Jorge Manrique a García Lorca* (1973).

Una semblanza amplia se debe a la pluma de uno de sus más conocidos discípulos, Zamora Vicente, «En recuerdo de Tomás Navarro Tomás» (2001). Una síntesis de su vida y obra ha sido compilada por Díez de Revenga, «Tomás Navarro Tomás: de la fonética experimental a la métrica española» (2007) www.tonosdigital.com. Información relevante, documentos visuales y sonoros y otros archivos pueden encontrarse en el sitio web del Instituto de Estudios Albaceteños, *Tomás Navarro Tomás, 1884-1979. El laberinto de la palabra* www.dipualba.es/iea/tnt/index.htm, así como en la exposición *Tomás Navarro Tomás: su legado en el CCHS*, que tuvo lugar entre el 26 de abril y el 6 de mayo de 2011, y ahora en el espacio virtual dedicado a la misma por el Consejo Superior de Investigaciones Científicas – Centro de Ciencias Humanas y Sociales – Biblioteca Tomás Navarro Tomás.

El pasaje es importante porque supone, como YM explica, su primer contacto con MRL. Para las fechas y circunstancias véase *Early Years in America*. No se ha conservado rastro de las «primeras cartas».

Navarro Tomás rehusó acerse cargo de la dirección del Instituto de Filología en sus primeros años. Sobre ello y la reacción de Américo Castro, véase Degiovanni y Toscano (2010).

Primo homónimo

Sylvanus G. Morley (1883-1948), primo del hispanista S. Griswold Morley. Como explica De Marco, fue director del Carnegie Archaeological Program, bajo cuyos auspicios supervisó la reconstrucción de Chichén Itzá en México. Se honró su memoria concediéndole su nombre al Museo del Parque Nacional Tikal de Guatemala.

Dos poemas

Composiciones del poeta judíoalemán Karl Wolfskehl (1869-1948). YM copió de su puño y letra los dos poemas que presenta a MR en papel aparte, ocupando cuatro caras. Indica ahí la edición y paginación de donde proceden, esto es, *Die Stimme spricht: erweitertes Werk*, Berlín, Schocken [*c.* 1938], pp. lxiii-lxv.

KARL WOLFSKEHL, «DIE STIMME SPRICHT»
Y «DIE STIMME ZUM BOTEN»

Aufbruch (nach dem Sternfall Oktober, 1933)

Schaut nicht zurück. | Was säht ihr auch? | Was war, ist Rauch, | Ihr schreitet frank | In Morgens Hauch. || Horcht nicht zurück – | Lauschen macht krank, | Was war, versank. | Euch ruft das Wort | Von morscher Bank. || Denkt nicht zurück, | Was war, verdorrt. | Ein einziger Hort | Ist euch gereift, | Der Hort heisst: Dort! || Sehnt nicht zurück, | Den Stab ergreift! | Was war, bereift | Vereisten Hang, | Der Nordsturm pfeift. || Liebt nicht zurück, | Was war – zersprang. | Der Tag is lang | Verronnen, seit | Ein Bild euch zwang! || Grollt nicht züruck! || Was war – verzeiht! | Holt aus befreit, | Winkt mit der Hand | Gen Abend weit! || Wollt nicht zurück. | Jung lenzt das Land. | Was war, ist Tand. | Ist Tod – ihr seid | Im Wanderkleid: | Fortgehn ist Leid, | Fortgehn is Glück – | Bleibt nicht zurück!

DIE STIMME ZUM BOTEN

Frag nicht: was ist wahr? ICH BIN DER ICH BIN. *| Nur dies sag der Schar: Er ist drauss. Er ist drin. | Euch muss Leid sein, eh'r dürft ihr nicht glauben. || Mich zu glauben steht keinem frei. | Keinen los'Ich der erkoren sei | Das Ohr zu weiten den Tauben. || Was euch und trifft, knickt ist Mein Geheiss. | Mein Ruf, das euch abströmt Blut wie Schweiss. | So will Ich euch Mir rauben! || Das will Mir Gier, dass die Welt euch packt, | Das war Gnade, dass ihr nackt | Fliehn müsst aus bunten Lauben. || Kein Hiob war je so sätzig am Leib | Kein Bettlemann hockt, der nicht Spott mit euch treib, | Auswerf euch wie stichige Trauben. || Deun nun erst zieh Ich in euch ein. | Denn nun erst seid ihr tempelrein. | Deun nun erst bin Ich euer. || Nun seid Ihr Zeugenschaft genug, | Nun hält die Sonne ihren Flug | Schaumvoll vor eurem Feuer. || Ihr flammt aus eurer Scharten Bug. | Euch führt der euch zu Schanden schlug, | Euch weis aus satter Scheuer. || Hab Ich den Brand zu hoch geschürt? | Ich wahr' und kür' was Mir gebührt, | Ehdem, dereinst und heuer! || So sprich zu der Schar. So künd ihr den Sinn. | Die Rede est wahr. denn* ICH BIN DER ICH BIN. *| Bald verstatt Ich, gewähr Ich Glauben.*

Karl Wolfskehl fue promotor orgulloso de la cultura y la tradición hebraica, poeta, prosista, dramaturgo y traductor. Fue discípulo poético de Stefan George. Abandonó Alemania en 1933: pasa primero a Suiza, luego a Italia (1934) y finalmente a Nueva Zelanda (1938). Aunque durante su intensa vida intelectual en Alemania se codeó con escritores como Franz Wedekind, Stefan Zweig, Rainer Maria Rilke, Thomas Mann o Hermann Hesse, su obra más conocida es la compuesta o publicada en el exilio (como es el caso del poemario de donde cita YM). Véase Kotowski y Mattenklott, *«O dürft ich Stimme sein, das Volk zu rütteln!». Leben und Werk von Karl Wolfskehl* (2007). Cuando YM habla de «connubio de lo teutónico y de lo hebreo» basta citar el título de dos de sus obras: *Saul* (1905), *Thors Hammer* (1908). El poeta ajustó cuentas con la Alemania nazi en varios de sus escritos, entre los que cabe destacar *An die Deutschen* (1947).

Generación del 33

Se refiere YM en forma amplia a la generación que vivió el imparable ascenso del partido nazi tras el simbólico incendio del Reichstag (27 de febrero).

Curt Sachs y Georg Sachs

Curts Sachs (1881-1951), musicólogo e historiador alemán de origen judío y su hijo Georg, romanista.

El origen judío de Sachs le obligó al exilio tras los sucesos de 1933, primero en París, donde publicaría la célebre *Anthologie sonore*, en la que se utilizaron instrumentos originales de la Antigüedad y la Edad Media. Viajó luego a Estados Unidos, donde ejerció como profesor en la Universidad de Nueva York desde 1937 hasta 1953, y luego en la de Columbia.

Su hijo, Georg Sachs, inició una carrera como romanista con la publicación de su tesis doctoral, *De germanisches Ortsnamen in Spanien und Portugal* (1932). Véase la reseña elogiosa de Bourciez, *Bulletin Hispanique* (1933). Para la vida del joven Sachs en España cito las palabras de Gimber y López-Ríos, «Alemán» (2008: 390-391): «De esta materia [lengua alemana] se ocupó el lector Georg Sachs. Este joven doctor era originario de Berlín, donde había estudiado Filología Románica con Ernst Gamillscheg. Este conocido lingüista fue invitado en otoño de 1931 por el Centro de Estudios Históricos [...] Américo Castro recomendó a Georg Sachs personalmente (es de suponer que a través de Gamillscheg) y el lector fue contratado en septiembre de 1932 [...] Sachs ya se había doctorado en la Universidad de Berlín con una tesis titulada *El libro de los caballos: tratado de albeitería del siglo XIII* [...] En 1936, el Centro de Estudios Históricos publicó esta tesis como anejo de la Revista de Filología Española (editado con introducción y vocabulario por Georg Sachs; con un prólogo de Rafael Castejón, Madrid, Centro de Estudios Históricos, 1936). [...] En junio de 1936 el Dr. Sachs aún firma certificados de estudios y otros documentos en la Universidad Central, pero después perdemos prácticamente sus pasos. Quizá, al no poder volver a la Alemania nazi, se trasladó a Estados Unidos, donde tenemos certeza de que continuó su carrera académica. Steven Dworkin, en su semblanza del romanista judío-alemán Yakov Malkiel, recordó que Sachs "*died young*" (Steven Dworkin, "Yakov Malkiel", *Language*, 80 (2004), pp. 153-162, la cita en la p. 153)».

Ibn Gabirol

Selomoh ben Yehudah ibn Gabirol (*c.* 1021-*c.* 1058), poeta y filósofo judío.

Ibn Gabirol, nació en Málaga, pero se cultivó en Zaragoza, donde convivió con grandes hombres de letras (Mosé ben Ezra, Yehudah Haleví) y de poder. Desaparecidos sus protectores, sufrió el exilio de esta ciudad por desacuerdos con sus correligionarios. Es autor de una abundante y valiosa obra poética, así como de tratados de corte filosófico-teológico, entre los cuales el más célebre (redactado en lengua árabe) fue traducido al latín con el título de *Fons vitæ*. Entre los cristianos fue conocido por el nombre de Avicebrón. Véase Millás Vallicrosa, *Šĕlomó ibn Gabirol como poeta y filósofo* (1993). De Marco señala las referencias de las traducciones de Wolfskehl, basadas en Manfred Schlösser, *Karl Wolfskehl: Eine Bibliographie* (1971), n.os 410 y 438. Se conocen dos traducciones, en colaboración con Bargebuhr, «Schlomoh Ibn Gabirol: *Ein Mann bin ich...*», *Almanach des Schocken Verlags* 5968 [= 1937] y «Salomo Ibn Gabirol, *Gedichte*», *Castrum Peregrini* (1963).

Bei Nacht und Nebel

'Noche y niebla'. Se refiere al sobrenombre por el que era conocido un Decreto del III Reich llamado *Richtlinien für die Verfolgung von Straftaten gegen das Reich oder die Besatzungsmacht in den besetzten Gebieten.*

Promulgado el 7 de diciembre de 1941, permitía al gobierno alemán una gran libertad de movimiento para el castigo sistemático de los disidentes del régimen y sirvió para abrir las puertas de los campos de concentración. Supuso una violación flagrante de la Convención de Ginebra. A este sintagma hace alusión el documental de Alain Resnais (1955).

Mi tesis

Véase arriba YM, *Das substantivierte Adjektiv im Französischen* (1938).

De Marco cita una reseña de Spitzer, *Modern Language Notes* (1939), cuyo pasaje reproduzco: «*Un élève de M. Gamillscheg traite ici un sujet intéressant avec une finesse de jugement rare, un remarquable sens de nuances et une documentation historique impeccable: il suit l'adjectif substantivé depuis le latin, à travers l'anc. Fr., la Renaissance, le siècle classique, le* XVIIIè *jusqu'à nos jours et montre la multiplicité des motifs (stylistiques, logiques, morphologiques, ces derniers les plus importants) qui convergent dans ce trait de la grammaire*» (pp. 148-149).

ЯША

Es el equivalente en caracteres cirílicos de Yasha, hipocorístico que se menciona y se explica por primera vez en la carta XVI y que acoge MRL en la respuesta a esta misiva (carta XVII). Agradezco a la doctora Olga Ivanova sus indicaciones acerca de la correcta transcripción y traducción de las palabras o expresiones en caracteres cirílicos. Me ha parecido que sería impertinente, en varias ocasiones porque ni siquiera es necesario, anotar en el texto la traducción de las palabras o sintagmas en cirílico. Forma parte del juego de cortejo, ocultación y pudor de MRL y YM, que se sirvieron del plurilingüismo para tamizar sus aspiraciones y deseos.

CARTA XIX

La rosa

Además del simbolismo general de la rosa es probable que MRL se refiera a la aparición de san Bernardo en el canto XXXI de la *Commedia* de Dante Alighieri, a propósito de la revelación («profecía») de la rosa mísitica. ¿O quizá a las llamadas profecías de Malaquías, relacionadas con san Bernardo?

Entbehren sollst du, sollst entbehren

'¡Renuncia, tienes que renunciar!'. Son palabras de Fausto a Mefistófeles en el *Faust* de Goethe, escena segunda de la «Studierzimmer».

Ollas-Egipto

Éxodo 16, 3: «Y decíanles los hijos de Israel: Ojalá hubiéramos muerto por mano de Jehová en la tierra de Egipto, cuando nos sentábamos a las ollas de las carnes, cuando comíamos pan en hartura; pues nos habéis sacado a este desierto, para matar de hambre a toda esta multitud».

Buenos Aires. Fundación

Véase sobre esto el capítulo dedicado por MRL en el libro sobre *Jerusalén* a la fundación de Buenos Aires.

Erasmo y Virgilio

El capitán Pedro de Mendoza (1487-1537), fundador de Buenos Aires, llevó consigo en su expedición varios libros (véase Irving Leonard), entre los cuales se contaban Erasmo, Virgilio y Petrarca. La estampa se ha hecho mítica como contraste con los terrores que rodearon la expedición (entre ellos el canibalismo), retratada por escritores como Eduardo Galeano o Manuel Mújica Laínez. Véase Groussac, *Don Pedro de Mendoza* (1949).

Restaura a Jerusalén

Tal y como está escrito en el terrible Salmo 101: «Tú, en cambio, permaneces para siempre, | y tu nombre de generación en generación. | Levántate y ten misericordia de Sión, | que ya es hora y tiempo de misericordia. || Tus siervos aman sus piedras, | se compadecen de sus ruinas: | los gentiles temerán tu nombre, | los reyes del mundo, tu gloria. || Cuando el Señor reconstruya Sión, | y aparezca en su gloria, | y se vuelva a las súplicas de los indefensos, | y no desprecie sus peticiones, || quede esto escrito para la generación futura [...]».

Deuteronomio

Véase carta XVII.

Ciutti

Divertido nombre, por el Ciutti del *Don Juan* de Zorrilla.

Kany

Charles E. Kany (1895-1968), hispanista estadounidense.

Fue profesor de español, con distintos cargos académicos, en la Universidad de Berkeley desde 1922 hasta 1962-1966. La obra a la que aquí se hace referencia es *The Beginnings of the Epistolary Novel in France, Italy, and Spain* (1937), que fue primero la tesis que defendió en Harvard, en 1920. Por aquellas fechas Kany había publicado una obra bastante conocida, *American-Spanish Syntax* (1945). Hablaba varios idiomas con soltura, entre ellos el ruso, que es de suponer que llegara a practicar con YM. Éste escribió un obituario en *Romance Philology* (1968) y un comentario en «Hispanic Philology», *Current Trends in Linguistics, 4. Ibero-American and Caribbean Linguistics* (1968: 178-179, 207).

Falsos testimonios

Se referirá, con probabilidad, a *La verdad sospechosa* de Juan Ruiz de Alarcón (1581-1639).

En cuanto a Morley como lopista, aparte numerosos artículos, sus contribuciones más conocidas son, junto a Bruerton, su *The Chronology of Lope de Vega's Comedias* (1940). Hay traducción española de María Rosa Cartes, *Cronología de las comedias de Lope de Vega: con un examen de las atribuciones dudosas, basado todo ello en un estudio de su versificación estrófica* (1968); y junto a Tyler, *Los nombres de personajes en las comedias de Lope de Vega: estudio de onomatología* (1961). Aunque quizá la obra más divulgada de Morley entonces y ahora sea su *Spanish Ballads: (romances escogidos)* (1946).

CARTA XX

Carolina

A propósito de este fingimiento véanse cartas I y XXIV.

Tua tradução

El *Tucídides*. Véase carta XXIII.

Cansaço

Es el tema sobre el que versó la contribución de YM al Congreso Anual de la Modern Language Association. Menciona este trabajo en las cartas IX y XI.

Feminas

Sigo a las mujeres y las jóvenes.

L. S.

Leo Spitzer

J. B.

Julian [Giuliano] Bonfante (1904-1905), lingüista italiano.

El milanés Bonfante fue especialista en varios campos de la lingüística (indoeruopeo, latín, etrusco, hitita, eslavística, romanística…). Con la llegada al poder de los fascistas en Italia deja su país. En Estados Unidos enseñó en Princeton, Chicago y Wisconsin. Fue fundador de la revista *Emerita*, con la que colaboró a menudo MRL en su etapa más temprana como filóloga clásica.

G. C.

George Coffman, editor de *Studies in Philology*.

Mellita puella

'Joven dulce como la miel'. Véase carta II y XXVI.

CARTA XXI

Rockefeller

Véase carta VII.

Oakland

Según De Marco fue en la oficina gubernamental de Alameda County donde YM fue a preguntar por la licencia de matrimonio. YM y MRL se habrían comprometido en Harvard el día de Navidad de 1947.

Bernart

Bernart de Ventadour, «Tant ai mo cor ple de joya», ed. Battaglia, *Jaufre Rudel e Bernardo di Ventadorn. Canzoni* (1949: 244-247). Es una de las canciones de Ventadorn recogidas en Bartsch (1904: cols. 65-68). Edición y traducción española en Riquer, *Los trovadores* (1975; 1989: I, n.º 56, pp. 372-375). Destacan en este poema elementos que, de un modo u otro, se hallan presentes en estas cartas y en la obra de MRL, como «*naus en l'onda*» (sobre el peligro del naufragio amoroso), «*bon'amor*» o «*lonh de leis*» (acerca de la distancia entre los amantes, aparte del consabido *amor de lonh* cultivado como tema poético por el trovador Jaufré Rudel y que es tan representativo de los inicios de la relación entre MRL y YM).

Целую тебя

Literalmente, 'Te beso', esto es, 'Besos'.

Целовать тебя

'Besarte'.

CARTA XXI*bis*

A las dos o a las tres semanas

Sabemos por los telegramas que se han conservado que MRL llegó en tren a San Francisco, procedente de Chicago, la mañana del miércoles 28 de enero de 1948. La boda entre MRL y YM tuvo lugar aproximadamente un mes después, el martes 2 de marzo.

Aufbau

Aufbau ('Reconstrucción') fue un periódico fundado en 1934 por el German-Jewish Club. La fotografía del monarca sueco, Gustavo V, se encuentra en el ejemplar del viernes 19 de diciembre de 1947, p. 3.

CARTA XXII

Дорогая Марiя Роза!

'Querida Maria Rosa'. Es de notar el empleo de la *i* latina como transcripción impropia del ruso para estas fechas, pues había sido erradicada en las reformas ortográficas de principios del siglo XX (1917-1918), por lo que podría considerarse un rasgo típico de la ortografía ucraniana.

Schönhoff

Schoenhoff's es una prestigiosa librería, fundada en 1856, especializada en lenguas extranjeras, sita en Harvard Square, Cambridge.

Rembrandt

Véase abajo, carta XXVII.

Alexandre

Al referirse a «compañero de trabajo» es forzoso pensar que

YM y MRL habían decidido trabajar sobre algún aspecto del *Libro de Alexandre*, proyecto que no llegó a concretarse en ese momento. En la carta XXXII se habla de una edición conjunta. Sin embargo, ya en 1947 MRL escribe a Ramón Menéndez Pidal hablándole de su intención de estudiar en profundidad el *Libro de Alexandre*. Pidal responderá a principios de septiembre de ese año con entusiasmo, y avalará hacia finales de 1948 el ambicioso proyecto que MRL presentó a la Guggenheim Memorial Foundation con el título *The Old Spanish «Libro de Alexandre». A Hero of Classical Antiquity Reinterpreted in Early Old Spanish Literature*. MRL no llegó a publicar una monografía amplia sobre el tema, aunque su espléndida reseña al libro de George Cary, *The Medieval Alexander* (1956), esto es, «Datos para la leyenda de Alejandro en la Edad Media Castellana» (1961-1962), continúa siendo un estudio valioso. Véase también MRL, «Alejandro en Jerusalén» (1957).

R. M. P.

Ramón Menéndez Pidal, que haría las funciones de tío intelectual de MRL.

Swadesh

Morris Swadesh (1909-1967). Discípulo de Edward Sapir y editor de la revista *Words* entre 1946 y 1949. Véase carta XXXIV. Swadesh sería expulsado del City College University of New York en 1949, acusado de comunista.

Francesco

Los célebres amantes Francesca da Rímini y Paolo Malatesta de la *Commedia* (*Inferno* V, vv. 82-142).

Texto: «*Noi leggiavamo un giorno per diletto* | *di Lancialotto come amor lo strinse:* | *soli eravamo e sanza alcun sospetto.* | *Per più fiate li occhi ci sospinse* | *quella lettura, e scolorocci il viso;* | *ma solo un punto fu quel che ci vinse.* | *Quando leggem-*

mo il disiato riso | esser baciato da cotanto amante, | questi, che mai da me non fia diviso, | la bocca mi baciò tutto tremante. | Galeotto fu il libro e chi lo scrisse: | quel giorno più non vi leggemmo avante».

Дорогой, masc (dorogói, dorogáya)
Дорогая, fem

'Querido', 'querida'.

CARTA XXIII

Biaus dous amis

Esta *senhal* o mote de encubrimiento amoroso recurre en varios textos medievales.

En el *Trésor* de Brunetto Latini (I, 1) alude a su destinatario: «*Et por ce ke li tresors ki ci est ne doit pas iestre donés se a home non ki soit souffissables a si haute richece, la baillerai jou a toi* biaus dous amis, *car tu en ies bien dignes selonc mon jugement*» (*Li livres dou trésor de Brunetto Latini*, ed. Carmody, 1948: 17). En el *jeu* francés *Le garçon et l'aveugle* (siglo XIII), el ciego pregunta : «*Biaus dous amis, car ne me chose! Coument t'apel'on?*» (ed. Roques, 1909), y así podrían citarse innumerables ejemplos. La *chantefable* de *Aucassin et Nicolette* tiene visos de ser el lugar de memoria del juego de MRL: «*Quant Nicolete oi Aucassin, ele vint a lui, car | ele n'estoit mie lonc. Ele entra en la loge, si li jeta | ses bras au col, si le baisa e acola. |—Biaus dous amis, bien soiiés vos trovés! |—Et vos, bele douce amie, soies li bien trovée! | Il s'entrebaissent e acolent, si fu la joie bele*» (*Aucassin et Nicolette. Chantefable du douzième siècle*, ed. Bida, 1878: 88). Y, desde luego, el poema de Gace Brulé, «Cant voi l'aube dou jor venir», recogido por Bartsch (1904: cols. 251-252), cuyo tema es la partida de los amantes: «*Biaus dous amis, vos en ireis: | a deu soit vos cors comandeis. | por deu vos pri, ne m'oblieis*» (vv. 20-23).

Tucídides

Véase arriba Heródoto, carta XII.

Ames House

34, Kirland St. Situada a medio camino entre el Peabody Museum y la Harvard University Science Center. Se encuentra ahora allí el Centro de Estudios Ucranianos.

Auerbach

Erich Auerbach (1892-1957), filólogo alemán de familia judía.

Nacido en Berlín, es hoy probablemente el romanista más influyente de su generación. Después de su libro sobre Dante, publicado en 1929, Auerbach sucedió a Leo Spitzer en la cátedra de Marburgo, que pasó a Colonia. En 1935 abandonó Alemania y se trasladó a la Universidad de Estambul, donde compuso su célebre *Mimesis: Dargestellte Wirklichkeit in der abendländischen Literatur* (1946), traducida luego en el Fondo de Cultura Económica (1951). En 1947 Auerbach acababa de llegar a Estados Unidos: MRL se refiere al contrato de Auerbach con Penn State, donde el romanista se ocuparía de algunos cursos de verano. En 1949 se traslada al Institute for Advanced Studies de Princeton, y en 1950 ocupa plaza de profesor de Filología Románica en la Universidad de Yale. Véase el texto de su alumno Levin «Two Romanisten in America: Spitzer and Auerbach», en *The Intellectual Migration: Europe and America (1930-1960)*, ed. Fleming y Bailyn (1969: 463-484).

Katiusha

Véase carta XXXII. Según De Marco haría referencia a la historia de abnegación de la heroína de Tolstói en *Resurrección*, quizá a través de la ópera *Risurrezione* de Franco Alfano (1904).

Propter Sion...

Véase carta III. Isaías 62, 1-5. El lema de Harvard es «Veritas», redundante con la primera idea, más la necesidad de adaptarse a la vida común y práctica, «la vida en el sieglo», según la expresión arcaizante que podría localizarse en numerosos textos españoles antiguos.

Schmidt

La alusión a lo sucedido el 3 de enero (no hay carta para esa fecha) no parece reproducible sin conocer el contexto. YM debió faltar a un almuerzo con una excusa que a ambos parecería divertida.

Los lengüistas

No parece que se refiera a los «lingüistas idealistas», cuyo padre putativo sería Karl Vossler, sino más bien a los compañeros de profesión, en general, cuando se enteren de su rápido noviazgo y boda, lo que desatará sus lenguas (cotilleo, etcétera), que es un uso dado a «lengüista» en el español de América.

Por lo que sigue, MRL debía haber informado cautamente de su marcha de Harvard, pero sin declarar los motivos reales, que serían revelados más tarde. De ahí el sentido de la burla con el «cuá, cuá, cuá», como onomatopeya del sonido de los patos, ave migratoria, como es el caso, y donde coinciden significado y significante (de ahí la comparación con Saussure y lo que éste escribió al respecto). *Beya* aparece en varios textos del siglo XV en el sentido de 'veía', pero es la forma yeísta de «bella», usada en muchas regiones del mundo hispánico y que en tiempos fue característica de algunas hablas particulares como la de los negros. Tomás Navarro Tomás y Amado Alonso, por cierto, escribieron a propósito de esta forma. Véase, por ejemplo, de Amado Alonso, *Estudios lingüísticos. Temas hispanoamericanos* (1976: 201; 1.ª ed. 1953).

Tristán de Leonís / Lanzarote del Lago

Las burlas de MRL suelen tener un trasfondo literario. Aquí transforma al electricista en caballero andante, muy al estilo quijotesco.

De Marco remite a la edición del *Libro del esforzado caballero don Tristán de Leonís y de sus grandes hechos en armas*, ed. Anzoátegui (1948).

Crónica de veinte reyes

Se refiere, naturalmente, a la carta (se diría que extensa por lo que trasciende de la carta citada abajo del hermano Emilio) que envía a su familia para comunicarles el casamiento. Sigue aquí el trazado de juegos con textos medievales, como esta crónica (en realidad un conjunto de testimonios manuscritos, así definidos por su contenido) que forma parte de la historiografía castellana alfonsí y donde se relatan los hechos acaecidos entre los reinados de Fruela II y Fernando III.

Padre

Al padre de MRL casi nunca se le menciona (al contrario que a la madre y a los hermanos): aquí aparece como «riguroso» y seguidor de las tradiciones hebraicas. Para el hermano Emilio véase en otros lugares.

Commander

Probablemente se refiera a una cena en el restaurante del Hotel Sheraton Commander (construido en 1927) y situado en Harvard Square.

Integer

Horacio, *Odas* I, XXII, vv. 1-4: «*Integer vitae scelerisque purus* | *non eget Mauris iaculis neque arcu* | *nec venenatis gravida sagittis,* | *Fusce, pharetra*»; «El hombre entero y puro de pecado | no necesita, Fusco, jabalinas | mauras ni el arco ni el carcaj repleto | de flechas tóxicas» (ed. y trad. Fernández-Galiano y Cristóbal, 1990). Véase carta XXXIII. La traducción de Esteban Manuel de Villegas que se menciona en la carta es la que editó MRL en su Horacio (1940: 43-44): «El que es entero y en el alma puro, | Fusco, los pasos si mover quisiere, | ya sin azcona, ya sin arco corvo, | libre camina».

Esteban Manuel de Villegas

Poeta riojano (1589-1669) del Siglo de Oro, autor de unas famosas *Eróticas* (1618).

La referencia a que el hermano Emilio había comprado un libro de Villegas «hace un siglo» pudiera hacer mención a la venerable edición de Vicente de los Ríos estampada por Sancha (1774), reimpresa en 1797; pero es más probable que se tratara de la edición de Alonso Cortés (1913). El poemario de Villegas contiene en parte reescrituras de Horacio (*Odas*), lo que hace juego con la mención anterior. Véase MRL sobre Villegas en una reseña a dos traducciones de *La consolación de la Filosofía*, en *Revista de Filología Hispánica* (1945).

Schoenhof

Véase carta XXII.

Santa ubbidienza

El sintagma aparece así en el tercer capítulo de los *Fioretti* de san Francisco: «*Io ti comando per santa ubbidienza, che tu facci ciò ch'io ti comanderò*», y se reitera luego como una especie de mantra. Los textos franciscanos eran y son muy bien conocidos. Una de las ediciones más a mano entonces era la de Casella, *I Fioretti di san Francesco* (1926).

Esquilo

πάθει μάθος (*pázei mázos*), 'sufrir para conocer', 'por el dolor a la sabiduría', Esquilo, *Agamenón*, v. 117. Véase carta XIV. La reescritura de Juan Ruiz (cuaderna 156 ab; ed. MRL 1973, p. 47) resulta muy divertida como reproche a YM por no haberle traducido la despedida en cirílico de la última carta.

De amore

El tratado *De amore* de Andreas Cappellanus fue esencial en las investigaciones de MRL (*Libro de buen amor*, *La Celestina*, etcétera).

Amadeu Pagès editó el texto con una traducción al catalán, *De amore libri tres Andreae Capellani*, Castellón de la Plana, Societat Castellonenca de Cultura [Libros Raros y Curiosos, 4], 1929.

Recumbente

No figura en el DRAE, aunque el sentido es claro: 'horizontal'.

If the dull

William Shakespeare, soneto 44, vv. 1-4: «*If the dull substance of my flesh were thought, | Injurious distance should not stop my way; | For then, despite of space, I would be brought | From limits far remote, where thou dost stay*»; 'Si mi sólida carne fuera pensamiento, | la cruel distancia no me detendría; | porque a despecho de los espacios volaría | del confín más remoto hasta tu reino'. (trad. Álvarez, 1999: 101).

Alas, alas

Geoffrey Chaucer, *The Canterbury Tales*, «The Prologue of the Wife of Bath's Tale», v. 620: «*Allas!, allas! that evere love was synne!*»; 'Ay, ay, ¡que el amor deba ser pecado!' (trad. Guardia, 1987: 586-587).

Capítulo sobre tiempo y espacio en la Celestina

Véase *La originalidad.*

Gilman

Stephen Gilman (1917-1986), discípulo de Américo Castro y profesor en Harvard entre 1957-1985.

En las fechas a que se refiere la carta se encontraba en Princeton, donde se doctoró. MRL alude al artículo «El tiempo y el género literario en la *Celestina*» (1945). Véase Gilman, *The Art of La Celestina* (1956: n. 43, pp. 241-242). La caracterización de MRL como «insigne macaneador», esto es, mentiroso o desatinado, parece excesiva a pesar de la orientación castrista de la obra de Gilman. Levanta un tanto la mano y suaviza al decir que no se encarnizará con él, pues es «joven y padre de familia»: estaba casado con Teresa Guillén, la hija del poeta Jorge Guillén y hermana de Claudio Guillén. Véase Rose, «In Memoriam: Stephen Gilman (1917-1986)» (1988).

Caro Lynn

Se refiere a la reseña dura a Caro Lynn, *A College Professor of the Renaissance: Lucio Marineo Siculo among the Spanish Humanist* (1937), que apareció en *Revista de Filología Hispánica* (1943).

Herr Koby

Se trata probablemente de Paul Koby, un notorio fotógrafo de aquellos años, situado en Harvard Square. Numerosas fotos del estudio de Koby se encuentran en los archivos de Harvard University.

Sra. de Alonso

Joan Evans. Véase carta XIV.

Stuart Street

La residencia de los futuros Malkiel estaba situada en un acomodado barrio residencial de casas con jardín. Stuart Street transcurre aproximadamente entre Groveplayground y Williard Park, y se encuentra cercana a la Berkeley Public Library. La casa de los Malkiel, en concreto, se encontraba en el cruce con College Avenue.

CARTA XXIV

Margarita

Véase abajo carta XXVIII y nota a carta XXXI.

Segundo número de RPh

El correspondiente a los años 1948-1949.

Joaquín y Carolina

Véase carta XX.

Wheeler Hall

Es uno de los más emblemáticos edificios de la Universidad de Berkeley. Fue fundado en 1917 en honor al filólogo, y Rector de la Universidad, Benjamin Ide Wheeler. Está situado al lado de la Bancroft Library y se accede fácilmente a él desde la explanada del Campanile, esto es, la Sather Tower.

Fiat Lux

Es el lema de Berkeley (Génesis 1, 3). YM lo acompaña de su transcripción hebrea.

SGM

S. Griswold Morley.

Дорогой ЯША, μάλα χάίροις

'Mi siempre querido Yasha', en toda ocasión (siempre).

Prenda con dueño

Es probable que YM se refiera a la canción popular argentina «Las hojas tienen mudanza». En la penúltima estrofa se canta: «*No quiero prenda con dueño | que me la quiten mañana, | quiero prenda que me dure | hasta que me dé la gana*». Véase también carta XXVIII.

El número ocupado

Cabe que se trate de una broma a propósito de una llamada fallida de MRL a YM, o de la disponibilidad de un hombre, una mujer o incluso un espacio. Compárese carta XXXVI.

CARTA XXV

Véase la *señal* de la carta XXIII, «*Biaus dous amis*». La explicación de al «estilo de los trobadores provenzales» no es pertinente después de la carta XXIII, pero hay que tener en cuenta el tiempo de demora entre el envío y la recepción de cada una de ellas. Nueva muestra del carácter práctico de YM.

Nuestro amigo berlinés

Paul Koby. Véase carta XXIII. MRL ya le había explicado cómo habían quedado las fotografías.

CARTA XXVI

Cantiga d'amigo

Siendo carta recibida sesenta horas antes el tiempo mínimo es tres días antes, más el necesario para que la carta llegara a Berkeley. Véase correspondencia.

R.F.

Rockefeller Foundation.

Mésalliance

'Mala alianza', 'mal casamiento'.

Plauto

Aunque las obras hoy conocidas como ciertas de Plauto son veintiuna, el número de las totales escritas por este dramaturgo latino fue muy discutido en la Antigüedad. El estudio de Plauto fue importante para la confección de *La originalidad artística*.

Coiffer sainte Catherine

Véase carta XXXIII. Se trata de la tradición según la cual una mujer (o camarera) normalmente virgen o viuda, se ocupa de vestir y cuidar del ajuar de una santa (sea cual sea), de donde la expresión «quedarse para vestir santos», esto es, soltera.

En el caso concreto de santa Catalina, el uso se refiere al término de la edad de veinticinco años sin haberse casado (el 25 de noviembre es la festividad de la santa), momento en el cual la mujer de esa edad se ocupa de peinar a la santa y engalanarla para la celebración de su día. En Francia el sentido de «coiffer» no se refiere sólo a peinar, sino al tocado mismo de la santa: de hecho las «catherinettes», las mujeres de veinticinco años todavía no casadas y vírgenes (puras), se arreglan ese día con un sombrero o pañuelo de colores amarillo y verde, símbolo de la Fe y el Conocimiento, respectivamente. La presión de YM sobre MRL, como se lee en el último párrafo, es significativa.

Suam mellitam puellam

'Su joven (doncella) más dulce que la miel'. Véanse cartas II y XX.

CARTA XXVII

Ω φίλε Ιάχωβε [...] Дорогой ЯША

'Querido Yakov' [...] 'Querida Yasha'.

Special delivery

'Entrega especial', 'certificado urgente'. Parece referirse a la carta de 10 de enero, adornada con «banderillas» (= «*stickerettes*»).

Almanaque Rembrandt

Véase arriba carta XXII. Este año se publicó la obra de Rosenberg, *Rembrandt* (1948); pudiera ser que MRL la llamara «almanaque» o por su tamaño, o por divertimento, o por la cantidad de ilustraciones. Pero es más probable que se tratase de un calendario sin más («entretanto usa el otro», le dice a YM), que no he localizado. En el Museum of Fine Arts de Boston se encuentra una importante serie rembrandtiana.

Andrés Vázquez

Sobre Andrés Vázquez, secretario de Amado Alonso, léase lo que escribe la propia MRL en su nota a la carta XXXI.

Según Miranda Lida, Vázquez era «empleado del Instituto de Filología que se encargaba de las tareas de imprenta y edición, tanto de los libros publicados por el Instituto como de la *RFH*. Además, Vázquez trabajaba en diversas tareas de edición en la Editorial Losada, de tal modo que servía de nexo entre el Instituto y la importante casa editorial de Buenos Aires. En la década de 1950, ensayó la publicación de una revista, *Buenos Aires Literaria*, con la que María Rosa Lida colaboró más de una vez. En este sentido, puede verse su artículo «Carta a Andrés Ramón Vázquez sobre *Way of a Gaucho*», *Buenos Aires Literaria*, 5 (1953), pp. 27-30.

Non quota

Según los porcentajes y las particularidades expresadas en la *Immigration Act* de 1924, MRL era considerada *non quota*. El texto del Acta puede consultarse en http://www.historicaldocuments.com/ImmigrationActof1924.htm

Lo hice

Parece que hay un fallo de redacción o de copia.

Feller

Juego con el sentido de «compañero», «*fellow*», Yakov en vez de John, y dado que en el salmo al que alude (62, 2) se llama a Dios «mi roca», «*rock*».

Alien registration

Según la Angencia de Inmigración: «*United States permanent residents have an identification card known as the "Alien*

Registration Card". Other names for the Alien Registration Card include the immigrant visa, permanent visa, permanent resident card, permanent resident visa, form I-551 or form I-551. While permanent residents are not United States citizens, they are granted permission to reside and work in the United States on a permanent basis. Permanent residents in the United States are legally in the country, but they are still considered aliens. Unlike United States citizens who are not required to carry an identification to prove their citizenship, permanent residents must carry their Alien Registration Card with them at all times. The government agency responsible for issuing Alien Registration Cards is the U.S. Citizenship and Immigration Services (USCIS) which was formerly the Immigration and Naturalization Service (INS)».

Brain power

La inteligencia o fortaleza mental, de la última alumna del Dr. Morley ¿? Es probable que se refiera a sí misma, ya que Morley la había acogido con tanto afecto.

Longam epistolam

Así concluye la primera epístola de Eloísa a Abelardo: «Termino con una palabra esta larga carta: adiós, mi único» (trad. Peri-Rossi, 1982: 99). Compárese carta XXXIV para *unice meus* y el final de la carta XLI.

Bernart de Ventadour

Aunque en ella no menciona al trovador occitano, debe referirse al guiño con el que YM inicia la carta XXV, otorgándole una *senhal* a MRL, juego que se repite a menudo en adelante.

CARTA XXVIII

Ilse Hempel

El hecho de que esta Hempel hiciera las fotografías de MRL parece favorecer la identificación con Ilse Hempel Lipschutz, cuya tesis doctoral presentada en Radcliffe College, en 1958, se tituló *The discovery of Spanish painting in early nineteenth century France.*

De la misma autora se publicó mucho más tarde el libro *Spanish paintings and the French Romantics* (1972). Esta monografía la tradujo al español Checa Cremades, *La pintura española y los románticos franceses* (1988). Fallecida en 2005 fue una profesora de éxito y muy querida entre sus alumnos, coincidiendo con lo expresado por MRL. Ilse, hija de Fanny y Joseph Hempel, se vio desplazada de Alemania por las leyes antisemitas que se aplicaron en 1937, por lo que completó sus estudios en La Sorbonne. Sus padres pasaron un tiempo en España tras la Segunda Guerra Mundial, aspectos todos que pudieron crear una cierta intimidad con MRL, que le confía su «secretillo». Véanse cartas XXXVII y XXXIX. Fue profesora emérita de Francés en Vassar College. Véase «*In memoriam*», *Vassar Alumnae Quarterly* (2005).

Conejito

Según la incomprensible descripción del *DRAE* es una «planta herbácea de la familia de las ranunculáceas que se cultiva en los jardines por sus flores».

Eagerly awaited

'Ansiosamente esparada'. Con este sintagma MR debe hacer referencia a una postal enviada por YM y fechada en los documentos de la Bancroft el día trece de enero de 1948, fecha que debe ser, sin embargo la de su recepción. En el recto de la postal figura una vista de la Universidad de Berkeley, es decir, de su campus y *campanile*, mencionados en la carta XXIV (10/01/1948). Va adjunta una pequeña cartulina escrita por YM donde dice: «*Kindest regards to a young lady eagerly awaited in the West. Yasha*»; 'Con los mejores deseos a una joven dama largamente esperada en el Oeste'. La fecha adjunta a esa cartulina, 13-1-1948, es de la mano de MR, lo que generó su confusión al clasificarla.

Mála jairóis

'Malos tiempos'.

CARTA XXIX

Vae victo

'¡Ay del vencido!'. La famosa expresión latina (*vae victis!*) tiene aquí un encuadre humorístico.

Дорогая моя: Я тебя люблю
ЯША
Я *(yá)* = EGO
Мой, моя *[moi, moyá]* = MEUS, -A
Любить *[llubítl]* = AMARE

Querida mía: [Yo] te quiero Yasha
yo
Mío, mía
amar

CARTA XXX

Animule mi

Es expresión empleada por Plauto que, como se ha visto, MRL estudiaba para su texto sobre *La Celestina*. Véase *Comèdies* (1935, vol. 3, p. 76: *Casina*, acto I, v. 134): «OL. *Concludere in fenestram firmiter, | unde auscultare possis, quom ego illam ausculer. | Quom mihi illa dicet: "mi animule, mi Olympio, | mea vita, mea melilla, mea festivitas* [...]"». ; 'Olimpión.— Te encerraremos sólidamente en el alféizar de la ventana, desde donde podrás escuchar cuando yo la bese y ella me diga: "Corazoncito mío, Olimpión mío, vida mía, bomboncito mío, tesoro mío, déjame besar tus ojitos, cariño mío, déjame, por favor, amarte, mi día de fiesta..."' (trad. Román Bravo, 1989: 422).

Berrien

Se trata de uno de los colaboradores de Amado Alonso, William Berrien.

Rimoldi

Lo más probable es que se trate del psicólogo argentino Horacio Rimoldi (1913-2006). Véase Carpintero Capell, «Horacio Rimoldi (1913-2006) y su significación en el marco de la psicología latinoamericana» (2006).

Loquere

'Habla con nosotros y oiremos' Así se cierra la carta número VI de Heloísa a Abelardo (véase Éxodo 20, 19). Véanse cartas XXVII y XLI.

Banderitas de oro y azul

Es probable que se refiera a los colores argentinos (azul, celeste y oro).

CARTA XXXI

Filiole

Una expresión similar se encuentra en Gottschalk de Orbais. Se trata de un poema de exilio en el que un joven amigo solicita al despatriado la composición de unos versos para cantar, mientras la pena de este le aleja del canto: «*Ut qui iubes, pusiole, | quare mandas, filiole, | carmen dulce me cantare, | cum sim longe exul valde | intra mare? | o cur iubes canere?*». Citado por Raby (1927; 1953: 191) y (1934: 227). Raby remite a Gaselee (1928: 215).

Punta

En este caso, la expresión para indicar «cantidad» no es exclusiva del Río de la Plata, también existe en español, en general.

Collating Room

'Sala de cotejo'. MRL se refiere a la venta de duplicados o libros desechados por la Universidad que sus miembros tienen derecho a adquirir a precios muy económicos. Se ponen a la venta, en efecto, en la Collating Room de la Widener Library.

Doña Justina

Con gran probabilidad se refiere a Justina Ruiz Conde, a la que se menciona en la carta XXXVI. Justina Ruiz Conde nació en Madrid en 1910 y dejó España en 1939. Se doctoró en Filología Románica en Radcliffe (1941) y fue profesora en Wellesley (1941-1975).

Véase *Justina: Homenaje a Justina Ruiz de Conde en su ochenta cumpleaños*, eds. Gascon-Vera, Burgy (1992); con textos, entre otros, de Enric Bou, Jorge Guillén, Irene Guillén, Rafael Lapesa o Julián Marias. Su obra más conocida como romanista es *El amor y el matrimonio secreto en los libros de caballerías* (1948). También estudió la obra poética de Jorge Guillén. La pronunciación a la que hace referencia MRL es característica de Castilla la Mancha y abudante en Madrid, dependiendo de la procedencia y estrato social.

Margarita

Margarita Silva-Hutner (1915-2002), nacida en Río Piedras, Puerto Rico, casada con el Dr. Seymour H. Hutner.

La información de carácter académico y profesional que ofrece De Marco se encontrará en Ana Espinel-Ingroff, «Obituary: Margarita Silva-Hutner» (2001-2002). Margarita Silva fue sin duda una gran autoridad en el campo de la microbiología humana y animal. La relación con MRL es de carácter sentimental, pues queda claro en otras menciones que Margarita contaba con MRL para sus desahogos y crónicas amorosas.

De Robertis

Según Miranda Lida se trataría del médico argentino Eduardo de Robertis (1913-1988): «Médico formado en la Universidad de Buenos Aires, obtuvo gracias al respaldo del fisiólogo Bernardo Houssay, premio Nobel, una beca para formarse en Estados Unidos. Ingresó en 1947 al Departamento de Biología del Massachusetts Institute of Technology».

Aunque todavía no he encontrado documentación del viaje a EE. UU., cabría la posibilidad de que se tratase del historiador de literatura italiana y crítico literario Giuseppe De Robertis (1888-1963). Desde 1938 De Robertis, discípulo de personalidades como Parodi, Mazzoni, Barbi o Vitelli, fue profesor de Storia della Letteratura Italiana en la Universidad de Florencia. Wellek le dedica un apartado en su *A History of Modern Criticism: 1750-1950*. Véase Carrannante, «Appunti su Giuseppe De Robertis studioso di Leopardi» (1989).

Por las dudas

El sentido de la frase no es diáfano tal y como figura en la carta conservada. Parece faltar una breve fragmento, quizás omitido por error al pasar a limpio MR su borrador, suponiendo que lo hiciera así para esta carta.

La nota

YM, «Antiguo judeo-aragonés *aladma*, *alalma* 'excomunión'» (1946).

Cossante

Para comprender esta mención es preciso tener presente la postal que envía MR a YM el 9 de enero de 1948 con un poema titulado «Cosante saudoso» (véase el apartado con las cantigas de MR). La alternancia entre las formas *cossante* y *cosante* no es baladí. Eugenio Asensio, en unas páginas brillantes (1970: 182-186), estableció que la forma *cosante* fue una invención de Amador de los Ríos, al editar el primer poema castellano que contiene este vocablo, una «bailada encadenada» (182) de Diego Hurtado de Mendoza. Ni *cosante* ni *cossant*e, advierte Asensio, el término preciso ha de ser *cosaute*, vinculado a danzas y bailes, como se puede atestiguar incluso en textos cronísticos y como sugieren las formas francesas derivadas de *coursault* ('corre-salta'). Con todo, como dice Asensio, «la palabra *cosante* [se emplea] con cierta ambigüedad [en la literatura gallego-portuguesa] para nombrar la cantiga con paralelismo y leixapren» (182) y, en este sentido, es una de las formas primitivas de la poesía galaico-portuguesa dentro del grupo genérico de la *cantiga de amigo*. MR llega a equiparar su forma a la del zéjel, aunque luego se arrepiente, en el poema mencionado. El tema, en esta carta y en el poema de la postal es la melancolía, en contraste con la posibilidad festiva, si bien ceremoniosa, del *cosaute* cortesano de danza y baile.

Evil of solitude

Véase carta X.

Escuchas y perdonas

2 Crónicas, 6.

Recordare

Véase Isaías 44, 21. Pero compárese el texto del *Dies irae*, himno latino del siglo XIII atribuido a Tomás de Celano, el biógrafo de san Francisco: «*recordare, Iesu pie, | quod sum causa tuae viae; | ne me perdas illa die*»; 'recuerda, Jesús piadoso, que soy la causa de tu destino; no me pierdas en el día [del Juicio]' (Raby, 1927; 2.ª ed. 1953: 448).

Tellement

La doble expresión tiene cierto tono místico y teológico, como divinización del amado, tan feliz y alegre como sólo lo pueda ser Dios; y en este sentido también hay que entender, como *contrafactum*, el sintagma «mi obra maestra», que forma parte del título de uno de los artículos más famosos de MRL, «La dama como obra maestra de Dios».

CARTA XXXII

Medalla de oro

MRL obtuvo el título del Liceo con la mención de medalla de oro. Véase Lida, *Años dorados* (2014, p. 61; véase p. 149).

Immediacy

Este término fue usado por las escuelas críticas de corte sociológico. Es un concepto relacionado con la experiencia del receptor con respecto a la obra de arte y la potencialidad de la mímesis de la misma como conformadora de una «inmediatez» psicológica (a través de la composición) producida en el receptor.

Tiene que ver con la sociología de la lectura y la crítica marxista, la idea de dar espesor físico, efecto de realidad, etcétera, a la experiencia literaria. Este primer párrafo es uno de los más esclarecedores de todo el epistolario, pues indica con sinceridad los términos no equivalentes de la relación epistolar: «ya te tengo menos miedo y más afecto». Las cartas de MRL son más ricas, densas y polisémicas que las de YM. Tratándose de dos personas de cultura excepcional, YM no podía, sin embargo, competir con el bagaje de lecturas y la exuberancia de ecos que transmite la prosa de MRL, y es de temer incluso que muchas de las referencias de la argentina no fueran comprendidas o desentrañadas en toda su extensión por YM. De hecho la tarea de anotación, que ha sido morosa y ha necesitado de un gran número de horas de búsquedas y rastreos, revela hasta qué punto MRL manejaba un corpus mental y bibliográfico de gran profundidad, y cómo éste forma parte consustancial de su vida y su escritura, sin que puedan separarse consistentemente. A este respecto YM era hombre más parco y práctico que la mujer a la que admiraba y, hasta cierto punto, temía.

Permanent resident

Véase arriba *non quota*, carta XXVII.

Juan de Mena

Véase carta XII.

H. H. Vaughan

Herbert Hunter Vaughan (1884-1948), romanista.

Estudió Lenguas Románicas en Harvard y se doctoró en esta misma universidad a los veintidós años. Desde 1923 desempeñó el cargo de profesor de italiano en la Berkeley University, hasta su muerte. Fue especialista en la lengua italiana y, particularmente, en sus dialectos. Una memoria detallada se encontrará en http://www.vaughan.org/bios/hhv/index.html. Su obra más conocida fue *The dialects of central Italy* (1915). Editó también un texto español, *El trovador, por Antonio Gutiérrez* (1908).

Covadonga

Como el último refugio de la filología románica en EE.UU., avalado por la publicación de *Romance Philology*. Para YM como «Pelayo» véanse cartas XXXIV y XXXVIII. Como recuerda De Marco, poco después de la muerte de YM la filología románica fue eliminada del programa de estudios de Berkeley, a lo que hay que añadir ahora el traslado de la sede editorial de la prestigiosa *Romance Philology* a la editorial Brepols.

Diez-Schuchardt

Friedrich Diez (1794-1876) y Hugo Schuchardt (1842-1927) son considerados dos de los padres fundadores de la filología románica.

Véase YM, «Friedrich Diez and the Birth Pangs of Romance Linguistics» (1976); YM, «Jakob Grimm and Friedrich Diez» (1974); YM, «Friedrich Diez's Debt to pre-1800 Linguistics» (1974); reseña de YM a *In Memoriam Friedrich Diez:*

Akten des Kolloquiums zur Wissenschaftsgeschichte der Romanistik, Trier, 2-4. Okt. 1975, ed. Niederehe y Haarmann (1976), en *Language* (1978); YM, «Was Hugo Schuchardt Ever a Neo-Grammarian» (1980); YM, «Two Houses, Once Homes, in Austria» (1980).

Libro de Alexandre

Véanse abajo cartas XXII y XXXIV. Los únicos textos en que colaboraron YM y MRL fueron *El Cantar de Igor* (1949) y «The Jew and the Indian».

In a jiffy

'En un santiamén; en un instante'.

а я целую Дорогую МАРІЮ РОЗУ ЛИДУ

'Pero yo beso a la querida María Rosa Lida'.

Dulce ridentem

Horacio, *Oda* I, XXII, vv. 23-24: «*dulce ridentem Lalagen amabo dulce loquentem*»; 'aun allí a Lálage amaré y sus dulces | risa y palabra' (ed. y trad. Fernández-Galiano y Cristóbal, 1990). Véase carta XXIII.

CARTA XXXIII

Lir

Es un *senhal* utilizado por Ausiàs March en una sección de sus poemas: «lirio entre cardos».

Historia troyana

Véase carta XVI. La cita no es del todo exacta. Véase Proverbios 18, 22; Proverbios 31, 10-11.

Ictericia

Véasc carta XXXV. Emilio Lida era doctor.

Coiffeur

Véase arriba carta XXVI.

Condesa de Dia

Beatriz, la «Comtessa de Dia», fue la más famosa de las *trobairitz* conocidas.

Dice su *Vida*: «La comtessa de Dia si fo moiller d'En Guillem de Peitieus, bella domna e bona. Et enamoretse d'En Rambaut d'Aurenga e fez de lui mantas bonas cansos» (ed. Riquer, *Vidas y retratos de trovadores: Textos y miniaturas del siglo* XIII, 1995, p. 237). Se han transmitido hasta hoy cuatro de sus canciones y una *tensó*. No es imposible que MRL tuviera en mente la antología *Trovadores y juglares, antología de textos* medievales, con traducción, comentarios y glosario de Gherardo Marone (1892-1962), publicada en 1948 (incluye poemas de: Lo coms de Peitieus, Marcabrus, Jaufres Rudels, Bernartz de Ventadorn, la Comtessa de Dia). También tenía a mano la edición de Santy, con introducción de Mariéton, *La comtesse de Die: sa vie, ses œuvres complètes, les fêtes données en son honneur, avec tous les documents* (1893). Véase Paden, *The Voice of the Trobairitz: Perspectives on the Women Troubadours* (1989).

Deuteronomio

Es el último libro de la Torá, también conocido como *Segunda ley*, donde se insiste en la renovación de la fidelidad del Pacto con Dios y el pueblo elegido a través de la conversión religiosa y una vida de respeto a las leyes divinas. Por extensión profana ha de entenderse por el pacto entre MRL y YM (al contrario que la Comtessa, que traiciona a su marido y comete adulterio, según la tradición de su *Vida*).

Audefroi

Audefroi le Bâtard (*fl.* 1190-1230). MRL retoca el original «*Au novel tans pascour que florist l'aube espine, | Espousa li cuens Guis la bien faite Argentine*». El texto de MRL vendría a decir:

'Al tiempo nuevo en que florece la albaespina | esposa Micer Jacob (a) la bien lograda Argentina'.

De Marco indica que la referencia bibliográfica más probable es Cullmann (ed.), *Die lieder und romanzen des Audefroi le Bastard; kritische ausgabe nach allen handschriften* (1914).

Natura institutoque

'Por naturaleza y constitución'. Es fórmula de carácter jurídico.

Boen jour

Se trata de la canción «Main se leva la bien faite Aelis» (véase *la bien faite Argentine*) del *trouvère* Baude de la Quarière (*fl.* 1250), según señaló Samuel N. Rosenberg a De Marco. La omisión de los últimos versos tiene que ver con el pudor expresado por MRL en la expresión «*Deuteronomium vetat ne loquar*»: 'el Deuteronomio veta que sea dicho': «*Se j'avoie une nuit s'amour, | bien vauroie morir au jour*». El texto más probable usado por MRL es el de Meyer (ed.), *La chanson de Bele Aelis* (1904).

CARTA XXXIV

ЯША Мой

'Yasha mío'.

Alabado

Para el culto del sábado en la tradición hebrea véase Éxodo 208, 11.

Marâtre Nature

El tópico de la naturaleza madrastra, *noverca natura*, se difunde en la Edad Media a través de la lectura del libro III de *De re publica* de Cicerón. En realidad, se supone que gran parte de la obra se perdió en el siglo VII, y desde entonces del libro III se conservó una parte exigua, por lo que hay que remitirse a san Agustín, que menciona el fragmento completo en una obra polémica contra Julián y los pelagianos: «*In libro ter-*

tio de Republica, idem Tullius hominem dicit: "Non ut a matre, sed ut a noverca natura editum in vitam, corpore nudo, fragili, et infimo..."»; 'En el libro tercero *De republica*, el mismo Tulio dice: "No como madre, sino como madrastra ha sacado al hombre a la vida, con el cuerpo desnudo frágil y endeble..."' (*Contra Iulianum*, liber IV). Otras referencias antiguas a la miseria del hombre en la tierra, cuya tradición medieval es superabundante, aparecen en Lucrecio (*De natura rerum*, V) o Plinio (*Historia naturalis*, II), y luego, naturalmente, en los grandes autores de la tradición europea (Erasmo, Montaigne...). Es probable que a MRL le venga en mente (véase «*la rose*») un famoso poema «Mignone» (*Odes* I, 17; 1524) de Ronsard que por entonces se utilizaba en las escuelas.

«*Mignonne, allons voir si la rose | Qui ce matin avait déclose | Sa robe de pourpre au soleil, | A point perdu cette vesprée | Les plis de sa robe pourprée, | Et son teint au votre pareil. | Las! voyez comme en peu d'espace, | Mignonne, elle a dessus la place, | Las, las ses beautés laissé choir ! | O vraiment marâtre Nature, | Puisqu'une telle fleur ne dure | Que du matin jusques au soir ! | Donc, si vous me croyez, mignonne, | Tandis que vôtre âge fleuronne | En sa plus verte nouveauté, | Cueillez, cueillez votre jeunesse : | Comme à cette fleur, la vieillesse | Fera ternir votre beauté*».

Ahí están Ausonio y todas las referencias tradicionales al paso de la belleza y de la juventud, de donde la *contradictio* de *belle-fille* ('nuera', pero tomado literalmente), para una mujer ya relativamente madura como era MRL.

Cabe referir a una de las ediciones de referencia, la de Cohen, *Pierre de Ronsard. Œuvres complètes* (1938).

Estos días atán luengos

Composición anónima, villancico que se encuentra en el *Cancionero de Uppsala* o *Cancionero del Duque de Calabria*.

Recogido en el *Nuevo Corpus* de Margit Frenk, 585A y 585B. La variante *luengo* junto a «Estos días atán» es de MRL, que pudiera citar de memoria. *Cancionero de Uppsala* (1944). Véase carta XXXVI.

Stickerettes

Véase carta XXVII.

Isabel Victoria, Judit Sonia

Deben de ser los hijos de Emilio Lida.

Marion Cohen

Podría tratarse de una estudiante de Matemáticas, de origen judío, como se ve por el apellido.

Alexandre

Véase arriba carta XXXII. Llama la atención la claridad y el orden de MRL en sus proyectos y cómo no se deja arrastrar por el deseo de YM de un trabajo conjunto que, finalmente, no se realizó.

Swadesh

Véase carta XXII. Es probable que MR se refiera al lingüista Morris Swadesh y a su famosa «lista Swadesh» de vocabulario básico. Todo el pasaje es humorístico: desde la identificación de YM con Pelayo, por su labor (casi) solitaria al frente de *RPh* o las reconvenciones por su exceso de caridad o humanidad. El sentido podría indicar que lo primero en la lista de trabajo había de ser el estudio de MR sobre *La Celestina*, pero también aludir a las listas de vocabulario ruso con que juegan los novios.

Unice meus

Pertenece al principio de la segunda carta de Heloísa a Abelardo: «*Miror, unice meus, quod preter consuetudinem epistolarum—immo contra ipsum ordinem naturalem rerum—, in ipsa fronte salutationis epistolaris me tibi preponere presumpsisti, feminam uidelicet uiro, uxorem marito, ancillam domino, monialem monacho et sacerdoti diaconissam, abbati abbatissam*»;

'Quedé sorprendida, mi único y solo amor, por algo que no se usa en las cartas y que incluso va contra el mismo orden natural. En el mismo encabezamiento de tu carta juzgaste oportuno anteponer mi nombre al tuyo: la mujer al varón, la esposa al marido, la esclava al señor, la monja al monje o sacerdote, la abadesa al abad' (trad. Santidrián y Astruga, 1993: 119). Compárese carta XXVII.

Placet, confiteor et mel sapit

'Me complace, lo confieso y me sabe a miel'.

CARTA XXXV

450

Seguramente se tratara de probables suscriptores o colaboradores de *RPh*.

Aterecer

Según De Marco, ningún artículo de este tema apareció en *RFH*, y señala «The Etymology of Spanish *terco*» (1949), aunque de entrada no parece tener nada que ver.

Ictericia

Véase arriba la carta XXXIV. Sobre Emilio Lida véanse también cartas XIV y XXIII.

Goethe

Del soneto XIV, *Die Zweifelnden* (*Los escépticos*), que comienza «*Ihr liebt und schreibet Sonette! Weh der Grille!*»; '¿Conque amáis y sonetos escribís? ¡Qué locura!' y acaba en su parte titulada *Die Liebenden* (*Los que aman*) con la cita que transcribe YM: «Que fundir lo más duro es cosa llana | para el fuego de amor que todo abrasa» (trad. Cansinos Assens, 1957: 225).

A girl born to be married

'Una mujer nacida para casarse', expresión muy victoriana. Las prevenciones de la madre de YM son muy significativas.

Bolton

Herbert Eugene Bolton (1870-1953), historiador.

Fue profesor de historia en Berkeley entre 1911 y 1940 y director de la Bancroft Library entre 1919 y 1940. Escribió un gran número de obras históricas relevantes acerca del momento fundacional de las naciones americanas y en especial de Estados Unidos, desde una perspectiva comparada amplia y destacando lo relacionado con lo colonial y la frontera.

Всё бўДет óченъ хорошó, Дорогáя моя
Твой

Весь, Вся, Всё	[ves, vsya, vsyo]	omnis, -e
БўДу, бўДешъ, бўДет	[búdu, búdesh, búdet]	ero, -is, -it
Óченъ	[óchen]	valdē; -issimus, -a, -um,-ē
Хорóш, Хорошá, Хорошó	[jorósh]	bonus,-a, -um;neutr. = bĕnĕ
Твой, Твоя, Твоё	[tvoy, tvoyá, tvoyó]	tuus, -a, -um

Todo saldrá [será] muy bien, querida mía.
Tuyo todo, toda, todo
seré, serás, será
muy buena, bueno, bueno
tuyo, tuya, tuyo

CARTA XXXVI

Justina Ruiz Conde

Véase arriba carta XXXI. Radcliffe y Wellesley (ambos en Massachusetts) eran (y son) dos de los más afamados colegios universitarios femeninos. Wheaton College es un colegio universitario femenino (lo fue hasta 1988) ubicado en Norton, Mass., donde figuraba Caro Lynn (véase arriba carta XXIII), a la que MRL masacró en una reseña.

Furia vulturina

Extraña expresión de YM, 'furia de buitre', que o bien es un juego o un error por «furia uterina».

Isabel Pope

Isabel Pope (1901-1989). Musicóloga formada en la filología románica y experta en las relaciones entre texto y música en la poesía española de la Edad Media y el Renacimiento.

Véase arriba carta XXXIV, «El villancico polifónico». *Musical and Metrical Forms of the Mediaeval Lyric in the Hispanic Peninsula*, Radcliffe College, 1930, fue su tesis doctoral. Más noticias en De Marco.

Percival

Percival B. Fay (1890-1971), romanista.

Doctor en Filología Románica por la Universidad Johns Hopkins (Baltimore). Inició su carrera en Berkeley en 1914. Fue el editor durante varios años de la sección francesa de *Romance Philology*, por lo que le fueron dedicados dos números en su memoria, vol. XI, números 3-4 (1958). Véase YM (1958), más una bibliografía, pp. 194-197. Véase la necrológica de YM, más un suplemento bibliográfico, *Romance Philology* (1972), así como el ensayo *In Memoriam* publicado en Berkeley por Walpole, Eustis y YM.

This fellow

'Este compañero está especializado en la construcción de viviendas para recién casados'.

Clarence

Clarence Paschall (1872-1951), germanista.

Profesor del Departamento de Alemán en la Universidad de Berkeley desde 1902 hasta 1943. Fue especialista en lingüística germánica e indoeuropea, así como en la forma de los actos de habla. Para su biografía académica véase *University of California: In Memoriam*, 1951, redactada por Hayden Bell, Fay y Price, pp. 44-46.

In an east-bound train

Un tren en dirección al Este, como el que llevó a YM hasta MRL, de ahí el empleo de *Romance* en el sentido de romance amoroso (entre filólogos), en vez de «románica».

Dandin

Molière, *Georges Dandin, ou le Mari Confondu* (1668). 'Tú te lo has buscado'. La cita no tiene que ver exactamente con el sentido de la frase en su contexto.

Impedimenta reginae

'Equipaje regio'.

Something new has been added

'Algo nuevo ha sido añadido'. Publicidad de los cigrarrillos *Old Gold.*

La frase se hizo famosa y se difundió todavía más por una realización de dibujos animados para los soldados de la Segunda Guerra Mundial, *Booby Traps* (1944), donde aparece un camello en un contexto cercano a la frase. El objetivo de este *cartoon* era advertir a los soldados de las trampas preparadas por el enemigo. El soldado protagonista, perdido en el desierto, entra en una especie de harén (una trampa) donde las chicas tienen como posaderas bombas y cosas por el estilo: el soldado da una palmada en las nalgas de una de ellas y se da cuenta de que éstas y sus pechos son bombas, momento en el que pronuncia la frase. Está relacionada, sin embargo, con la compañía P. Lorillard & Co., que fue una de las cuatro que ocuparon el puesto del monopolio estatal de American Tobacco Co. y que empezó a operar en 1926. En 1941 Lorillard traspasó (la publicidad) a J. Walter Thompson Co. su marca estrella, *Old Gold*, para la cual se cambió el eslogan a «*Something new has been added*». Fue una publicidad que insistió tanto en el público masculino como en el femenino, presentando a menudo la opinión de dos personas de éxito, pero de distinto sexo, a propósito de la nueva mezcla. Es curioso que en un cartel publicitario de esta marca aparecen un patinador sobre hielo y una chica que lo observa maravillada: en el hielo ha dibujado un corazón atravesado por una flecha: ver más abajo los «flechazos» mencionados en el P. S. Más sorprendente es que en otro cartel publicitario (1941) aparezca un caballero entregando un trofeo a una dama con el lema «Primer Premio», un *senhal* que emplea YM para MRL.

Justinas

Un jueguito de celos la alusión de YM a otras posibles opciones en el entorno de su Universidad.

Go West, young woman

Parafrasea la frase original que se hizo célebre, atribuida al periodista americano Horace Greely (director del *New York Tribune*) en el siglo XIX: «*Go West, young man*». La frase pertenece a John Soule, y fue publicada en *Terre Haute Express*, 1851, en la siguiente forma: «*Go West, young man, and grow up with the country*».

CARTA XXXVII

El hombre propone

Frase proverbial atribuida, entre otros, a Tomás de Kempis (1380-1471), *De imitatione Christi*. Véase Proverbios 16, 9: «*Car hominis disponit viam suam; sed Domini est dirigere gressus eius*».

Vox Romanica

Revista suiza de Filología Románica fundada por Jakob Jud y Arnold Steiger en 1936.

Desmazalado

Véanse cartas XII, XIII y XVI. YM, «A Latin-Hebrew Blend: Hispanic *desmazalado*» (1947); Leo Spitzer, reseña en *Nueva*

Revista de Filología Hispánica (1947). De Marco publica la reseña en apéndice 2.

Kronkite

La broma es con el significado de la palabra alemana *Krankheit*, 'dolencia' o 'enfermedad'. La reacción fue todo lo contrario, no provocó ninguna dolencia.

Hempel

Véase arriba carta XXVIII.

Calor

'Agobio', 'apuro'.

Zapallo

Parece que esta voluntad deportiva de MRL es sólo una broma, pues *zapallo*, aunque puede significar 'gol' como argentinismo, se usa también como 'tonto', 'calabaza', etcétera.

CARTA XXXVIII

21 январь 1948 г.
Дорогая Марія Роза!

21 de enero, año 1948
Querida María Rosa

Mallarmé

Stéphane Mallarmé (1842-1898), poeta francés.

El azul es uno de los colores que con mayor potencia y significado aparece en Mallarmé, como recoge De Marco en un nutrido cuerpo de ejemplos.

Joaquín

Joaquim Vasconcelos. Véanse cartas I, XX y XXIV.

Caras y caretas

Caras y caretas («la revista de la patria») es una popular revista argentina que, como dice la moderna presentación, fue «fundada en 1898 por Eustaquio Pellicer y dirigida por José Sixto Alvarez (Fray Mocho), ilustrada por los maestros Manuel Mayol y José María Cao y dibujantes como Hermenegildo Sábat Lleó, donde publicó sus primeros cuentos Horacio Quiroga, acompañó la construcción de la Argentina moderna y dio cuenta de los fenómenos políticos, sociales y culturales que atravesó el país».

S. C.

En la carta XXXIII figuran dos textos en francés y una alusión al *coiffer Sainte Catherine* de la carta XXVI de YM. Existe una postal fechada el 17 de enero de 1948 que representa en su lado recto la *Santa Caterina Portata al Sepolcro* de Bernardo Luini, de la Pinacoteca de Brera, Milán, en cuya tumba se leen las iniciales S. C. En el verso, el texto de MR dice: «La austera Catalina, víctima de la ciencia, en Widener Forty Seven fijó su residencia. Pero murió Katiusha, por justa providencia: *requiescat in pace cum divina clementia.** (La fecha del deceso fue el día de Noel, y agente del destino, el arcángel Malkiel). *Pero de sus cenizas nació ¿quién lo diría? un ave que a Occidente tender el ala ansía. Cambridge, 17-I-1948». La denominación Katiusha, en caracteres cirílicos la emplea YM en la carta XXXII. La broma *requiescat in pace* se encuentra también en una tarjeta impresa con el nombre «María Rosa Lida», donde MR ha sobrescrito una estrella de David y la fecha 2-III-1948, que fue la de su boda; mientras que, bajo su nombre, encontramos la consabida fórmula *requiescat in pace*.

Sonsos

O *zonzos*: 'tontos, tardos, sosos'.

Rebeca

Es la primera vez que menciona por el nombre a su cuñada. Menciona también a sus sobrinas.

CARTA XXXIX

Hansel y Gretel

En el cuento de los hermanos Grimm se utilizan primero piedras para marcar el camino y luego migas de pan (que se comen los pájaros, desvaneciendo la posibilidad de la vuelta).

Tchejov

Presumiblemente un volumen de las obras del dramaturgo ruso Antón Chéjov (1860-1904) que le habría encargado YM a MRL.

Potin

'Chisme, cotilleo, comidilla'.

Boston Symphony

La BSO, fundada en 1881 y una de las más prestigiosas orquestas estadounidenses, alcanzó fama internacional justamente en la época en que MRL se encontraba en Mass., bajo la dirección musical (1924-1949) del ruso-judío Sergei Koussevitzki (1874-1951).

Margarita, Mimí, Hempel

Véanse cartas XXVIII y XXXI.

CARTA XL

Tú escribes más de lo que dices

'Escribes más que hablas, pues eres circunspecta'; y por otro lado, la multitud de sentidos que se agazapan tras las referencias y guiños de las cartas de MRL.

Láramie

En Laramie, condado de Albany, se encuentra la University of Wyoming. Jacques La Ramée fue, como indica YM, un hombre de las montañas, pionero de origen francés o franco-canadiense que llegó a las regiones de la actual Wyoming hacia 1815. Véase Rico-Malkiel (1969-1972: 611): «Las dificultades económicas me obligaron a ir al Oeste, donde, como *primer paso*, ocupé un puesto muy modesto de profesor de latín y de idiomas modernos en la Universidad de Wyoming (Laramie), en un ambiente casi cowboyesco. En los cuatro meses que pasé allí enseñé seis idiomas».

Stevens Hotel

Hoy Hilton and Towers, abierto al público en 1927, con tres mil habitaciones en una manzana completa de la Michigan Avenue, entre las calles 7 y 8.

Incluía todo tipo de locales y atracciones. Los formidables *gansters* a los que alude YM tienen más bien que ver con la mitología cinematográfica de películas como *Hampa dorada* (1931), de Mervin Leroy, basada en la novela homónima (1929) de William R. Burnett.

Changador

Úsase en Sudamérica para lo que en España se llamaba *mozo de cuerda* y en USA *redcap*, por la gorra roja (estilo botones) que ayudaba a distinguirlos fácilmente entre el tumulto de los viajeros.

I must live up to your standard

'Debo vivir a tu manera, según tu modelo'.

Se encontraron

El encuentro entre Franklin Delano Roosevelt y Winston Churchill a bordo del *USS Augusta*, anclado en Placentia Bay, Terranova, el 9 de agosto de 1941, donde se negoció el llamado «Atlantic Charter».

CARTA XLI

Φίλη χεφαλή

Homero, *Ilíada*, VIII, v. 281: 'querida cabeza'.

Alvíçaras

Manuel da Costa Fontes proporcionó a De Marco la versión de Pedro Fernandes Tomás, *Velhas Cançoes e Romances Populares Portugueses* (1913), líneas 15 y 16: «*Dá-me alvíçaras, capitão, meu capitão-general; | já vejo terras d'Espanha e as praias de Portugal*». Es el «Romance da Nau Catarineta», recogido por primera vez por Almeida Garrett.

Mimí, Margarita

Véase arriba carta XXXIX.

Medonho

'Temible, espantoso'.

Manito

Acaso *manita*, 'empujón, ayuda'.

Berrien

Véase arriba carta XXX.

Heloísa

Es el párrafo final de la carta sexta de Heloísa a Abelardo. «A ti ahora, mi señor, incumbe instituir la regla que mantendremos mientras vivas».

El epistolario, con su P.S., no podía terminar de forma más prosaica y al mismo tiempo aventurera.

CRONOLOGÍA DEL EPISTOLARIO

En la tabla siguiente se encuentra una guía orientadora de la cronología relativa del epistolario entre MRL y YM. El lector advertirá de inmediato una carta aislada, la correspondiente al año 1943. Más adelante un bloque homogéneo y correlativo (II-VI + VII-XIX) en el que las cartas van encadenadas unas con otras. La continuidad es en ellas meridiana. A partir de la carta XX, tras el encuentro personal de MRL y YM en Cambridge (Massachusetts), el intercambio epistolar se complica notablemente por la urgencia y la proximidad de las fechas de envío por medio terrestre o aéreo. Se ha recurrido a indicios internos para tratar de poner en orden la relación entre las distintas misivas, aunque se ha respetado en la edición el orden cronológico, no el *lógico*. En la secuencia de documentos se ha indicado también, cuando he podido tener acceso a su consulta, gracias a la generosidad de Charles B. Faulhaber y de los servicios de reproducción de la Bancroft Library, si existe el borrador de algunas de las cartas de MRL, que ella no acabó de desechar. Dado que la edición de Miranda Lida está basada en los *originales* corregidos y revisados, no se ha tratado en la anotación de establecer una pesquisa *genética* paralela, ni de dar cuenta de variantes textuales, aunque algunas de ellas pudieran ser significativas (en particular para las cartas VIII, XVII y XIX). Son pocos los borradores que he podido ver, aunque puede inferirse que existieron más. Los materiales depositados en la Bancroft Library son tan ricos para estos años y los siguientes que sin duda animarán a un mayor esclarecimiento histórico y filológico del que aquí modestamente se propone.

1943

I. YM → MRL 28-09-1943

No se conserva respuesta de MRL para la documentación editada. Se aprecian en otros documentos referencias a envíos ocasionales entre 1943-1947.

1947

2. YM → MRL 06-02-1947

3. MRL → YM 23-02-1947
Respuesta a II. Existe *Borrador*.

4. MRL → YM 28-04-1947
Respuesta a II. Existe *Borrador*.

5. YM → MRL 09-05-1947
Acusa recibo de IV.

6. YM → MRL 31-05-1947
Alude a III y IV.

7. YM → MRL 31-07-1947

8. MRL → YM 20-08-1947
Respuesta a VII. Existe *Borrador*.

9. YM → MRL 14-09-1947
Respuesta a VIII.

10. MRL → YM 25-09-1947
Respuesta a IX.

11. YM → MRL 16-10-1947
Respuesta a X.

12. MRL → YM 02-11-1947
Respuesta a XI.

13. YM → MRL 08-11-1947
Respuesta a XII.

14. MRL → YM 13-11-1947
Respuesta a XIII.

15. MRL → YM 13-11-1947
Respuesta a XII. Se suma a XIII.

16. YM → MRL 21-11-1947
Respuesta a XIV-XV y parcialmente a XII.

17. MRL → YM 27-11-1947

Respuesta a XVI. Existe *Borrador.*

18. YM → MRL 09-12-1947

Respuesta a XVII. Menciona una carta de 29 de noviembre al parecer no conservada. Menciona también una de las primeras cartas de MRL a YM, enviada por error a la Universidad de Pensilvania.

19. MRL → YM 14-12-1947

Respuesta a XVIII. Existe *Borrador.*

20. YM → MRL 29-12-1947

Primera carta (en portugués) tras el encuentro en Cambridge entre MRL y YM. Hace pareja con ella la postal de MRL que contiene el texto titulado *Quia amore langueo.*

1948

21. YM → MRL 07-01-1948 + 21*bis* 08-01-1948

22 YM → MRL 09-01-1948

*MRL → YM 09-01-1948

Postal de MRL con el texto titulado *Cosante saudoso.* Se relaciona con XX.

23. MRL → YM 10-01-1948

Respuesta a XXI-XXII.

24. YM → MRL 10-01-1048

25. YM → MRL 11-01-1948

Se deduce que YM no ha recibido todavía la carta XXIII.

26. YM → MRL 12-01-1948

Se deduce que YM no ha recibido todavía la carta XXIII. Ha recibido una *cantiga de amigo*, quizás el *Cosante*, o bien el zéjel *Quia amore langueo* indicado en carta XX.

27. MRL → YM 12-01-1948

MRL parece haber recibido por fin las cartas XXIV-XXV, junto al ramo de flores mencionado en XXVI.

28. MRL → YM 13-01-1948
Respuesta a XXVI, parcialmente a XXIV-XXV.

29. YM → MRL 14-01-1948
Respuesta a XXIII.

30. MRL → YM 14-01-1948
Respuesta parcial a XXII y XXIV.

31. MRL → YM 14-01-1948
Respuesta parcial a XXVI.

32. YM → MRL 16-01-1948
Menciona la carta XXVII entre las «últimas». No parece haber recibido todavía la carta XXX.

33. MRL → YM 16-01-1948
Respuesta a XXVI.

34. MRL → YM 17-01-1948
Respuesta a XXIX.

35. YM → MRL 19-01-1948
Indica haber recibido tres cartas juntas, probablemente XXX-XXXIII.

36. YM → MRL 19-01-1948
Escrita en el mismo día que XXXV como complemento de ésta.

37. MRL → YM 19-01-1948
Hace referencia a XXIX, que ya se mencionaba en XXXIV.

38. YM → MRL 21-01-1948
Responde a XXXIV.

39. MRL → YM 22-01-1948
Menciona contenido de XXIX.

40. YM → MRL 22-01-1948
Responde o aclara algún aspecto de XXXVII.

41. MRL → YM 23-01-1948
Respuesta a XXXVIII.

BIBLIOGRAFÍA

ACUÑA, Hernando de, *Varias poesías*, ed. Luis F. Díaz Larios, Madrid, Cátedra, 1982.

Aforismos [sacados de la historia de Publio Cornelio Tácito para la conservación y aumento de la monarquía]: Benito Arias Montano. Tesoro de diversa lección: Ambrosio de Salazar, Madrid, Atlas (Cisneros, 28), 1943.

ALCINA, Juan Francisco y Francisco Rico, «La tradición de la *Epístola Moral*», en Andrés Fernández de Andrada, *Epístola moral a Fabio y otros escritos*, ed. Dámaso Alonso, Madrid, Real Academia Española, 2014, pp. 108-130.

ALIGHIERI, Dante, *La divina commedia*, comp. Isidoro del Lungo, Florencia, F. Le Monnier, 1946.

—, *La Divina commedia*, ed. crit. Società Dantesca Italiana, comentario de Ercole Rivalta, Florencia, Vallecchi, 1946, 3 vols.

—, *La divina comedia*, trad. Bartolomé Mitre, estudio prel. y notas de Gherardo Marone, Buenos Aires, Estrada (Colección Estrada, 45-47), 1946, 3 vols.

ALONSO, Amado y Raimundo Lida, *Introducción a la estilística romance*, Buenos Aires, Universidad de Buenos Aires (Estudios Estilísticos, 1), 1932.

—, «Amado Alonso ante la muerte», Ínsula, LXXVIII (1952), pp. 1-2.

—, *Estudios lingüísticos. Temas españoles y hispanoamericanos*, Madrid, Gredos (Biblioteca Románica Hispánica, 2. Estudios y Ensayos, 12), 1976 (1.ª ed. 1951-1953).

ALONSO, Dámaso, *La poesía de San Juan de la Cruz*, Madrid, CSIC – Instituto «Antonio de Nebrija», 1942.

—, «Necrología. Amado Alonso (1896-1952)», *Revista de Filología Española*, XXXVI (1952), pp. 204-208.

—, *Menéndez Pidal en la Revista de Filología Española*, Madrid, Sucesores de Rivadeneyra, 1968.

—, *Juventud, madurez y ancianidad en la obra de Menéndez Pidal*, Madrid, Real Academia Española, 1969.

—, *Menéndez Pidal y la cultura española*, La Coruña, Instituto «José Cornide» de Estudios Coruñeses, 1969.

—, *Menéndez Pidal y la generación del 98*, Madrid, Gráficas Benzal, 1969; luego en *Obras completas* IV, Madrid, Gredos, 1975, pp. 99-123.

AMADEU PAGÈS (ed.), *De amore: libri tres. Andreae Capellani*, Castellón de la Plana, Societat Castellonenca de Cultura (Libros Raros y Curiosos, 4), 1929.

AMBROSIO DE SALAZAR, *Thesoro de diversa lición*, París, Louis Boullanger, 1636.

ARMISTEAD, Samuel G., «Reseña a Yo Ten Cate», *Romance Philology*, XII (1959), pp. 421-428.

ASENSIO, Eugenio, «El cosaute, canción de danza y danza cortesana», en *Poética y realidad en el cancionero peninsular de la Edad Media*, Madrid, Gredos, 1970, pp. 182-186.

Aucassin et Nicolette. Chantefable du douzième siècle, ed. A. Bida, prefacio de Gaston Paris, París, Hachette, 1878.

AUERBACH, Erich, *Mimesis: Dargestellte Wirklichkeit in der abendländischen Literatur*, Berna, A. Francke, 1946.

AUDEFROI LE BASTARD, *Die lieder und romanzen des Audefroi le Bastard; kritische ausgabe nach allen handschriften*, ed. Arthur Cullmann, Halle, Max Niemeyer, 1914.

AUSTEN, Jane, *Mansfield Park*, Londres, T. Egerton, 1814, 3 vols.

AVALLE-ARCE, Juan Bautista, «Sobre Juan Alfonso de Baena», *Revista de Filología Hispánica*, VIII (1946), pp. 141-147.

BAER, E. Kristina y Daisy E. Shenholm, *Leo Spitzer on Language and Literature. A Descriptive Bibliography*, Nueva York, Modern Language Association, 1991.

BARAHONA DE SOTO, Luis, *Las lágrimas de Angélica*, ed. José Lara Garrido, Madrid, Cátedra, 1981.

BARCA, Calderón de, *Lances de amor y fortuna*, en *Comedias*, ed. Luis Iglesias Feijoo, Madrid, Fundación José Antonio de Castro, 2006.

BARCIA, Pedro Luis, *Los diccionarios del español de la Argentina*, Buenos Aires, Academia Argentina de Letras, 2004.

BARGEBUHR, Friedrich, «Schlomoh Ibn Gabirol: *Ein Mann bin ich...*», *Almanach des Schocken Verlags* 5968 [= 1937], pp. 51-52, 163-164 y «Salomo Ibn Gabirol, *Gedichte*», *Castrum Peregrini*, LIX (1963), pp. 17-36.

BARTSCH, Karl, *Chrestomathie provençale (xè-xvè siècles)*, Marburgo, N. G. Elwert, 1904 (6ª. ed. refundida por Eduard Koschwitz).

BASSET, Samuel E., «Hysteron Proteron Homerikos (Cic. Att. 1, 16, 1)», *Harvard Studies in Classical Philology*, XXXI (1920), pp. 39-62.

BATAILLON, Marcel, «Acerca de los patagones. *Retractatio*», *Filología*, VIII (1962), pp. 27-45.

—, «La originalidad artística de *La Celestina*», *Nueva Revista de Filología Hispánica*, XVII.III-IV (1963-1964), pp. 264-290.

—, «Nécrologie. Amado Alonso», *Bulletin Hispanique*, LIV (1952), pp. 450-452.

—, «Nécrologie. María Rosa Lida de Malkiel (1910-1962)», *Bulletin Hispanique*, LXV.I-II (1963), pp. 189-191.

BATTAGLIA, Salvatore (ed.), *Jaufre Rudel e Bernardo di Ventadorn. Canzoni*, Nápoles, A. Morano (Speculum, 3), 1949.

BATTLES, Matthew, *Widener: Biography of a Library*, Cambridge (Mass.), Harvard University Press, 2004.

BELAUSTEGUIGOITIA, Santiago, «La Universidad de Sevilla rinde tributo al filólogo y crítico Amado Alonso», *El País*, 1 de febrero de 1999.

BELLAY, Joachim Du, *Les Regrets, suivis des Antiquités de Rome*, ed. Pierre Grimal, París, Editions de Cluny, 1949.

BERCEO, Gonzalo de, *Poema de Santa Oria*, ed. Isabel Uría Maqua, Madrid, Castalia (Clásicos Castalia, 107), 1981.

BORGES, Jorge Luis, *Definición de Cansinos Assens*, Buenos Aires, Martín Fierro, 1924.

BORGONONI, Teodorico di, *El libro de los caballos: tratado de albeitería del siglo XIII*, ed. con introducción y vocabulario por Georg Sachs; con un prólogo de Rafael Castejón, Junta para la

Ampliación de Estudios-Centro de Estudios Históricos (Anejos de Revista de Filología Española, 23), Madrid, 1936.

BOURCIEZ, Edouard, «Reseña de Sachs», *Bulletin Hispanique*, XXXV (1933), pp. 172-173.

BRUERTON, Courtney y Sylvanus Griswold Morley, *The Chronology of Lope de Vega's Comedias*, Nueva York y Londres, Modern Language Association of America y Oxford University Press (Monograph Series, 11), 1940. Hay traducción española de María Rosa Cartes, *Cronología de las comedias de Lope de Vega: con un examen de las atribuciones dudosas, basado todo ello en un estudio de su versificación estrófica*, Madrid, Gredos (Biblioteca Románica Hispánica, 1. Tratados y Monografías, 11), 1968.

Cancionero de Uppsala, transcripción de Rafael Mitjana, con transcripción moderna de Jesús Bal y Gay, con un ensayo sobre «El villancico polifónico» de Isabel Pope, México, El Colegio de México, 1944.

CÁNOVAS DEL CASTILLO, Antonio, *Noticias y documentos inéditos acerca del proceso inquisitorial formado a D. Estéban Manuel de Villegas*, Madrid, M. G. Hernández, 1882.

CANSINOS-ASSENS, Rafael, *Los judíos en la literatura española*, Buenos Aires, Columna, 1937 (reeditado en Pre-Textos, Valencia, 2001).

CANTERA BURGOS, Francisco Cantera y Carlos Carrete Parrondo, *Las juderías medievales en la provincia de Guadalajara*, Madrid, Sefarad, 1975.

Carmina burana, eds. Alfons Hilka y Otto Schumann, Heidelberg, Carl Winter, 1930, 2 vols.

Carmina burana, prólogo de Carlos Yarza, traducción de Lluís Moles, Barcelona, Seix Barral, 1978.

CARPINTERO CAPELL, Heliodoro, «Horacio Rimoldi (1913-2006) y su significación en el marco de la psicología latinoamericana», *Interdisciplinaria*, XXIII.I (2006), pp. 7-16.

CARRANNANTE, Antonio, «Appunti su Giuseppe De Robertis studioso di Leopardi», *Critica Letteraria*, LXV (1989), pp.757-768.

CARROLL MARDEN, C. (ed.), *Cuatro poemas de Berceo (Milagros de la Iglesia robada y de Teófilo, y Vidas de Santa Oria y de San Millán)*, Madrid, Hernando (Revista de Filología Española. Anejos, 9), 1928.

Cartas de Abelardo y Heloísa: historia calamitatum, trad. Cristina Peri-Rossi, Palma de Mallorca, José J. de Olañeta, 1982.

CARY, George, *The Medieval Alexander*, ed. D. J. A. Ross, Cambridge, Cambridge University Press, 1956.

CASELLA, Mario, *I Fioretti di san Francesco*, Florencia, G.C. Sansoni, 1926.

CASTRO, Américo, «Lo hispánico y el erasmismo», *Revista de Filología Hispánica*, IV (1942), pp. 1-66.

—, «Antonio de Guevara. Un hombre y un estilo del siglo XVI», *Thesaurus. Boletín del Instituto Caro y Cuervo*, I.I (1945), pp. 46-47.

CATALÁN, Diego, «Reseña a Yo Ten Cate», *Nueva Revista de Filología Hispánica*, XIII (1952), pp. 363-372.

CEJADOR y FRAUCA, Julio, ed., *Horacio: fiel y delicadamente vuelto en lengua castellana*, Madrid, Librería y Casa Editorial Hernando, 1928.

CEJADOR Y FRAUCA, Julio (ed.), *Libro de buen amor*, Madrid, La Lectura (Clásicos Castellanos, 14 y 17), 1913.

CHÂTILLON, Gautier de, *Moralisch-satirische Gedichte Walters von Châtillon*, ed. Karl Strecker, Heidelberg, Carl Winter, 1929.

CHAUCER, Geoffrey, *The Text of the Canterbury Tales*, eds. John M. Manly y Edith Rickert, Chicago, The University of Chicago Press, 1940, 8 vols. (texto en vols. 3-4).

—, *Canterbury Tales*, trad. Pedro Guardia, Barcelona, Bosch, 1987.

CHIAPPINI, Julio O., *Borges y Cansinos-Assens*, Rosario, Zeus Editora, 1995.

CHICA SALAS, Francisca, «Permanencia de María Rosa Lida de Malkiel», *Filología. Homenaje a María Rosa Lida de Malkiel*, VIII.I-II (1962), pp. 1-5 (incluye artículos de Antonio Alatorre, Enrique Anderson Imbert, Juan Bautista Avalle-Arce,

Ana María Barrenechea, Marcel Bataillon, Berta Elena Vidal de Battini, Carlos Blanco Aguinaga, Julio Caillet-Bois, Celina S. de Cortazar, Daniel Devoto, Francisco Gatti, Clemente Hernando Balmori, Frida Weber de Kurlat, Rafael Lapesa, Raimundo Lida, Yakov Malkiel, Marcos A. Morínigo, Antonio Rodríguez-Moñino, Ángel Rosenblat).

CIROT, Georges, «Reseña a Yo Ten Cate», *Bulletin Hispanique*, XLVI (1944), pp. 84-87.

COROMINAS, Juan, «Problemas del diccionario etimológico», *Romance Philology*, I (1947), pp. 23-38, 79-104.

—, «*Sacar*», *Romance Philology*, V (1952), pp. 158-162.

—, «Sobre el origen de *alrededor*», *Romance Philology*, VII (1954), pp. 330-332.

CRADDOCK, Jerry R., «To Commemorate Yakov Malkiel's Eightieth Birthday. Supplement to A Tentative Autobibliography», *Romance Philology*, XLVIII.IV (1995), pp. 349-388.

DELLE DONNE, Roberto, «*Historisches Bild* e signoria de presente. Il *Federico II imperatore* di Ernst Kantorowicz», en *Le storie e la memoria. In onore di Arnold Esch*, eds. Roberto Delle Donne y Andrea Zorzi, Florencia, Università degli Studi di Firenze, 2003, pp. 295-352.

DÍAZ SALAZAR, Diego, *Vocabulario argentino: neologismos, refranes, frases familiares y usadas en la Argentina*, Buenos Aires, Editorial Hispano-Argentina, 1911.

DICKENS, Charles, *Works of Charles Dickens: Old Curiosity Shop*, Nueva York, Hurd & Houghton; Cambridge, Riverside Press, 1870.

DÍEZ DE REVENGA, Francisco Javier, «Tomás Navarro Tomás: de la fonética experimental a la métrica española», *Tonos*, XIV (2007) www.tonosdigital.com

DUARTE I MONSERRAT, Carles, «Joan Coromines (1905-1997): l'obra gigantina d'un home apassionat», *Romance Philology*, LI (1998), pp. 302-324.

DUCAMIN, Jean (ed.), *Libro de buen amor: texte du XIVè siècle, avec les lectures des trois manuscrits connus*, Tolouse, Édouard Privat (Bibliothèque Méridionale, 1.6); París, A. Picard, 1901.

DWORKIN, Steven, «Yakov Malkiel», *Language*, LXXX (2004), pp. 153-162.

ELCOCK, W. D., «Reseña de la *Miscelánea filológica en memoria de Amado Alonso*, publicada en *Archivum*, IV (1954)», *Romance Philology*, XIII (1960), pp. 451-454.

ESPINEL-INGROFF, Ana, «Obituary: Margarita Silva-Hutner», *Mycopathologia*, CLIV (2001-2002), pp. 109-110.

FARINELLI, Arturo, *Marrano: storia di un vituperio*, Florencia, Olschki (Biblioteca *Archivum Romanicum*, Serie II, Ling. 10), 1925.

FAULHABER, Charles B., «Yakov Malkiel and María Rosa Lida: A Berkeley Love Affair», en *Two Spanish Masterpieces. A celebration of the Life and Works of María Rosa Lida de Malkiel*, ed. Pablo Ancos e Ivy A. Corfis, Nueva York, Hispanic Seminary of Medieval Studies, 2013, pp. 11-40.

FERNANDES Tomás, Pedro, *Velhas Canções e Romances Populares Portugueses*, Coimbra, F. França Amado, 1913.

Festschrift zu Eugen Mittwochs 60. *Geburtstag (Ihrem verdienten Vorsitzenden, Prof. Dr. Eugen Mittwoch)*, Breslau, M. & H. Marcus, 1937.

FOULCHÉ DELBOSC, Raymond, *Cancionero castellano del siglo* XV, vol. I, Madrid, Casa Editorial Bailly-Baillière (Nueva Biblioteca de Autores Españoles, 19), 1912.

FRAKER, Charles F., Jr., «María Rosa Lida de Malkiel on the *Celestina*», *Hispania*, L (1967), pp. 174-181.

FUENTES FLORIDO, F., *Rafael Cansinos Assens novelista, poeta, crítico, ensayista y traductor*, Madrid, Fundación Juan March, 1979.

GAMILLSCHEG, Ernst, *Etymologisches Wörterbuch der französischen Sprache*, Heidelberg, Carl Winter, 1928.

—, *Romania germanica: Sprach- und Siedlungsgeschichte der Germanen auf dem Boden des alten Römerreichs*, Berlín y Leipzig, W. de Gruyter & Co., 1934-1936.

GARZÓN, Tobías, *Diccionario argentino ilustrado con numerosos textos*, Barcelona, Imprenta Elzeviriana de Borrás y Mestres, 1910.

GASELEE, Stephen, *The Oxford Book of Medieval Latin Verse*, Oxford, Clarendon Press, 1928.

GAYANGOS, Pascual de, *Libros de caballerías*, Madrid, M. Rivadeneyra (Biblioteca de Autores Españoles, 40), 1857.

GILMAN, Stephen, «El tiempo y el género literario en *La Celestina*», *Revista de Filología Hispánica*, VII (1945), pp. 147-159.

GILMAN, Stephen, *The Art of La Celestina*, Madison, University of Wisconsin Press, 1956.

GIMBER, Arnao y Santiago López-Ríos, «Alemán», en *La Facultad de Filosofía y Letras de Madrid en la Segunda República. Arquitectura y Universidad durante los años 30*, Madrid, Sociedad Estatal de Conmemoraciones, 2008, pp. 387-392.

GOETHE, Johann Wolfgang von, *Faust*, Viena, Ullstein Verlag, 1946.

—, *Obras completas*, trad. Rafael Cansinos Assens, Madrid, Aguilar, 1957, IV.

GOLDEN, Herbert H. y Seymour O. Simches, *Modern Iberian Language and Literature: A Bibliography of Homage Studies*, Cambridge (Mass.), Harvard University Press, 1958.

GÓMEZ-BRAVO, Ana María, «María Rosa Lida de Malkiel (1910-1962) and Medieval Spanish Literary Historiography», en *Women Medievalists and the Academy*, ed. Jane Chance, Madison, Wis.,University of Wisconsin Press, 2005, pp. 723–732.

GÓMEZ MORENO, Ángel, «En el centenario de María Rosa Lida de Malkiel», *Revista de Filología Española*, XCI.1 (2011), pp. 171-188.

—, «26 de septiembre de 2012: cincuenta años sin María Rosa Lida», *eHumanista*, XIX (2011), pp. i-vii.

GRANADA, Daniel, *Vocabulario rioplatense razonado*, Montevideo, Imprenta Elzeviriana de C. Becchi y Cia., 1889. Hay edición crítica de Úrsula Kühl de Mones, Madrid, Arco Libros, 1998.

GREEN, Otis H., «Joseph Eugene Gillet: The Scholarly Record», *Hispanic Review*, XXVII (1959), pp. 11-17.

GROUSSAC, Paul, *Don Pedro de Mendoza*, Buenos Aires, Academia Argentina de Letras (Clásicos Argentinos, 9), 1949.

GUITARD, Eugène-Humbert, «In memoriam Bloch», *Revue d'Histoire de la Pharmacie*, XLV (1957), pp. 172-173.

HAGEN, Gottfried, «German Heralds of Holy War: Orientalists and Applied Oriental Studies», *Comparative Studies of South Asia, Africa, and the Middle Esats*, XXIV (2004), pp. 145-162.

HEMPEL, Ilse, *Spanish paintings and the French Romantics*, Cambridge (Mass.), Harvard University Press, 1972. Hay traducción al español de José Luis Checa Cremades, *La pintura española y los románticos franceses*, Madrid, Taurus, 1988.

HENRÍQUEZ Ureña, Pedro, «La cuaderna vía», *Revista de Filología Hispánica*, VII (1945), pp. 45-47.

—, «Sobre la historia del alejandrino», *Revista de Filología Hispánica*, VIII (1946), pp. 1-11.

—, *Observaciones sobre el español en América y otros estudios filológicos*, compilación y prólogo de Juan Carlos Ghiano, Buenos Aires, Academia Argentina de Letras (Biblioteca de la Academia Argentina de Letras. Estudios Lingüísticos y Filológicos, 1), 1977.

Historia troyana en prosa y verso texto de hacia 1270, ed. Ramón Menéndez Pidal, con la cooperación de E. Varón Vallejo, Madrid, S. Aguirre (Anejos de Revista de Filología Española, 18), 1934.

Homenaje a Amado Alonso de Nueva Revista de Filología Hispánica, VII (1953), publicada como *Homenaje a Amado Alonso*, con una nota cronológica de Alfonso Reyes, pp. 1-2 y una bibliografía, pp. 3-15.

Homenaje a Justina Ruiz de Conde en su ochenta cumpleaños, eds. Elena Gascon-Vera, Joy Renjilian Burgy, Pennsylvania, Eeire, Aldeeu, 1992.

Homenaje a María Rosa Lida. Filología (1962).

Homenaje a Morley. Romance Philology volúmenes VI.IV y VII.I de mayo y agosto de 1953, bibliografía analítica a cargo de Benjamin M. Woodbridge Jr. (pp. 215-230), VI.IV.

Homenaje a Percival B. Fay, Romance Philology XI.III-IV (1958).

Homenaje a Pidal, Romance Philology. Memorial Issue, «Era omne esencial...» (Ramón Menéndez Pidal Memorial)", XXIII.IV (1970), pp. 371-411.

Homenaje universitario a Dámaso Alonso reunido por los estudiantes de filología románica, curso 1968-1969, Madrid, Gredos, 1970.

HORACIO, *Odas y epodos*, edición bilingüe de Manuel Fernández-Galiano y Vicente Cristóbal, Madrid, Cátedra, 1990.

HUARTE MORTON, Fernando y Juan Antonio Ramírez Ovelar (eds.), *Bibliografía de Dámaso Alonso*, Madrid, Gredos, 1998.

«*In memoriam* (Ilse Hempel)», *Vassar Alumnae Quarterly*, CI.IV (2005).

JANER, Florencio (ed.), *Poetas castellanos anteriores al siglo* XV, Madrid, Rivadeneyra (Biblioteca de Autores Españoles, 57), 1864.

JEANROY, Alfred (ed.), *Les chansons de Jaufré Rudel*, París, Honoré Champion (Les Classiques Français du Moyen Âge, 15), 1924 (2.ª ed. rev.).

JEAUNEAU, Edouard, «Nani gigantum humeris insidentes: essai d'interprétation de Bernard de Chartres», Vivarium, V (1967), pp. 79-99.

JESÚS, Teresa de, *Libro de la vida*, ed. Fidel Sebastián Mediavilla, Madrid, Real Academia Española, 2014.

KANTOROWICZ, Ernst Hartwig, *Kaiser Friedrich der Zweite*, Stuttgart, Klett-Cotta, 1927.

KANY, Charles E., *The Beginnings of the Epistolary Novel in France, Italy, and Spain*, Berkeley y Los Ángeles, University of California Press (Publications in Modern Philology, 21), 1937.

—, *American-Spanish Syntax*, Chicago, University of Chicago Press, 1945.

KOTOWSKI, Elke-Vera y Gert Mattenklott, *«O dürft ich Stimme sein, das Volk zu rütteln!». Leben und Werk von Karl Wolfskehl*, Hildesheim, Olms, 2007.

LAPESA, Rafael, *La trayectoria poética de Garcilaso*, Madrid, Revista de Occidente, 1948.

—, «Necrológica. Amado Alonso», *Hispania*, XXXVI (1953), pp. 145-147.

—, *La obra literaria del marqués de Santillana*, Madrid, Ínsula, 1957.

LAPIDUS, Rina, *Jewish Women Writers in the Soviet Unions*, Londres, Routledge, 2011.

LAURIA, Daniela, «Lengua y nación. El *Diccionario Argentino* de Tobías Garzón (1910)», en *IV Jornadas de Jóvenes Investigadores. Buenos Aires, 19-21 septiembre 2007*, Buenos Aires, Instituto de Investigaciones Gino Germani – Facultad de Ciencias Sociales – Universidad de Buenos Aires, 2007.

Le garçon et l'aveugle: jeu du XIIIè siècle, ed. Mario Roques, París, Champion (Classiques Français du Moyen Âge, 5), 1911.

LECOY, Felix, *Recherches sur le Libro de buen amor de Juan Ruiz, Archiprêtre de Hita*, París, Droz, 1938.

LEÓN, fray Luis de, *Los nombres de Cristo*, ed. Federico de Onís, Madrid, La Lectura (Clásicos Castellanos, 28, 33, 41), 1914-1921, 3 vols.

—, *Páginas escogidas*, selección y notas de Luis Santa Marina, Barcelona, Luis Miracle, 1934.

—, *Cantar de los cantares*, ed. y prólogo de Jorge Guillén, Santiago de Chile, Editorial Cruz del Sur (Divinas Palabras), 1947.

—, *Poesía*, ed. Antonio Ramajo Caño, Madrid, Real Academia Española, 2012.

LEVIN, Harry, «Two *Romanisten* in America: Spitzer and Auerbach», en *The Intellectual Migration: Europe and America (1930-1960)*, ed. Donald Fleming y Bernard Bailyn, Cambridge (Mass.), Harvard University Press, 1969, pp. 463-484.

LEWENT, Kurt, *Das altoprovenzalische Kreuzlied*, Erlangen, Junge & Sohn, 1905.

LATINI, Brunetto, *Li livres dou trésor de Brunetto Latini*, ed. Francis J. Carmody, Berkeley, University of California Press, 1948.

Libro del esforzado caballero don Tristán de Leonís y de sus grandes hechos en armas, ed. Ignacio Anzoátegui, Buenos Aires, Espasa-Calpe, 1948.

LIDA, Rosa María (trad.), Emily Bronte, *Cumbres borrascosas*, Buenos Aires, Sudamericana, 1938; tercera edición, 1940, con prefacio de Victoria Ocampo.

—, *Odas y épodos de Horacio*, Buenos Aires, Losada, 1939.

—, «Oración fúnebre de los atenienses», *Sur*, IX (1939), pp. 108-114 (traducción de Diego Gracián retocada por MRL).

—, «Transmisión y recreación de temas grecolatinos en la poesía lírica española», *Revista de Filología Hispánica*, I (1939), pp. 20-63.

—, «Horacio en la literatura mundial», *Revista de Filología Hispánica*, II (1940), pp. 370-378. (Reseña a E. Castle *et alii*, *Orazio nella letteratura mondiale*, Roma, Istituto di Studi Romani, 1936).

—, *Sátiras y epístolas de Horacio*, Buenos Aires, Losada, 1940.

—, «Notas para la interpretación, influencia, fuentes y texto del *Libro de buen amor*», *Revista de Filología Hispánica*, II (1940), pp. 105-150.

—, «Para la biografía de Juan de Mena», *Revista de Filología Hispánica*, III (1941), pp. 150-154.

—, «Reseña a Ramón Menéndez Pidal, *Idea imperial de Carlos V. La Condesa traidora. El romanz del infant García. Adefonsus Imperator Toletanus*. Colección Austral, n.º 172, Espasa-Calpe Argentina, Buenos Aires-México, 1941, 165 pp. / *Poesía árabe y poesía europea. Con otros estudios de literatura medieval*. La misma colección, 1941, n.º 190, 179 pp», *Revista de Filología Hispánica*, III (1941), pp. 379-381.

—, *El cuento popular hispano-americano y la literatura*, Buenos Aires, Instituto de Cultura Latino-Americana, 1941.

—, «Dido y su defensa en la literatura española», *Revista de Filología Hispánica*, IV (1942), pp. 209-252, 313-382.

—, «La defensa de Dido», *Revista de Filología Hispánica*, V (1943), pp. 45-50.

—, «Reseña de Dámaso Alonso, 1942», *Revista de Filología Hispánica*, V (1943), pp. 377-395.

—, «Reseña a Caro Lynn», *Revista de Filología Hispánica*, V (1943), pp. 287-292.

—, «Dido en la poesía de Chaucer», *Orígenes* (La Havana), I (1944), pp. 3-14.

—, «El diálogo de Melos», Ínsula (Buenos Aires), I (1944), pp. 207-217.

—, *Introducción al teatro de Sófocles*, Buenos Aires, Losada, 1944.

—, «Fray Antonio de Guevara. Edad Media y Siglo de Oro español», *Revista de Filología Hispánica*, VII (1945), pp. 346-388.

—, «Reseña a *La consolación de la filosofía* (traducciones de fray Alberto de Aguayo, Esteban Manuel de Villegas y Antonio Tovar», *Revista de Filología Hispánica*, VII (1945), pp. 59-71.

—, «El amanecer mitológico en la poesía narrativa española», *Revista de Filología Hispánica*, VIII (1946), pp. 77-110.

—, «Fray Antonio de Guevara (1481-1545). Edad Media y Siglo de Oro español», *La Nación* (Buenos Aires), 13 de enero de 1946, pp. 1-2.

—, «Huella de la tradición grecolatina en el poema de Juan de Castellanos», *Revista de Filología Hispánica*, VIII (1946), pp. 121-130.

—, «*Civil* 'cruel'», *Nueva Revista de Filología Hispánica*, I (1947), pp. 80-85.

—, «Reseña a Paul Bénichou, *Romances judeo-españoles de Marruecos*, Buenos Aires, 1946», *Davar*, X (1947), pp. 5-26.

—, «Un decir más de Francisco Imperial: respuesta a Fernán Pérez de Guzmán», *Nueva Revista de Filología Hispánica*, I (1947), pp. 170-177.

—, «La prosa de Juan de Mena», *Boletín de la Academia Argentina de Letras*, XVIII (1949), pp. 393-432.

—, «Originalidad de *La Celestina*», *La Nación* (Buenos Aires), 16 de enero de 1949, pp. 3-4.

—, «*Saber* 'soler' en las lenguas romances y sus antecedentes grecolatinos», *Romance Philology*, II (1949), pp. 269-283.

— (trad.), *Herótodo. Los nueve libros de la historia*, Buenos Aires, W. M. Jackson, 1949.

—, *Juan de Mena, poeta del prerrenacimiento español*, México D.F. Publicaciones de la Nueva Revista de Filología Hispánica, , 1950 (véase El Colegio de México, México D. F., 1984).

—, «Un nuevo estudio sobre el Marqués de Santillana», *Romance Philology*, III (1950), pp. 210-213.

—, «Arpadas lenguas», *Estudios dedicados a Menéndez Pidal*, Madrid, CSIC, 1951, 2, pp. 227-252.

—, «Del Renacimiento español: Bartolomé de Torres Naharro», *Sur*, CCXI-CCXIII (1952), pp. 119-123 (reseña del tomo tres *Propalladia and Other Works*, ed. Joseph E. Gillet, Bryn Mawr, 1951).

—, *La idea de la fama en la Edad Media castellana*, México, D.F., Fondo de Cultura Económica, 1952; *L'idée de la gloire dans la tradition occidentale. Antiquité, moyen âge occidental, Castille*, trad. Sylvia Roubaud, París y Estrasburgo, Klincksieck-Université de Strasbourg, 1968.

—, «Homenaje a Solalinde», *Romance Philology*, V.II-III (1952).

—, «Para la fecha de la *Comedia Thebayda*», *Romance Philology*, VI (1952), pp. 45-48.

—, «Para la toponimia argentina: Patagonia», *Hispanic Review*, XX (1952), pp. 321-323.

—, «El desenlace del *Amadís* primitivo», *Romance Philology*, VI (1952-1953), pp. 283-289.

—, «Reseña a Erich von Richthofen, *Studien zur romanischen Heldensage des Mittelalters*, Halle, 1944», *Romance Philology*, VIII (1954), pp. 54-56.

—, «Dos huellas del *Esplandián* en el *Quijote* y en el *Persiles*», *Romance Philology*, IX (1955), pp. 156-162.

—, «Una conversación con Pedro Henríquez Ureña», *Gaceta* (FCE, México), III.XXI (1956), pp. 1*ab*-4*ac*.

—, «Notas para el texto de la *Vida de Santa Oria*», *Romance Philology*, X (1956-1957), pp. 19-33.

—, «Alejandro en Jerusalén», *Romance Philology*, X (1957), pp. 185-196.

—, «De Centurio al Mariscal de Turena: fortuna de una frase de *La Celestina*», *Hispanic Review*, XXVII (1959), pp. 150-166 (volumen en memoria de Joseph E. Gillet).

—, «Nuevas notas para la interpretación del *Libro de Buen amor*», *Nueva Revista de Filología Hispánica*, XIII (1959), pp. 17-82.

—, «Para la génesis del *Auto de la Sibila Casandra*», *Filología*, V (1959), pp. 47-63.

—, «Reseña *Poema de Fernán González*, I», *Revista de Filología Hispánica*, III (1959), pp. 179-182.

—, «Reseña *Poema de Fernán González, 2*», *Revista de Filología Hispánica*, III (1959), pp. 182-185.
—, «Reseña *Poema de Fernán González, 3*», *Revista de Filología Hispánica*, III (1959), pp. 186-189.
—, «El moro en las letras castellanas», *Hispanic Review*, XXVIII (1960), pp. 350-358.
—, «Reseña a Lapesa», *Romance Philology*, XII (1960), pp. 290-297.
—, *Two Spanish Masterpieces: The Book of Good Love and The Celestina*, Urbana, University of Illinois, 1961.
—, «Reseña a Richard Donovan, *The Liturgial Drama in Medieval Spain*, Toronto, 1958»; *Romance Philology*, XV (1961), pp. 98-100.
—, «Datos para la leyenda de Alejandro en la Edad Media castellana», *Romance Philology*, XV (1961-1962), pp. 412-423.
—, *La originalidad artística de La Celestina*, Buenos Aires, Editorial Universitaria de Buenos Aires, 1962.
—, «Reseña reseña a *Torres Naharro and the Drama of the Renaissance*, Filadelfia, 1959», *Hispanic Review*, XXX (1962), pp. 240-248.
—, «Sobre la prioridad de ¿Tan largo me lo fiáis? Notas al *Isidro* y a *El Burlador de Sevilla*», *Hispanic Review*, XXX (1962), pp. 275-295.
—, «Raby, F. J. E., ed. *The Oxford Book of Medieval Latin Verse*. Newly selected and edited by... Oxford: at the Clarendon Press, 1959, pp. xix, 512», *Romance Philology*, XVI.1 (1962), pp. 96-102.
—, «Reseña a Alan D. Deyermond, *The Petrarchan Sources of La Celestina*, Oxford, 1961», *Romance Philology*, XVI (1963), pp. 499 ss.
—, «Reseña a Modesto Lazo Palacios, *El laboratorio de Celestina*, Málaga, 1958», *Romance Philology*, XVI (1963), pp. 372-374.
—, «Una anécdota de Facundo Quiroga», *Hispanic Review*, XXXI (1963), pp. 61-64.
—, «El ambiente concreto en *La Celestina*», *Estudios dedicados*

a James Homer Herriott, Madison, University of Wisconsin, 1966, pp. 145-164.

—, «*Las infancias de Moisés* y otros tres estudios», *Romance Philology*, XXIII.IV (1970), pp. 412-448.

—, «Las sectas judías y los 'procuradores' romanos; en torno a Josefo y a su influjo sobre la literatura española», *Hispanic Review*, XXXIX (1971), pp. 183-213.

—, *Libro de buen amor*, Editorial Losada, Buenos Aires, 1941. Reeditado con un prefacio de Yakov Malkiel y un prólogo de Alberto Vàrvaro, Buenos Aires, Editorial Universitaria de Buenos Aires, 1973.

—, «Elementos técnicos del teatro romano desechados en *La Celestina*», *Romance Philology*, XXVII (1973), pp. 1-12.

—, *Dido en la literatura española. Su retrato y defensa*, ed. Yakov Malkiel, Londres, Tamesis Books (Serie A. Monografías, 37), 1974.

—, «Fantasía y realidad en la conquista de América», *Homenaje al Instituto de Filología y Literaturas Hispánicas «Dr. Amado Alonso» en su cincuentenario:* 1923-1973, Buenos Aires, F. G. Gambeiro, 1975, pp. 210-220.

—, *Estudios sobre la literatura española del siglo* XV, prólogo de Yakov Malkiel, Madrid, Porrúa Turanzas, 1978.

—, «La técnica dramática de *La Celestina*», en *Homenaje a Ana María Barrenechea*, ed. Lía S. Lerner e Isaías Lerner, Madrid, Castalia, 1984, pp. 281-292.

— y Yakov Malkiel, «El *Cantar de la Hueste de Igor*», *Sur*, XVII (1949), pp. 43-64.

—, «Reseña de Diego Catalán Menéndez-Pidal, *Poema de Alfonso XI. Fuentes, dialecto, estilo*, Gredos, Madrid, 1953», *Romance Philology*, VIII (1955), pp. 303-306, adicionado por YM con notas lingüísticas, pp. 306-311.

LIDA, Raimundo, «Necrológica Amado Alonso», *Nueva Revista de Filología Hispánica*, VI (1952), pp. 205-208.

LITTLEFIELD, Mark G., *A Bibliographic Index to Romance Philology. Volumes* X-XXV, con un preliminar de Yakov Malkiel, Berkeley y Los Ángeles, University of California Press, 1974.

LYNN, Caro, *A College Professor of the Renaissance: Lucio Marineo Siculo among the Spanish Humanist*, Chicago, University of Chicago Press, 1937.

MALIA, Martin E., «Michael Karpovich, 1888-1959», *The Russian Review*, XIX (1960), pp. 60-71.

MALKIEL, Yakov, *Das substantivierte Adjektiv im Französischen*, Berlín, Jüdischer Buchverlag J. Jastrow, 1938.

—, «Antiguo judeo-aragonés *aladma, alalma* 'excomunión'», *Revista de Filología Hispánica*, VIII (1946), pp. 136-141.

—, «The Etymology of Hispanic *vel(l)ido* and *melindre*», *Language*, XXII (1946), pp. 284-316.

—, «The Etymology of Spanish *lerdo*», *Philological Quarterly*, XXV (1946), pp. 289-302.

—, «The World Family of Old Spanish *recudir*», *Hispanic Review*, XIV (1946), pp. 104-159.

—, «A Latin-Hebrew Blend: Hispanic *desmazalado*», *Hispanic Review*, XV (1947), pp. 272-301.

—, «Three Hispanic Word Studies: Latin MACULA in Ibero-Romance; Old Portuguese *trigar*; Hispanic *lo(u)cano*», *University of California Publications in Linguistics*, VII (1947), pp. 227-296.

—, «Hispanic *algu(i)en* and Relate Formations: A Study of Stratification of the Romance Lexicon in the Iberian Peninsula», *University of California Publications in Linguistics*, I (1948), pp. 357-442.

—, «Hispano-Arabic 'marrano' and its Hispano-Latin Homophone», *Journal of the American Oriental Society*, LXVIII (1948), pp. 175-184. Se reimprimió en *Theory and Practice of Romance Etymology: Studies in Language, Culture, and History (1947-1987)*, prefacio de Edward F. Tuttle, Londres, Variorum Reprints, 1989, pp. 175-184.

—, «La etimología de *cansino*», *Nueva Revista de Filología Hispánica*, II (1948), pp. 186-194.

—, «The Etymology of Spanish *maraña*», *Bulletin Hispanique*, L (1948), pp. 147-171.

—, «The Etymology of Spanish *terco*», *Proceedings of the Modern Language Association*, LXIV (1949), pp. 570-584.

—, «Reseña a Américo Castro, *España en su historia*, 1948», *Hispanic Review*, XVIII (1950), pp. 328-340.

—, «The Jewish Heritage of Spain» (a propósito de *España en su historia, cristianos, moros y judíos*, Buenos Aires, 1948), *Hispanic Review*, XXIII (1950), pp. 328-340.

—, «Necrológica. Amado Alonso», *Romance Philology*, VI (1952), p. 70.

—, «Reseña a la revisión de Lapesa del libro de Amado Alonso, *De la pronunciación moderna en español*», *Romance Philology*, IX (1955), pp. 237-252.

—, «Homenaje a Percival», *Romance Philology*, XI (1958), pp. 191-193, más una bibliografía, pp. 194-197.

—, «Necrológica. Leo Spitzer», *Romance Philology*, XII (1958), pp. 161-162.

—, «Necrológica. Joseph E. Gillet», *Romance Philology*, XII (1958), pp. 161-162.

—, «Sobre Kurt Lewen», *Romance Philology*, XIII (1960), p. 441.

—, «María Rosa Lida de Malkiel», *Romance Philology*, XVII.1 (1963), pp. 5-32.

—, «Preliminary Bibliography of the Writings of Maria Rosa Lida de Malkiel»,

Romance Philology, XVII.1 (1963), pp. 33-54. («Supplement to the Preliminary María Rosa Lida de Malkiel Bibliography», *Romance Philology*, XX.1, 1966, pp. 44-48).

—, «Necrológica. Kantorowicz», *Romance Philology*, XVIII (1964), pp. 1-15.

—, «Cómo trabajaba María Rosa Lida de Malkiel», en *Homenaje a Rodríguez Moñino. Estudios de erudición que le ofrecen sus amigos o discípulos norteamericanos*, Madrid, Castalia, 1966, I, pp. 371-379.

—, «Homenaje a Kurt Lewent», *Romance Philology*, XX (1967), pp. 389-390.

—, «Necrológica. Charles E. Kany», *Romance Philology*, XXII (1968), p. 35.

—, Comentario sobre Charles E. Kany en «Hispanic Philology», *Current Trends in Linguistics, 4. Ibero-American and Caribbean*

Linguistics, ed. Thomas Sebeok, ed., La Haya, Mouton, 1968, pp. 158-228, esp. pp. 178-179, 207.

—, «Sobre Kantorowicz», en *On Four Modern Humanists: Hofmannsthal, Gundolf, Curtius, Kantorowicz*, ed. Arthur R. Evans, Jr., Princeton, Princeton University Press, 1970, pp. 146-219.

—, «Breve autobibliografía analítica», *Anuario de Estudios Medievales*, VI (1969-1972), pp. 615-639.

—, «Necrológica. Morley», *Romance Philology*, XXVI (1972), pp. 211-214.

—, «Necrológica. Percival», *Romance Philology*, XXVI.1 (1972), pp. 135-138.

—, «Ernst Gamillscheg (1887-1971) and the Berlin School of Romance Linguistics», *Romance Philology*, XXVII (1973), pp. 172-189.

—, «Friedrich Diez's Debt to pre-1800 Linguistics», *Studies in the History of Linguistics: Traditions and Paradigms*, ed. Dell Hymes, Bloomington, Indiana University Press, 1974, pp. 315-330.

—, «Jakob Grimm and Friedrich Diez», *Romance Philology*, XXV (1974), pp. 448-450.

—, «Viktor M. Zirmunskij (1891-1971)», *Romance Philology*, XXVIII (1974), pp. 52-56.

—, «Friedrich Diez and the Birth Pangs of Romance Linguistics», *Friedrich Diez Centennial Lectures*, ed. Edward F. Tuttle, suplemento a *Romance Philology*, XXX (1976), pp. 1-15.

—, «Reseña a *In Memoriam Friedrich Diez: Akten des Kolloquiums zur Wissenschaftsgeschichte der Romanistik, Trier, 2-4. Okt. 1975*, eds. Hans-Josef Niederehe y Harald Haarmann, Ámsterdam, Benjamins, 1976», *Language*, LIV (1978), pp. 426-432.

—, «Early Years in America», en *First Person Singular*, ed. Boyd H. Davis y Raymond K. O'Cain, Ámsterdam, Benjamins, 1980, pp. 77-95.

—, «Two Houses, Once Homes, in Austria», *Romance Philology*, XXXIV (1980), pp. 141-142.

—, «Was Hugo Schuchardt Ever a Neo-Grammarian», *Romance Philology*, XXXIV (1980), pp. 93-94.

—, «María Rosa Lida de Malkiel como investigadora de las letras coloniales», en Homenaje a Don Agapito Rey, ed. Josep Roca-Pons, Bloomington, Department of Spanish and Portuguese, Indiana University, 1980, pp. 357-373.

—, «A Hispanist Confined to His 'Inner Castle': Tomás Navarro Tomás (1884-1979)», *Romance Philology*, XXXIV (1981), pp. 98-115.

—, «A Brief History of M. R. Lida de Malkiel's *Celestina* Studies», *Celestinesca*, VI.II (1982), pp. 3-13.

—, «The End of an Era: Raimundo Lida (1908-1979) and Frida Weber de Kurlat (1914-1981)», *Romance Philology*, XXXV (1982), pp. 617-641.

—, «M. R. Lida de Malkiel's *Ur-Celestina*», *Celestinesca*, VIII.II (1984), pp. 15-28.

—, «Carolina Michäelis de Vasconcelos. Forgotten Sketch of an Unfinished Monograph on *e(n)-zebra* 'wild donkey'», *Boletín de Filología*, XXX (1988), pp. 1-11.

—, «From Latin *Mellītus* to Old Spanish *v-*, *b-ellido* (with attention newly drawn to the role played by *bar-va*, *-ba*)», *Romance Notes*, XXVIII (1988), pp. 115-123.

—, «A Tentative Autobibliography», *Romance Philology*, XLII (1988-1989), xxxi+186 pp., Special Issue, eds. Joseph J. Duggan y Charles B. Faulhaber.

—, «A Candid Retrospect», en su *Tentative Autobibliography*, *op. cit.*, pp. 145-146.

—, «The Buenos Aires Years of María Rosa Lida de Malkiel (1910-1962); Antiquity, the Middle Ages, and the Renaissance as Seen through the Eyes of an Argentine Scholar», en *The Classics in the Middle Ages. Papers of the Twentieth Conference of the Center for Medieval and Early Renaissance Studies*, eds. Aldo S. Bernardo y Saul Levon, Binghampton (Nueva York),Center for Medieval and Early Renaissance Studies, 1990, pp. 237-252.

—, «Analysis of Early Critical Reactions to María Rosa Lida de

Malkiel's *La originalidad artística de La Celestina*», en *La originalidad artística de la Celestina. Fernando de Rojas and Celestina: Approaching the Fifth Centenary*, eds. Ivy A. Corfis y Joseph T. Snow, Madison, Hispanic Seminary of Medieval Studies, 1993, pp. 79-92.

—, «Sobre Carolina Michäelis de Vasconcelos», *Romance Philology*, XLVII (1993), pp. 1-32.

—, «Reseña a Erich Auerbach, *Literary Language and Its Public in Late Antiquity and in the Middle Ages, Romance Philology*, XLVIII.II (1994), pp. 145-150.

—, «Autobiographic Sketch: Early Years in America», s. f. (mecanoscrito).

MARTI, Mario (ed.), *Poeti giocosi del tempo di Dante*, Milán, Rizzoli, 1956.

MCLEAN, Hugh, Martin E. Malia y George Fischer (eds.), *Russian Thought and Politics*, La Haya y Cambridge (Mass.), Mouton and Co. y Harvard University Press, 1957.

MENA, Juan de, *Laberinto de Fortuna o Las Trescientas*, ed. José Manuel Blecua, Madrid, Espasa-Calpe (Clásicos Castellanos, 119), 1943.

MENDOZA, fray Íñigo de, *Cancionero*, ed. Julio Rodríguez-Puértolas, Madrid, Espasa-Calpe (Clásicos Castellanos, 163), 1968.

MENÉNDEZ PELAYO, Marcelino, *Antología de poetas líricos castellanos* (t. X). *Romances populares recogidos de la tradición oral* (suplemento a la «Primavera y flor de romances» de Wolf; t. III), Madrid, Imprenta de Hernando (Biblioteca Clásica, 211), 1900.

MENÉNDEZ PIDAL, Ramón, *Antología de prosistas españoles*, Madrid, Centro de Estudios Históricos (Publicaciones de la Revista de Filología Española, 2), 1923 (4.ª ed).

—, *Flor nueva de romances viejos*, Tipografía de la Revista de Archivos, Madrid, Bibliotecas y Museos, 1928.

—, *El lenguaje del siglo XVI*, Madrid, Cruz y Raya, 1933.

—, *La lengua de Cristóbal Colón, el estilo de Santa Teresa y otros estudios sobre el siglo XVI*, Buenos Aires y México, Espasa-Calpe (Austral, 280), 1942.

—, *Cantar de mío Cid: texto, gramática y vocabulario*, en *Obras*

de Ramón Menéndez Pidal, vols. III-V, Madrid, Espasa-Calpe, 1944-1946.
—, «Carta a María Rosa Lida», *Romance Philology*, XVII.1 (1963), pp. 5-8.
MEYER, Rudolf Adelbert (ed.), *La chanson de Bele Aelis*, París, A. Picard et Fils, 1904.
MICHEL, Francisque, ed., *El Cancionero de Baena, publicado por Francisque Michel, con las notas y los índices de la edición de Madrid de* 1851, Leipzig, F.A. Brockhaus, 1860, 2 vols.
MILLÁS VALLICROSA, José María, *Šĕlomó ibn Gabirol como poeta y filósofo. Estudio preliminar María José Cano*, Granada, Universidad de Granada, 1993.
MITRE, Bartolomé, *Horacianas. Ad Litteram Verse por un árcade de Roma*, La Plata, Talleres de Publicaciones del Museo, 1895.
MODONA, Leonello, *Vita e opere di Immanuele Romano*, Florencia, R. Bemporad, 1904.
MOREL-FATIO, Alfred, *Ambrosio de Salazar et l'étude de l'espagnol en France sous Louis XIII*, París y Toulouse, Alphonse Picard et Fils (Bibliothèque Espagnole, 1) - Édouard Privat, 1900.
MORLEY, Sylvanus Griswold, *Spanish Ballads: (romances escogidos)*, Nueva York, Henry Holt and Company, 1946.
MORLEY, Sylvanus Griswold y Richard W. Tyler, *Los nombres de personajes en las comedias de Lope de Vega: estudio de onomatología*, Valencia, Castalia (Biblioteca de Erudición y Crítica, 6), 1961, 2 vols.
MORREALE, Margherita, «La *Exposición del Cantar de los Cantares* y *De los Nombres de Cristo* como lectura previa a la de las *Odas* 19(18) *En la Ascensión* y 18(13) *De la vida del cielo*», en *Homenaje a F— de León*, Salamanca, Universidad de Salamanca – Prensas Universitarias de Zaragoza (Acta Salmanticensia. Estudios Filológicos, 318), 2007, pp. 625-676.
MOSELY, Philip E., «Michael Karpovich, 1888-1959», *The Russian Review*, XIX (1960), pp. 56-60.
NAVARRO TOMÁS, Tomás, «El endecasílabo en la Tercera Égloga de Garcilaso», *Romance Philology*, V (1952), pp. 205-211.

—, «Los versos de Sor Juana», *Romance Philology*, VII (1953), pp. 44-50.

—, «Geografía peninsular de la palabra *aguja*», *Romance Philology*, XVII (1963), pp. 285-300.

«Necrológica». María Rosa Lida de Malkiel (1910-1962), *Nueva Revista de Filología Hispánica*, XVII (1963-1964), s. p.

NERVO, Amado, *Obras completas*, vol. III, ed. Alfonso Reyes, Madrid, Biblioteca Nueva, 1920.

—, *Obras completas*, vol. II, ed. Alfonso Méndez Plancarte, Madrid, Aguilar, 1962.

NETANYAHU, Benzion, *Los marranos españoles según las fuentes hebreas de la época (siglos XIV-XVI)*, trad. española de la segunda edición aumentada (1973) de Ciriaco Morón Arroyo, Valladolid, Junta de Castilla y León, 1994.

OCHOA, Eugenio de, *Colección de los mejores autores españoles antiguos y modernos*, París, Baudry, 1842.

PADEN, William D., *The Voice of the Trobairitz: Perspectives on the Women Troubadours*, Filadelfia, University of Pennsylvania Press, 1989.

PALOMO OLMOS, Bienvenido, *Bibliografía de Amado Alonso*, Cáceres, Universidad de Extremadura (Trabajos del Dpto. de Filología Hispánica, 21), 2004.

PÉREZ PASCUAL, José Ignacio, *Ramón Menéndez Pidal. Ciencia y pasión*, Valladolid, Junta de Castilla y León-Consejería de Educación y Cultura (Villalar. Serie Maior 98), 1998.

PIDAL, Pedro José, ed., *El Cancionero de Juan Alfonso de Baena (siglo XV). Ahora por primera vez dado a luz con notas y comentarios*, prólogo de Eugenio Ochoa, Madrid, Rivadeneyra, 1851.

PLAUTO, *Comèdies*, ed. Marcial Olivar, Barcelona, Fundació Bernat Metge, 1935.

—, *Comedias, I*, trad. José Román Bravo, Madrid, Cátedra, 1989.

POPE, Isabel, *Music and Metrical Forms of the Mediaeval Lyric in the Hispanic Peninsula*, Radcliffe College, 1930.

PORTOLÉS, José, *Medio siglo de filología española (1896-1952)*, Madrid, Cátedra, 1986.

PROVINS, Guiot de, *Les Œuvres de Guiot de Provins, poète lyrique et satirique*, ed. John Orr, Manchester, Imprenta de la Universidad, 1915.

PULGAR, Hernando del, *Claros varones de Castilla*, ed. Jesús Domínguez Bordona, Madrid, La Lectura (Clásicos Castellanos, 49), 1923.

RABY, Frederic J. E., *A History of Christian-Latin Poetry. From the Beginnings to the Close of the Middle Ages*, Oxford, Clarendon Press, 1927 (2ª. ed. 1953).

—, *A History of Secular Latin Poetry in the Middle Ages*, Oxford, Clarendon Press, 1934.

—, *The Oxford Book of Medieval Latin Verse*, Oxford, Clarendon Press, 1959.

REICHENBERGER, Arnold G., «Herodotus in Spain. Comments on a neglected essay (1949) by María Rosa Lida de Malkiel», *Romance Philology*, XIX (1965), pp. 235-249.

REYES, Alfonso (ed.), *Libro de buen amor*, Madrid, Calleja, 1917.

RICO, Francisco, «Semblanzas: Yakov Malkiel», *Anuario de Estudios Medievales*, VI (1969-1972), pp. 609-613.

RIMBAUD, Arthur, *Une saison en enfer*, Bruselas, Alliance Typographique, 1873.

RIQUER, Martín de, «California», en *Homenaje al profesor Antonio Vilanova*, coords. Marta Cristina Carbonell y Adolfo Sotelo Vázquez, Barcelona, Promociones y Publicaciones Universitarias, 1989, I, pp. 581-600.

—, *Los trovadores. Historia literaria y textos*, Barcelona, Planeta, 1975; Barcelona, Ariel, 1989 (2.ª ed. en esta editorial).

—, *Vidas y retratos de trovadores: Textos y miniaturas del siglo XIII*, Barcelona, Galaxia Gutenberg, 1995.

RIVAS VELÁZQUEZ, Alejandro e Yliana Rodríguez González (eds.), *Nueva Revista de Filología Hispánica. Índice tomos I-XLIV (1947-1996)*, México, El Colegio de México, 1997.

RONSARD, Pierre, *Œuvres complètes*, ed. Gustave Cohen, París, Gallimard (Bibliothèque de la Pléiade, 45-46), 1938.

ROSE, Constance H., «In Memoriam: Stephen Gilman (1917-1986)», *Cervantes: Bulletin of the Cervantes Society of America*, VIII.II (1988), pp. 251-253.

ROSENBERG, Jakob, *Rembrandt*, Cambridge (Mass.), Harvard University Press, 1948, 2 vols.

ROSENBLAT, Ángel (ed.), *Amadís*, Buenos Aires, Losada, 1950.

RUBIO TOVAR, Joaquín, «Carolina Michaëlis o los saberes de la Filología», *Revista de Filología Española*, LXXXV (2005), pp. 165-173.

RUIZ CONDE, Justina, *El amor y el matrimonio secreto en los libros de caballerías*, Madrid, Aguilar, 1948.

SACHS, Georg, *De germanisches Ortsnamen in Spanien und Portugal*, W. Gronau Jena y Leipzig, (Berliner Beitr. zur Roman. Philologie, II, 4), 1932.

—, *El libro de los caballos: tratado de albeitería del siglo XIII*, Madrid, Centro de Estudios Históricos - Revista de Filología Española (Anejo 23), 1936.

SÁNCHEZ, Tomás Antonio, *Colección de Poesías Castellanas anteriores al siglo XV*, Madrid, Antonio Sancha, 1779-1790, 4 vols. (t. 2, 1780, pp. 435-461).

SANHUEZA, M. T., «Fiammetta, Calisto y Melibea: el concepto de amante genérico en *La Celestina*», *Dactylus*, XIII (1994), pp. 39-57.

SANTANO MORENO, Julián, «Menéndez Pidal y la filología del 98. Estado latente e intrahistoria», *Criticón*, LXXXVII-LXXXIX (2003), pp. 787-798.

SANTIDRIÁN, Pedro R. y Manuela Astruga (trad.), *Cartas de Abelardo y Eloísa*, Madrid, Alianza, 1993.

SANTY, Sernin (ed.), *La comtesse de Die: sa vie, ses œuvres complètes, les fêtes données en son honneur, avec tous les documents*, introd. de Paul Mariéton, París, A. Picard, 1893.

SCHLÖSSER, Manfred, *Karl Wolfskehl: Eine Bibliographie*, Darmstadt, Erato-Presse, 1971.

SEGOVIA, Lisandro, *Diccionario de argentinismos, neologismos y barbarismos, con un apéndice sobre voces extranjeras interesantes*, Buenos Aires, Imprenta de Coni Hermanos, 1911.

SHAKESPEARE, William, *The Sonnets*, Londres, The Folio Society, 1947.

—, *Sonetos*, trad. José María Álvarez, Valencia, Pre-Textos, 1999.

SPITZER, Leo, «Reseña a Lecoy», *Revista de Filología Hispánica*, I (1939), pp. 266-274.
—, «Reseña a Yakov Malkiel», *Modern Language Notes*, LIV (1939), pp. 148-150.
—, *L'amour lointain de Jaufré Rudel et le sens de la poésie des troubadours*, Chapel Hill, Carolina del Norte, University of North Carolina (Studies in the Romance Languages and Literature, 5), 1944.
—, *La enumeración caótica en la poesía moderna*, trad. Raimundo Lida, Buenos Aires, Coni, 1945.
—, «Reseña a Yakov Malkiel *desmazalado*», *Nueva Revista de Filología Hispánica*, I (1947), pp. 78-79.
—, «Reseña a Yakov Malkiel», *Nueva Revista de Filología Hispánica*, I (1947), pp. 79-80.
Studia Philologica: homenaje ofrecido a Dámaso Alonso por sus amigos y discípulos con ocasión de su 60 aniversario, Madrid, Gredos, 1960-1963, 3 vols.
Verba et vocabula. Ernst Gamillscheg zum 80. *Geburtstag*, ed. Helmut Stimm y Julius Wilhelm, Múnich, W. Fink, 1968 (contiene el artículo de Heinrich Kuen, «Ernst Gamillscheg: Lebenswerk eines Romanisten», pp. 15-25 y una recopilación bibliográfica de W. Ullmann y otros, «Schriftenverzeichnis Ernst Gamillscheg», pp. 649-670).
TEN CATE, Yo (ed.), *Poema de Alfonso XI, I: estudio preliminar y vocabulario*, Ámsterdam, Swets & Zeitlinger, 1942.
—, *El poema de Alfonso XI*, Madrid, CSIC – Patronato «Menéndez y Pelayo» – Instituto «Miguel de Cervantes» (Anejos de Revista de Filología Española, 65), 1956.
Trovadores y juglares, antología de textos medievales, con traducción, comentarios y glosario de Gherardo Marone (1892-1962), Buenos Aires, Facultad de Filosofía y Letras, Instituto de Literatura, Sección Neolatina, 1948 (contiene: Lo coms de Peitieus; Marcabrus; Jaufres Rudels; Bernartz de Ventadorn; La comtessa de Dia).
University of California: In Memoriam (Clarence Paschall), 1951, redactado por Clai Hayden Bell, Percival B. Fay y Lawrence M. Price, pp. 44-46.

VALERO MORENO, Juan Miguel, «Américo Castro: la invención de la tolerancia», en *Estudios sobre la Edad Media, el Renacimiento y la temprana modernidad*, eds. Francisco Bautista Pérez y Jimena Gamba Corradine, San Millán de la Cogolla, Ci-Lengua-Instituto Biblioteca Hispánica-La SEMYR-EL SEMYR (Serie Mayor, 5), 2010, pp. 393-414.

VALÉRY, Paul, *Charmes*, París, Nouvelle Révue Française, 1922.

VAUGHAN, Herbert Hunter (ed.), *El trovador, por Antonio Gutiérrez*, Boston, D. C. Heath & Co., 1908.

—, *The dialects of central Italy*, Filadelfia, University of Pennsylvania, 1915.

VÁZQUEZ FERNÁNDEZ, Luis, ed., *El humanismo religioso de Dámaso Alonso: ensayos concéntricos*, Madrid, Revista «Estudios», 1999.

VENTADORN, Bernart de, *Bernart von Ventadorn, seine Lieder*, ed. Carl Appel, Halle, Max Niemeyer, 1915.

—, *Poesía*, selección, trad. y pról. Martín de Riquer, Barcelona, Yunque (Poesía en la Mano, 11. Poetas Catalano-Provenzales, 1), 1940.

VERBITSKY, Bernardo, *Significación de Stefan Zweig*, Buenos Aires, Sociedad Hebraica Argentina, 1942.

Vida de Sancto Domingo de Silos y Vida de Sancta Oria, Virgen, Buenos Aires, Espasa-Calpe (Austral, 344), 1943 (reproduce el texto de Janer).

VILLEGAS, Esteban Manuel de, *Las eróticas y traducción de Boecio de don Estevan Manuel de Villegas*, ed. Vicente de los Ríos, Madrid, Antonio de Sancha, 1774, 2 vols.

—, *Eróticas ó amatorias*, ed. Narciso Alonso Cortés, Madrid, La Lectura (Clásicos Castellanos, 21), 1913.

VIVES, Juan Luis, *De institutione foeminae Christianae*, apud Michaelem Hillenium Hoochstratanum, 1524.

—, *Libro llamado instrucción de la muger christiana*, Zaragoza, en casa de Bartholomé de Nágera, 1555.

—, *Institución de la mujer cristiana*, trad. Juan Justiniano, Madrid, Fundación Universitaria Española - Universidad Pontificia de Salamanca, 1995.

VOSTERS, Simon A., *Antonio de Guevara y Europa*, Salamanca, Universidad de Salamanca (Estudios Filológicos, 308), 2010.
YEPES, fray Diego de, *Virtudes y milagros de la bienaventurada virgen Teresa de Jesús*, Oficina de Pedro Crasbeeck, 1614.
WEBER de Kurlat, Frida, «Para la historia del Instituto de Filología y Literaturas Hispánicas 'Dr. Amado Alonso'», en *Homenaje al Instituto de Filología y Literaturas Hispánicas en su cincuentenario,* 1923-1973, Buenos Aires, Distribuidor F. G. Cambeiro, 1975, pp. 1-11.
—, «Pedro Henríquez Ureña en el Instituto de Filología de Buenos Aires», *Libro Jubilar de Pedro Henríquez Ureña II*, Santo Domingo, Universidad Nacional Pedro Henríquez Ureña, 1984, pp. 265-272.
WELLEK, René, «Leo Spitzer (1887-1960)», *Comparative Literature*, XII.IV (1960), pp. 310-334.
WOLFSKEHL, Karl, *Die stimme spricht*, Berlín, Schocken, 1936.
WOODBRIDGE, Benjamin M., Jr., «An analytical bibliography of the writings of Kurt Lewent», *Romance Philology*, XX (1967), pp. 391-403.
www.dipualba.es/iea/tnt/index.htm
ZAMORA VICENTE, Alonso, «En recuerdo de Tomás Navarro Tomás», en *Los orígenes de la fonética experimental en España*, Cáceres, Fundación Biblioteca Alonso Zamora Vicente, 2001, pp. 19-27.
ZULUETA, Emilia, «El hispanismo de Hispanoamérica», *Hispania*, LXXV (1992), pp. 950-965.
ZWEIG, Stefan, *Die Heilung durch den Geist. Mesmer. Mary Baker-Eddy. Freud*, Leipzig, Insel, 1931. Hay traducción al español: *La curación por el espíritu. (Mesmer, Baker-Eddy, Freud)*, trad. Joan Fontcuberta, Barcelona, Acantilado, 2006.

ÍNDICE ONOMÁSTICO

[Recoge los nombres de personas, autores o personajes mencionados en el epistolario].

ESTA EDICIÓN, PRIMERA,
DE «AMOR Y FILOLOGÍA», DE MARÍA ROSA LIDA
& YAKOV MALKIEL, SE TERMINÓ DE
IMPRIMIR EN CAPELLADES EN
EL MES DE MARZO
DEL AÑO
2017

✡

2 - III - 1948

María Rosa Lida

Requiescat
in
pace.

Colección El Acantilado
Últimos títulos

324. SVETLANA ALEKSIÉVICH *El fin del «Homo sovieticus»* (6 ediciones)
325. *Conversaciones con Arthur Schopenhauer. Testimonios sobre la vida y la obra del filósofo pesimista*
326. ALBERTO SAVINIO *Contad, hombres, vuestra historia*
327. IMRE KERTÉSZ *La última posada* (2 ediciones)
328. ISABEL SOLER *Miguel de Cervantes: los años de Argel*
329. JOSEP SOLANES *En tierra ajena. Exilio y literatura desde la «Odisea» hasta «Molloy»*
330. *La eternidad de un día. Clásicos del periodismo literario alemán (1823-1934)*
331. FLORENCE DELAY *A mí, señoras mías, me parece. Treinta y un relatos del palacio de Fontainebleau*
332. NIKOLAUS HARNONCOURT *Diálogos sobre Mozart. Reflexiones sobre la actualidad de la música*
333. SIMON LEYS *Breviario de saberes inútiles. Ensayos sobre sabiduría en China y literatura occidental* (2 ediciones)
334. SAINTE-BEUVE *Retratos de mujeres*
335. LISA RANDALL *La materia oscura y los dinosaurios. La sorprendente interconectividad del universo*
336. RAMÓN ANDRÉS *Pensar y no caer*
337. PETER BROWN *Por el ojo de una aguja. La riqueza, la caída de Roma y la construcción del cristianismo en Occidente (350-550 d. C.)* (2 ediciones)
338. ALFRED BRENDEL *Sobre la música. Ensayos completos y conferencias*
339. REINER STACH *Kafka. Los primeros años; Los años de las decisiones; Los años del conocimiento* (2 ediciones)
340. JEAN-YVES JOUANNAIS *El uso de las ruinas. Retratos obsidionales*
341. KARL JASPERS *Origen y meta de la historia*